許錟輝總策畫　中華章法學會主編

跨界章法學研究叢書　第五冊

陰陽雙螺旋互動論

——以「〇一二多」層次邏輯系統作通貫觀察

陳滿銘　著

萬卷樓圖書股份有限公司出版

總序

「章法學」又稱「雙螺旋層次邏輯學」，是研究深藏於宇宙人生「萬事萬物」之間，以「陰陽二元」雙螺旋互動為基礎，產生層層「轉化」的動態作用，而形成其「雙螺旋層次邏輯」系統的一門學問。若要挖掘這種使「萬事萬物」不斷「轉化」之「雙螺旋層次邏輯」，將它們彰顯出來，則非靠由一般「科學方法」提升到哲學層面的「方法論」不可。而這些「方法論」，是可在「陰陽二元」的不斷互動下，主要經「移位」（秩序）、或「轉位」（變化）、「對比、調和」與「包孕」（聯貫⟷統一），產生「互動、循環、往復而提升」之「0一二多」雙螺旋層次邏輯運動，構成其「微觀」（方法論：個別）、「中觀」（方法論原則：概括）而「宏觀」（方法論系統：體系）的完整體系，以呈現其普遍性與適應性，而由此正式打開「跨界章法學」研究的一扇扇大門[1]。

---

1 此扇門自1974年開始逐漸打開，見陳滿銘：《比較章法學》（臺北市：萬卷樓圖書公司，2012年11月初版）。頁1-377。即以個人專著而言，除《比較章法學》外，《學庸義理別裁》（2002年）、《論孟義理別裁》（2003年）、《蘇辛詞論稿》（2003年）、《意象學廣論》（2006年）、《辭章學十論》（2006年）、《多二一（0）螺旋結構論——以哲學、文學、美學為研究範圍》（2007年）、《篇章意象學》（2011年），皆屬「跨界章法學」之性質。

一　微觀層面的跨界章法學

這主要是就「章法類型（結構）」[2] 而言的。凡是「章法」都由「陰陽二元」互動，呈現其層次邏輯關係，而形成多種類型。這種「陰陽二元」互動觀念的論述，在中國的哲學古籍裡，很容易找到。其中以《周易》與《老子》二書，為最早而最明顯。

在此，限於篇幅，僅舉《周易》來看，它以「陰陽」為其一對基本概念，是由此陰（斷 --）陽（連 —）二爻而衍為四象，再由四象而衍為八卦、六十四卦的。而八卦之取象，是兩相對待的，即乾（天）為「三連」（☰）而坤（地）為「六斷」（☷）、震（雷）為「仰盂」（☳）而艮（山）為「覆碗」（☶）、離（火）為「中虛」（☲）而坎（水）為「中滿」（☵）、兌（澤）為「上缺」（☱）而巽（風）為「下斷」（☴）；而所謂「三連」（陰）與「六斷」（☷）、「仰盂」（☳）與「覆碗」（☶）、「中虛」（☲）與「中滿」（☵）、「上缺」（☱）與「下斷」（☴），正好形成四組兩相互動之運作關係，以呈現其簡單的「二元互動」之邏輯結構。後來將此八卦重疊，推演為六十四卦，雖更趨複雜，卻依然存有這種「二元互動」的運作關係，如「坎（☵）上震（☳）下」（〈屯〉）與「震（☳）上坎（☵）下」（〈解〉）、「艮（☶）上巽（☴）下」（〈蠱〉）與「巽（☴）上艮（☶）下」（〈漸〉）、「乾（☰）上兌（☱）下」（〈履〉）與「兌（☱）上乾（☰）下」（〈夬〉）、「離上（☲）坤（☷）下」（〈晉〉）與「坤（☷）上離（☲）下」（〈明夷〉）……等，就是如此。而〈雜卦〉云：

2　陳滿銘：《章法學綜論》（臺北市：萬卷樓圖書公司，2003年6月初版），頁17-33。又，蒲基維：〈章法類型概說〉，《大學國文選．教師手冊．附錄三》（臺北市：普林斯頓國際公司，2011年7月二版修訂），頁483-523。

> 乾，剛；坤，柔。比，樂；師，憂。臨、觀之意，或與或求。……震，起也；艮，止也。損、益，衰盛之始也。大畜，時也；無妄，災也。萃，聚，而升，不來也。謙，輕；而豫，怡也。……兌，見；而巽，伏也。隨，無故也；蠱，則飭也。剝，爛也；復，反也。晉，晝也，明夷，誅也。井，通；而困，相遇也。咸，速也；恆，久也。渙，離也；節，止也。解，緩也；蹇，難也。睽，外也；家人，內也。否、泰，反其類也。……革，去故也；鼎，取新也。小過，過也；中孚，信也。豐，多故也；親寡，旅也。離，上；而坎，下也。……大過，顛也；頤，養正也。既濟，定也；未濟，男之窮也。姤，遇也，柔遇剛也；……夬，決也；剛決柔也。君子道長，小人道憂也。

這些卦的要義或特性，都兩兩互動，如剛和柔、樂與憂、與和求、起和止、衰和盛、時和災、見和伏、速和久、離和止、外和內、否和泰、去故和取新、多故和親寡、上和下……等等。由此反映宇宙人生之「雙螺旋層次邏輯」，為人生行為找出準則，以適應宇宙自然之動態規律[3]。

到目前為止，透過「模式研究」（人為探索）以對應「客觀存在」（自然呈現）[4]的努力結果，已發現之「章法類型」有：今昔、久

---

3 陳滿銘：〈論螺旋邏輯學的創立——以哲學螺旋與科學螺旋為鍵軸探討其體系之建構〉，《國文天地．學術論壇》31卷1期（2015年6月），頁116-136。又參見徐復觀：《中國人性論史．先秦篇》（臺北市：臺灣商務印書館，1978年10月四版），頁202；陳望衡：《中國古典美學史》（長沙市：湖南教育出版社，1998年8月一版一刷），頁182。

4 陳滿銘：〈論辭章之無法與有法——以客觀存在與科學研究作對應考察〉，彰化師大《國文學誌》23期（2011年12月），頁29-63。

暫、遠近、內外、左右、高低、大小、視角轉換、知覺轉換、時空交錯、狀態變化、本末、淺深、因果、眾寡、並列、情景、論敘、泛具、虛實（時間、空間、假設與事實、虛構與真實）、凡目、詳略、賓主、正反、立破、抑揚、問答、平側（平提側注、平提側收）、縱收、張弛、插補、偏全、點染、天（自然）人（人事）、圖底、敲擊……等類型[5]，都由「陰陽二元」互動所形成。大抵而論，屬於本、先、靜、低、內、小、近……的，為「陰」為「柔」，屬於末、後、動、高、外、大、遠……的，為「陽」為「剛」[6]。如「正反」法以「正」為「陰」而「反」為「陽」、「因果」法以「因」為「陰」而「果」為「陽」，而其他的也皆如此，以反映自然運動的雙螺旋層次邏輯準則。

就單以「偏（陽）全（陰）」而言，「三一」語言學派創始人王希杰認為就是「方法論」，說：「值得一提的是，在〈從偏全的觀點試解讀四書所引生的一些糾葛〉一文[7]中，滿銘教授說：『讀古書，尤其是有關義理方面的專著，很多時候是不能一味單從「偏」（局部）或「全」（整體）的觀點來瞭解其義的。讀《四書》也不例外，必須審慎地試著辨明「偏」還是「全」的觀點來加以理解，才不至於犯混同的毛病。』……我認為，滿銘教授的這一說法是具有『方法論』意義的。」[8]

可見這些由「陰陽二元」互動所形成之「章法類型」（含「章法結構」），能在《周易》中尋得其哲理根源，成為「章法學」中屬於

5 陳滿銘：《章法學綜論》，頁17-32。

6 陳望衡：《中國古典美學史》，頁184。

7 陳滿銘：〈從偏全的觀點試解讀《四書》所引生的一些糾葛〉，臺灣師大《中國學術年刊》13期（1992年4月），頁11-22。

8 王希杰：〈陳滿銘教授和章法學〉，《畢節學院學報》總96期（2008年2月），頁1-5。

「微觀」層面之「方法論」；而由此呈現「微觀」層面之「跨界章法學」。

二　中觀層面的跨界章法學

這主要是就「章法規律」而言[9]的。由「章法類型」所形成之「章法結構」，是在「陰陽二元」互動之作用下，由「移位」或「轉位」與「對比、調和」、「包孕」而形成的。其中由「移位」呈現「秩序律」；「轉位」呈現「變化律」；「對比、調和」徹下、徹上以呈現「聯貫律」；由「包孕」徹下、徹上以呈現「統一律」。而這種「雙螺旋層次邏輯」之四大規律，乃先由「秩序」或「變化」而「聯貫」，然後趨於「統一」，形成「雙螺旋層次邏輯系統」。這種理論，可見於《周易》與《老子》[10]。在此，也只歸本於《周易》作簡要探討。

先以「秩序」而言，涉及「移位」，此乃「陰陽二元」最基本的一種互動，是在對待往來中起伏消息、迭相推盪而產生的。因為事物之發展是統一物分裂為兩相對待，而相互作用的運作過程，而此對待面的相互作用，在《周易》的《易傳》中以相互推移（剛柔相推）、相互摩擦（剛柔相摩）、與相互衝擊（八卦相盪）等各種表現形式[11]，為順向移位與逆向移位，提出了最精微的論證。就以〈乾卦〉來看，由初九的「潛龍，勿用」，移向九二的「見龍在田，利見大

9　「中觀」層面，原含「規律」、「族性」、「多元」與「比較」等內容，在此特舉「規律」以概其餘。參，見陳滿銘：〈章法學三觀論〉，高雄師大《國文學報》21期．特約稿（2015年1月），頁1-33。

10　陳滿銘：〈論章法四大律之方法論原則——以「多、二、一（0）」螺旋結構作系統探討〉，臺灣師大《中國學術年刊》33期．春季號（2011年3月），頁87-118。

11　馮友蘭：《中國哲學史新編》二（臺北市：藍燈文化公司，1991年12月初版），頁376。

人」，移向九三的「君子終日乾乾，夕惕若。厲，無咎」；再移向九四的「或躍在淵，無咎」；然後躍升，移向九五的「飛龍在天，利見大人」，形成一連串的順向位移。上九，則因已到達了極限、頂點，會由吉變凶，漸次另形成逆向移位，開始向對待面轉化，造成另一種轉位，故說是「亢龍有悔」了。而這種「移位」全離不開雙向「陰陽互動」作用：

順向：陰 ——→ 陽

逆向：陽 ——→ 陰

而六爻之所以能夠用以模擬事物的運動變化，是因「六位」能體現「道」的陰陽互動、統一之規律性。而此「六位」原則一確立，整個自然界與人類社會的基本規律全都可加以反映，故〈說卦傳〉將其概括為「分陰分陽」，「六位而成章」，以「六位」體現著哲學原理。「六爻」體現著事物在一定規律支配下的變化運動過程，從時間性上可畫分為潛在的與顯露的兩大階段，以一卦的卦象去體現，而其運動變化即可以由此清楚地瞭解而加以掌握[12]。因此，內外卦之間可以相互往來升降，六個爻畫之間也可以相互往來升降；通過這種往來升降的相互作用，就使種種的轉化運動，產生了一連串的順向移位（陰→陽）與逆向移位（陽→陰）；如：

1. 「正反」法：「正（陰）→反（陽）」（順向）、「反（陽）→正（陰）」（逆向）

12 徐志銳：《周易陰陽八卦說解》（臺北市：里仁書局，2000年3月初版四刷），頁60-73。

2.「因果」法：「因（陰）→果（陽）」（順向）、「果（陽）→因（陰）」（逆向）

這種「移位」全離不開「陰陽二元」之互動作用，由此呈現「秩序律」。

次以「變化」而言，涉及以「移位」為基礎的「轉位」[13]。由於「陰陽」互動、生生而一，使《周易》哲學之發展形成開放的序列。這一序列正體現在〈乾〉、〈坤〉兩卦的「用九」、「用六」上。而「用九」、「用六」並不局限於〈乾〉、〈坤〉兩卦，而是為六十四卦發其通例，然後每一卦位在九、六互變中，均可一一尋出因「移位」而造成「轉位」的變動歷程。由〈乾〉、〈坤〉，而至〈既濟〉、〈未濟〉，〈序卦〉不但說明了由運動變化而形成秩序的無窮盡歷程，也表示了宇宙萬物由六十四卦的位位互移，運動變化到達極點時，即會形成「大反轉」，反本而回復其根，形成另一個互動的循環系統。這一個「大反轉」，就是一個「大轉位」。這種「大轉位」可用下圖來表示：

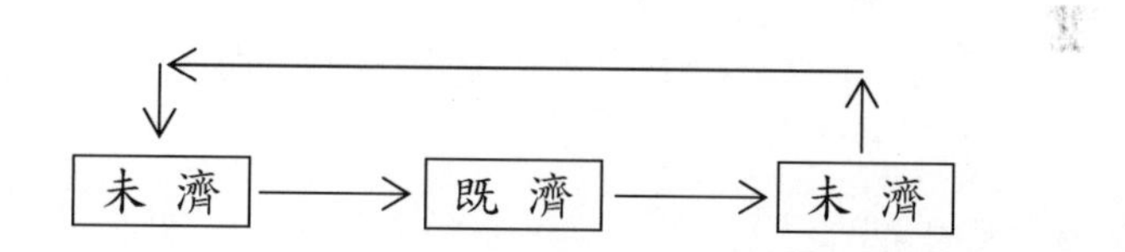

這雖是就「大轉位」而言，但「小轉位」又何嘗不是如此呢？就在這互動的「循環系統」中，自然涵蘊著無限的陰陽之「轉位」，如下圖：

13 陳滿銘：〈章法的「移位」、「轉位」結構論〉，臺灣師大《師大學報・人文與社會類》49卷2期（2004年10月），頁1-22。又，黃淑貞：〈《周易》「移位」、「轉位」論〉，《孔孟月刊》44卷5、6期（2006年2月），頁4-14。

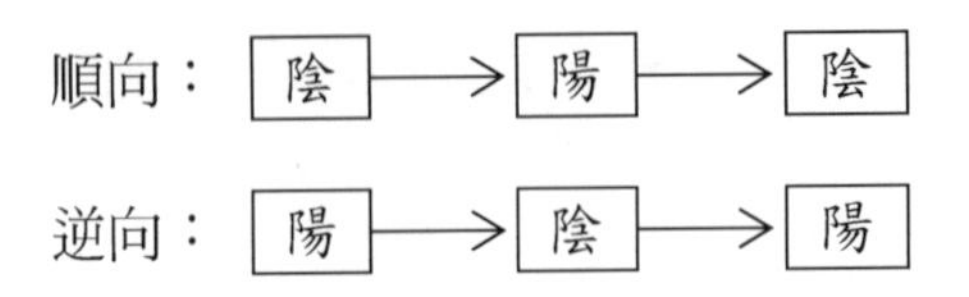

這種互動之「循環系統」，由陰陽、剛柔的相摩相推，太儀而兩儀，兩儀而四象，四象而八卦，八卦而六十四卦；再由六十四卦的位位互移、反轉，運動變化到達極點，形成「大位移」、「大反轉」，反本而回復其根，使萬物生生而無窮。因此，《周易》講「生生之德」的「生生」，即不絕之意，也深具新陳代謝之意。說明了由「陰陽二元」互動而轉化，宇宙萬物就在一次又一次的大小「移位」、「轉位」中，循環反復，永無止境。其中以「轉位」來說，產生「陰→陽→陰」（順向）與「陽→陰→陽」（逆向）的變化，如：

1. 「正反」法：「正（陰）→反（陽）→正（陰）」（順向）、「反（陽）→正（陰）→反（陽）」（逆向）
2. 「因果」法：「因（陰）→果（陽）→因（陰）」（順向）、「果（陽）→因（陰）→果（陽）」（逆向）

而由此呈現「變化律」。

再以「聯貫」而言，這種「轉化」主要有兩種：「對比」與「調和」。以「對比」而言，也稱「異類相應的聯繫」，如上引〈雜卦〉所謂的「剛」與「柔」、「樂」與「憂」、「與」與「求」、「起」與「止」、「衰」與「盛」、「時」與「災」、「見」與「伏」、「速」與「久」、「離」與「止」、「否」與「泰」……等都是，對此，戴璉璋說：「以上各卦所標示的特性或要義：剛和柔、樂和憂、與和求、起和止、盛和衰等等，都是異類相應的聯繫。」[14] 。以「調和」而言，是由史伯、晏嬰「同」的觀念發展出來的。原來的「同」，指「同一物的加多或重複」，到了《周易》，則指同類事物的「相從」，〈雜卦〉云：「屯，見而不失其居；蒙，雜而著。……大壯，則止；遯，則退也。大有，眾也；同人，親也。……小畜，寡也；履，不處也。需，不進也；訟，不親也。……歸妹，女之終也；漸，女歸待男行也。」這是以「止」和「退」、「眾」和「親」、「寡」和「不處」、「不進」和「不親」、「女之終」和「女歸待男行」等的相類而形成「同類相從的聯繫」（調和），對此，戴璉璋說：「依〈序卦傳〉，屯與蒙都是代表事物始生、幼稚時期的情況，〈雜卦傳〉作者用『見而不失其居』、『雜而著』來描述屯、蒙兩掛的特性，也都是就始生的事物而言。此外引〈大壯〉以下各卦的『止』和『退』、『眾』和『親』、『寡』和『不處』、『不進』和『不親』、『女之終』和『女歸待男行』，都是同類相從的聯繫。」[15]。而這所謂的「對比」、「調和」，是對應於「剛柔」來說的[16]。如說得徹底一點，即一切「對比」與「調和」，都是由於陰（柔）陽（剛）相對、相交、相和的結果，如單以「章法類型」來說，「正反」法為「對比」、「因果」法為「調和」[17]。這樣結構由單一而系統、下徹而上徹，以凸顯了相反相成的互動作用，而趨於「統一」的「雙螺旋層次邏輯結構」；「聯貫律」即由此呈現。

---

14 戴璉璋：《易傳之形成及其思想》（臺北市：文津出版社，1988年11月臺灣初版），頁196。

15 戴璉璋：《易傳之形成及其思想》，頁195。

16 歐陽周、顧建華、宋凡聖編著：《美學新編》（杭州市：浙江大學出版社，2001年5月一版九刷），頁81。又，仇小屏：《古典詩詞時空設計美學》（臺北市：文津出版社，2002年11月初版一刷），頁332。

17 仇小屏：〈論辭章章法的對比與調和之美〉，《章法學論文集》上冊（福州市：海潮攝影藝術出版社，2002年12月第一版），頁78-97。

終以「統一」而言，主要涉及「包孕」。在《周易》六十四卦中，除「乾」、「坤」兩卦，一為「陽之元」，一為「陰之元」外，其他的六十二卦，全是由「陰陽二元」互動而含融、聯貫而統一的。《周易‧繫辭下》說：「陽卦多陰，陰卦多陽。其故何也？陽卦奇，陰卦偶。」對此，清焦循注云：「陽卦之中多陰，則陰卦之中多陽。兩相孚合捊多益寡之義也。如〈萃〉陽卦也，而有四陰，是陰多於陽，則以〈大畜〉孚之。〈大有〉陰卦也，而有五陽，是陽多於陰，則以〈比〉孚之。設陽卦多陽，則陰卦必多陰，以旁通之；如〈姤〉與〈復〉、〈遯〉與〈臨〉是也。聖人之辭，每舉一隅而已。……奇偶指五，奇在五則為陽卦，宜變通於陰；偶在五則為陰卦，宜進為陽。」[18] 可見《周易》六十四卦，有陽卦與陰卦之分，而要分辨陽卦與陰卦，照焦循的意思，是要看「奇在五」或「偶在五」來決定，意即每卦以第五爻分陰陽，如是陽爻則為陽卦，如為陰爻則是陰卦[19]。如此卦卦都產生「陰陽包孕」之作用。這種作用，如鎖定單一結構，擴及全面，以「陽／陰或陽」而言，則可形成下列三種不同的包孕式結構：

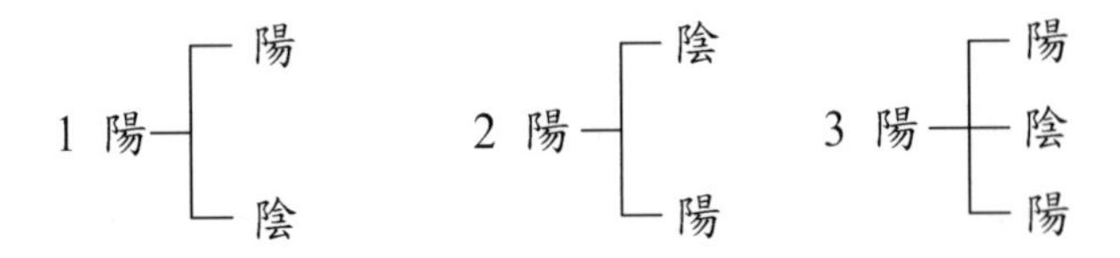

其中1、2兩種，如：

18 陳居淵：《易章句導讀》（濟南市：齊魯書社，2002年12月一版一刷），頁209。

19 陽卦與陰卦之分，或以為要看每一卦之爻畫線段的總數來決定，如為奇數屬陽，如是偶數則為陰。見鄧球柏：《帛書周易校釋》（長沙市：湖南人民出版社，2002年6月三版一刷），頁536。

1.「正反」法：「反（陽）／反（陽）→正（陰）」、「反（陽）／正（陰）→反（陽）」

2.「因果」法：「果（陽）／果（陽）→因（陰）」、「果（陽）／因（陰）→果（陽）」

這些都可形成「移位」結構外，3又可合而形成「轉位」結構，如：

1.「正反」法：「反（陽）／反（陽）→正（陰）→反（陽）」

2.「因果」法：「果（陽）／果（陽）→因（陰）→果（陽）」

以「陰／陽或陰」而言，則可形成下列三種不同的包孕式結構：

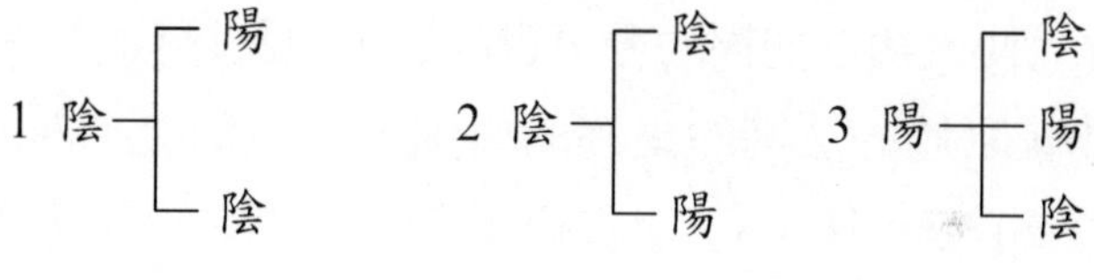

1 陰─┬─陽
　　　└─陰

2 陰─┬─陰
　　　└─陽

3 陽─┬─陰
　　　├─陽
　　　└─陰

其中1、2兩種，如：

1.「正反」法：「正（陰）／反（陽）→正（陰）」、「正（陰）／正（陰）→反（陽）」

2.「因果」法：「因（陰）／果（陽）→因（陰）」、「因（陰）／因（陰）→果（陽）」

這些都一樣可形成「移位」結構外，3又可合而形成「轉位」結構[20]，

20 其中有關於《易傳》的論述，詳見陳滿銘：〈章法包孕式結構論──以「多、二、一（0）」螺旋結構切入作考察〉，《江南大學學報．人文社會科學版》5卷4期（2006

如：

1.「正反」法：「反（陽）／正（陰）→反（陽）→正（陰）」
2.「因果」法：「果（陽）／因（陰）→果（陽）→因（陰）」

於是就在這種作用下，結構由單一而系統，以產生下徹的作用，統合了「秩序、變化、聯貫」的轉化運動，而由此呈現「統一律」。

可見這四大「章法規律」，對「章法類型（結構）」來說，有「概括」作用，都可從《周易》(《老子》)裡尋得其哲理源泉，成為「章法學」中屬於「中觀」層面之「方法論原則」。對此，王希杰說：「陳滿銘教授……把章法變成一門科學——可以把握，有規律規則可以遵循的學問。這是一個了不起的貢獻。……但是……法則太多，可能顯得繁瑣、瑣碎，使人難以把握的。可貴的是，陳滿銘教授……力圖建立統率這些比較具體的法則的更高的原則。……創建了四大原則：（1）秩序律（2）變化律（3）聯貫律（4）統一律……這符合科學的最簡單性原則，而且也是變化無窮的。這其實就是《周易》的『方法論原則』，乾坤兩卦，生成六十四卦。所以他的章法學是一個具有生成轉化潛能的體系，或者說是具有生成性。因此是具有生命力的。」[21]

可見這些由「章法類型（結構）」所形成之「章法規律」，能在《周易》中尋得其哲理根源，成為「章法學」中屬於「微觀」層面之「方法論」；而由此呈現「中觀」層面之「跨界章法學」。

年8月），頁85-90。又，陳滿銘：〈論章法包孕結構之陰陽變化——以蘇辛詞為例作觀察〉，臺北大學《中文學報》15期〔特稿〕(2014年3月），頁1-24。

21 王希杰：〈陳滿銘教授和章法學〉，頁1-5。又，陳滿銘：〈論章法四大律之方法論原則——以「多、二、一（0）」螺旋結構作系統探討〉，頁87-118。

三　宏觀層面的跨界章法學

這主要是就「雙螺旋層次邏輯系統」而言的。從根本來看，「陰陽二元」互動乃一切「轉化」之根源，就拿八卦與由八卦重疊而成的六十四卦來說，即全由「陰陽」二爻所構成，以象徵並概括宇宙人生的各種變化，〈說卦〉說的「觀變於陰陽而立卦」，就是這個意思。《易傳》以為就在這種「陰陽」的相對、相交、相和之「互動」作用下，變而通之，通而久之，於是創造了天地萬物（含人類），達於「統一」的境地[22]。而《易傳》這種「互動」的「轉化」思想，也可推源到「和」的觀念，它始於春秋時之史伯，他從四支（肢）、五味、六律、七體（竅）、八索（體）、九紀（臟）到十數、百體、千品、萬方、億事、兆物、經入、姟極，提出「和」的觀點[23]，「作為對事物的多樣性、多元性衝突融合的體認」[24]，而後到了晏子，則作進一步之論述，認為「和」是指兩種相對事物之融而為一，即所謂「清濁、小大、短長、疾徐、哀樂、剛柔、遲速、高下、出入、周疏，以相濟也」[25]。如此由「多樣的和（統一）」（史伯）進展到「兩樣（對待）的和（統一）」（晏子），再進一層從對待多數的「兩樣」

22 陳望衡：「《周易》中的陰陽理論強調的不是相反事物的對立，而是相反事務的相交、相和。《周易》認為，陰陽相交是生命之源，新生命的產生不在於陰陽的對立，而在陰陽的交感、統一。因此陰陽的相合不是量的增加，而是新質的產生，是創造。因此，陰陽相交、相合的規律就是創造的規律。」見《中國古典美學史》，頁182。

23 《國語・鄭語》，易中天注譯、侯迺慧校閱：《新譯國語讀本》（臺北市：三民書局，1995年11月初版），頁707-708。

24 張立文：《中國哲學邏輯結構論》（北京市：中國社會科學出版社，2002年1月一版一刷），頁22。

25 《左傳・昭公二十年》，楊伯俊：《春秋左傳注》（臺北市：源流文化公司，1982年4月再版），頁1419-1420。

中提煉出源頭的「剛（陽）柔（陰）」，而成為「剛（陽）柔（陰）的統一」（《易傳》），形成了「『多』（多樣事物、多樣對待）→『二』（剛柔、陰陽）→『一』（統一）」的順序，進程逐漸是由「委」（有象）而追溯到「源」（無象），很合於歷史發展的軌跡。而這種結構，如對應於「三易」（《易緯・乾鑿度》）而言，則「多」說的是「變易」、「二」說的是「簡易」，而「一」說的是「不易」。因此「三易」不但可概括《周易》之內容與特色，也可藉以呈現「多⟷二⟷一」的雙螺旋層次邏輯系統[26]。

以順向而言，其結構為「多→二→一」，若倒過來，由「源」而「委」地來說，就成為「一→二→多」[27]了。在《老子》、《易傳》中就可找到這種說法，如：

> 道生一，一生二，二生三，三生萬物。萬物負陰抱陽，沖氣以為和。（《老子・四十二章》）
> 易有太極，是生兩儀，兩儀生四象，四象生八卦。（《周易・繫辭上》）

這樣，結合《周易》和《老子》來看，它們所主張的「道」，如僅著

---

26 《周易》六十四卦，由第一卦〈乾〉至第六十三卦〈既濟〉為一循環，而由第六十四卦〈未濟〉倒回〈乾卦〉開始為又一循環，如此不斷循環就有「螺旋」意涵在內。見陳滿銘：〈論「多」、「二」、「一（0）」的螺旋結構——以《周易》與《老子》為考察重心〉，臺灣師大《師大學報・人文與社會類》48卷1期（2003年7月），頁1-21。

27 就由「無」而「有」而「無」的整個循環過程而言，可以形成「（0）一、、二、三（多）」（正）與「三（多）、二、一（0）」（反）的螺旋關係。此種螺旋關係，涉及哲學、文學、美學……等，見陳滿銘：〈意象「多、二、一（0）」螺旋結構論——以哲學、文學、美學作對應考察〉，《濟南大學學報・社會科學版》17卷3期（2007年5月），頁47-53。

眼於其「同」，則它們主要透過「相反相成」、「返本復初」而循環不已的螺旋作用，不但將「一→多」的順向歷程與「多→一」的逆向歷程前後銜接起來，更使它們層層推展，「循環、往復而提高」不已，而形成了螺旋式結構，以呈現宇宙創生、含容而轉化的萬物基本動態規律。

而最值得注意的是：就在這「由一而多」（順）、「多而一」（逆）的過程中，是有「二」介於中間，以產生承「一」啟「多」的作用的。而這個「二」，從「道生一，一生二，二生三，三生萬物」等句來看，該就是「一生二，二生三」的「二」。雖然對這個「二」，歷代學者有不同的說法，大致說來，以為「二」是指「陰陽二（兩）氣」[28]。而這種「陰陽二氣」的說法，其實也照樣可包含「天地」在內，因為「天」為「乾」為「陽」，而「地」則為「坤」為「陰」；所不同的，「天地」說的是偏於時空之形式，用於持載萬物[29]；而「陰陽」指的則是偏於「二氣之良能」[30]，用於創生萬物。這樣看來，老子的「一」該等同於《易傳》之「太極」、「二」該等同於《易傳》之「兩儀」（陰陽），因此所呈現的，和《周易》（含《易傳》）一樣，是「一→二→多」與「多→二→一」之原始結構。不過，值得一提的是：（一）即使這「一」、「二」、「多」之內容，和《周易》（含《易傳》）有所不同，也無損於這種結構的存在。（二）「道生一」的「道」，既是「創生宇宙萬物的一種基本動力」，而它「本身又體現了無（无）」[31]，那麼正如王弼所注「欲言無（无）耶，而物由以成；欲

28 以上諸家之說與引證，見黃釗：《帛書老子校注析》（臺北市：臺灣學生書局，1991年10月初版），頁231。

29 徐復觀：《中國人性論史・先秦篇》，頁335。

30 朱熹：《四書集注》（臺北市：學海出版社，1984年9月初版），頁31。

31 林啟彥：《中國學術思想史》（臺北市：書林出版社，1999年9月一版四刷），頁34。

言有耶，而不見其形」[32]，老子的「道」可以說是「无」，卻不等於實際之「無」（實零）[33]，而是「恍惚」的「无」（虛零），以指在「一」之前的「虛理」[34]。這種「虛理」，如勉強以「數」來表示，則可以是「（0）」。這樣，順、逆向的結構，就可調整為「（0）一→二→多」（順）與「多→二→一（0）」（逆），以補《周易》（含《易傳》）之不足，這就使得宇宙萬物創生、含容的順、逆向歷程，更趨於完整而周延了[35]。而順、逆向的統合，可用「0一二多」來表示 其關係可用如下簡圖加以呈現：

（一）單層結構系統圖：

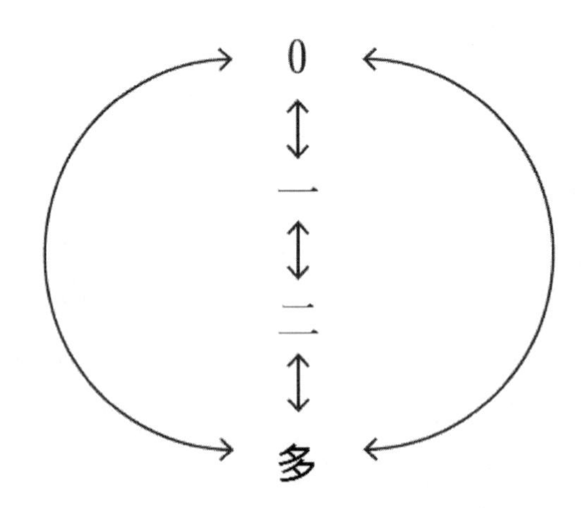

32 王弼：《老子王弼注》（臺北市：河洛圖書出版社，1974年10月臺景印初版），頁16。

33 馮友蘭：《馮友蘭選集》上卷（北京市：北京大學出版社，2000年7月一版一刷），頁84。

34 唐君毅：《中國哲學原論．導論篇》（香港：新亞研究所，1966年3月出版），頁350-351。

35 陳滿銘：〈論「多、二、一（0）」的螺旋結構——以《周易》與《老子》為考察重心〉，頁1-21。

（二）多層結構系統圖：

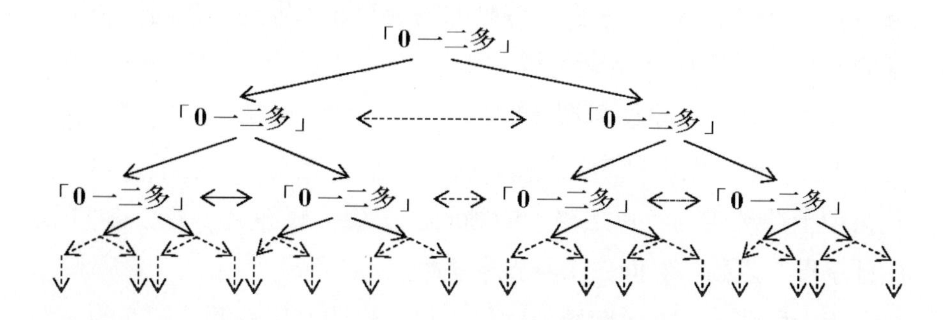

而此「層次邏輯」每一層的的內容或意象雖可以萬變、億變，但其雙螺旋結構卻不變，都以「陰陽二元」之互動為「二」，「秩序（移位）、變化（轉位），聯貫（包孕、對比與調和：下徹）為「多」，「統一」（包孕、對比、調和：上徹）為「一0」。

如此配合「章法類型（含「章法結構」）」（微觀）與「四大規律」（中觀）來看，它們的關係可表示如下簡圖：

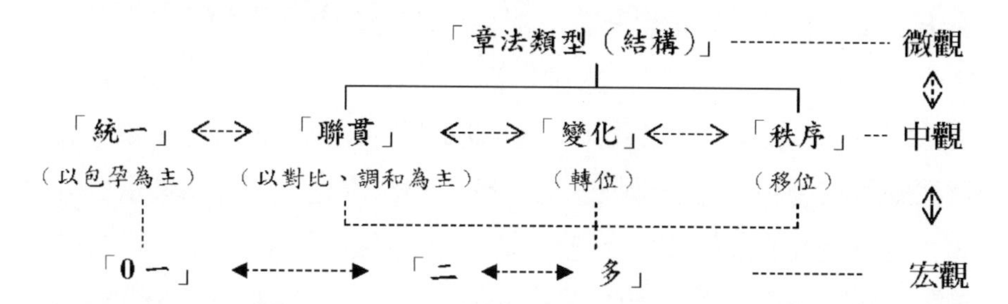

由此可見「宏觀」層的「0一二多」雙螺旋層次邏輯系統──「方法論系統」[36]，是可統合「微觀」層的「章法類型（結構）」、「中觀」層的「四大規律」（「秩序（移位）」或「變化（轉位）」、「聯貫」（以對

36 陳滿銘：〈論章法結構之方法論系統──歸本於《周易》與《老子》作考察〉，臺灣師大《國文學報》46期（2009年12月），頁61-94。

比、調和為主）與「統一（以包孕為主）」，而形成其章法學「方法論」之「三觀」體系的。而這些動態的層次邏輯理則，都同樣源出於《周易》與《老子》，清晰可辨。

可見這些由「章法類型（結構）」與「章法規律」為基礎所形成之「0一二多」雙螺旋層次邏輯系統，能在《周易》、《老子》中尋得其哲理根源，成為「章法學」中屬於「宏觀」層面之「方法論」；而由此呈現「宏觀」層面之「跨界章法學」。

綜上所述，可知「跨界章法學」是可形成其「三觀」體系的。而這一體系之確立，與「章法學」相關的研究有「雙螺旋互動」之密切關係，從四十餘年前開始，個人帶動博、碩士團隊，經由「歸納（果→因）⟷ 演繹（因→果）」的雙螺旋互動，先從各體辭章作品之解析中，歸納為「模式」，再以演繹，歸根於《周易》與《老子》，為「模式」尋出哲理依據，如此不斷地「求異 ⟷ 求同」，作「互動、循環、往復而提升」之研討，才逐漸地使「章法學」研究方法形成「方法論」體系，以呈現其「三觀」的「雙螺旋層次邏輯系統」。

對此，「三一語言學」的創始人王希杰，先論「章法學體系」時說：「章法學作為一門學問，不是有關部門章法的個別的知識，而是章法知識的總和，是一種概念的系統。章法學是一門實用性很強的學問，也有極高的學術價值。它同文章學、修辭學、語用學、文藝學、美學、邏輯學等都具有密切關係。章法學已經初步形成了一門科學。陳滿銘教授初步建立了科學的章法學體系。」[37] 再論「章法的客觀性」時就說：「凡存在的事物，都有是『章』有『法』的。德國哲學家黑格爾說：凡存在的，都是合理的。這個『理』，其實就是『章』和『法』。」然後論臺灣「章法學的方法論原則」時說：「有一篇論

---

37 王希杰：〈章法學門外閑談〉，《國文天地》18卷5期（2003年6月），頁53-57。

文，題目叫做〈談詞章學的兩種基本作法：歸納與演繹〉(《中等教育》27卷3、4期，1976年6月)，歸納法和演繹法其實也就是章法學的基本方法。……章法學的成功，是歸納法的成功，這近四十種章法規則是從大量的文章中歸納出來的，一律具有巨大的解釋力，覆蓋面很強。同時也是演繹法的成功的運用，例如《章法學綜論》中的『變化律』的十五種結構，很明顯是邏輯演繹出來的，當然也是得到許多文章的驗證的。……值得一提的是，……大量運用模式化手法。這本是很好的方法，但是……可能顯得繁瑣、瑣碎，使人難以把握的。可貴的是，……並不滿足於單純地『歸納（歸納 ⟷ 演繹）法則』，他們力圖建立統率這些比較具體的法則的更高的原則。」[38]

而辭章學大家鄭頤壽，先論「臺灣辭章學研究的哲學思辨」時說：「章法學……涉及文章學、修辭學、語體學、邏輯學以及美學等諸多方面。綜合研究這諸多方面的章法現象及其理論體系的學問……臺灣學者陳滿銘教授，在研究這一方面具有突出的成就，雖非絕後，實屬空前。……新的學科建設必須站在哲學的高度，並以之作指導，才能高瞻遠矚，不斷開拓，建構科學的理論體系。中國古老的哲學多門，其中最有影響的是樸素的辯證法思想，……它具有濃厚的文化底蘊，融進了我國的許多學科、各個領域和生活，至今仍有強盛的生命力。臺灣辭章章法研究，能充分運用我國傳統（《周易》、《老子》）的辯證法。陳滿銘教授的《章法學新裁》一書，談篇章結構，就用了辯證法的觀點，……仇小屏博士的《篇章結構類型論》（上、下）也是全書用辯證法來建構體系的。」[39]又論「三觀體系」時說：「篇章辭章學的『三觀』理論建構了科學的、體系嚴密的學科理論大廈，是『篇

38 王希杰：〈陳滿銘教授和章法學〉，頁1-5。

39 鄭頤壽：〈臺灣辭章學研究述評〉，《國文天地》17卷10期（2001年3月），頁99-107。

章辭章學』藝術之所以能夠成『學』的最主要依據。分清這『三觀』、『大廈』的建構就有了層次性、邏輯性；抓住這『三觀』，就抓住了學科體系的『綱』和『目』。我們用『三觀』理論所作的概括、評價，應該基本上描寫了篇章辭章學的理論體系。……是從具體的『方法』到概括的『規律』，……從一個個的『章法』入手，一個、兩個、十個、三十幾個、四十幾個……『集樹成林』（微觀）之後，又由博返約，把它們分別類聚於秩序律、變化律、聯貫律、統一律之中，有總有分，形成四個章法的『族系』（中觀）。這就把章法條理化、系統化了。……（又）從分別的『章法』、『規律』到統領『全軍』的理論框架『（0）一、二、多（「多、二、一（0）」）』（宏觀）。這是認識的又一個飛躍、昇華，它加強了學科的哲學性、科學性。」[40]

又，語言風格學大家黎運漢，在論「章法學方法論體系」時說；「一門學科的建立與研究方法密切相關，學科的進步與發展有時也要依靠新的方法來解決。因此，『漢語辭章章法』要成為獨立的學科，也跟其他學科一樣，要有自己的『方法論體系』。陳滿銘教授的章法學論著中雖然沒有專章講述『方法論』，但其幾部論著中無處不散發著他在『方法論』上的自覺。……體現出其章法學具有了較為完備的『方法論體系』。」[41]

四十餘年來，臺灣章法學的研究就這樣在許多學者的支持與鼓勵下，由「章法類型（結構）」（微觀：個別）而「章法規律」（中觀：概括）而「0一二多」（宏觀：體系），形成完整的「跨界章法學」之雙螺旋層次邏輯系統，這樣由「清醒自覺」（自然）而「認知確定」

40 鄭頤壽：〈陳滿銘創建篇章辭章學——代序〉，見《陳滿銘與辭章章法學》（臺北市：文津出版社，2007年12月一版一刷），頁（7）-（12）。

41 黎運漢：〈陳滿銘對辭章法學的貢獻〉，《陳滿銘與辭章章法學》，頁52-70。

（人為），一路摸索，步步辛苦爬高，而在今天危然臨下，深深嘆幾口氣的同時，卻有「卻顧所來徑，蒼蒼橫翠薇」（李白〈下終南山過斛斯山人宿置酒〉詩）的感動。所謂「辛苦必有收穫」，真希望研究團隊能繼續不畏辛苦，以此為基礎，加倍努力，靈活運用具有原始性、普遍性之「章法學三觀方法論體系」，繼續多方研討，從各個角度找出「事事物物」逐層「轉化」作「雙螺旋互動」的「層次邏輯系統」，一面加深對「辭章章法學」之研究，一面擴大推出「跨界章法學」，並儘量將成果化深為淺、轉繁為簡，作積極之推廣，以期獲得各界更多的支持與鼓勵。

四　本叢書的推出

本叢書就是在這樣的期許與努力下，決定由章法學研究團隊積極陸續推出成果。本輯所呈現者即其初步成果，含如下六冊：

（一）顏智英的《辭章章法變化律研究》：「變化律」，是宇宙運動的規律，萬事萬物由於陰陽二元的互動而發生運動變化，變化的歷程之中又形成了「移位」、「轉位」等現象，中、西方哲人都觀察到了這些自然界運動變化的規律，而有「變化哲學」的著述產生。「變化律」，也是人心共有的心理反映，人們抽繹出自然界移位及轉位的「變化之理」，透過人之「心」，可以投射到哲學、文學、藝術等的領域，應用的範圍十分廣泛。本書即為「變化律」在文學辭章章法分析的應用，先從中、西方的哲學典籍探討變化律的哲學義涵，再落實至文學作品（以古典詩詞為考察文本）材料間關係的實際分析，歸納梳理出章法變化律會形成「移位」及「轉位」等兩大類型的章法結構，而且可以涵蓋章法所有的結構現象，最後，尋繹章法變化律的心理基礎與美學特色，完整地呈現章法變化律的理論體系，也有效凸顯出「變化律」在章法規律系統中的重要地位。

（二）黃淑貞的《辭章章法四大律》：所有形式的存有，顯示了動態性、聯繫性、整體性等三種基調。在「動」的歷程中，它會產生不斷的變化；而其歷程，必然形成秩序，也必然經由局部和局部的聯貫，逐步趨於整體的統一。章法四大律，根植於這些邏輯規律。本書以《周易》《老子》為核心文獻，探討秩序與變化的移位轉位，探討陰陽二元對待與對比、調和，掌握宇宙萬物由「多」而「二」而「統一」的運行規律。在章法層面，卯榫理論和實踐，探究四大律的原則、範圍和內容。至此，哲學的意味和章法的內涵，終有了動態的整體的聯繫。

（三）陳滿銘的《唐宋詞章法學》：早在二〇〇七年就有學者認為本書作者「在當代詞學史上首要的貢獻是開創了『詞學章法學』這一新的研究領域。」又說他：「以章法學方法來剖析唐宋詞人創作的實踐來看。『章法學』的確能解此急。」且說：「在完成『章法學』全部體系建構的同時，也就開創了『詞學章法學』這一研究領域。」（曹辛華〈論陳滿銘先生的詞學貢獻〉）過了將近十年之後，終於推出本書，而縮小範圍，僅聚焦於「唐宋詞」，安排如下十章來探討：依序是：章法學「三觀」系統、時空虛實、包孕邏輯、多層解析、辭章評賞、篇章思維、篇章意象、創新潛能、潛顯互動、章法風格。這十章，除第一章為總論，藉理論體系以統合其他九章外，其餘九章都從不同層面或角度切入，用章法對「唐宋詞」作兼顧「求異 ⟷ 求同」、「直覺表現 ⟷ 模式探索」雙螺旋互動之探討，以見「唐宋詞章法學」之重要內涵，供研究者參考。

（四）蒲基維的《辭章風格教學新論》：「風格教學」是語文教學中重要的一環，也是訓練學生培育鑑賞能力、提升美感素養所必備的學習範疇。歷來對於辭章風格的分析，多偏於印象式、直覺式的批評，對於學生而言，仍舊是霧裡看花，終隔一層。本書從辭章學的意象、修辭、章法、主題等領域切入，探討風格形成的內在規律，建構具體的的理論。並以中學一綱多本的詩歌教材為分析對象，不僅理論與實務兼備，更提供教師具體可尋的風格鑑賞原則，有助於引導學生領略辭章的風格之美。

（五）陳滿銘的《陰陽雙螺旋互動論——以「0一二多」層次邏輯系統作通貫觀察》：「陰 ⟷ 陽」雙螺旋互動，主要以「0一二多」雙螺旋層次邏輯系統、大自然「轉化」四律（秩序：移位、變化：轉位、聯貫：對比與調和、統一：包孕）與方法論等三大內涵形成其系統。而就由此系統貫通「歸納（陽）⟷ 演繹（陰）」、「異（陽）⟷ 同（陰）」、「包孕（合：陰）⟷ 包孕（分：陽）」、「意（陰）⟷ 象（陽）」、「意（陰）⟷ 象（陽）」、「有法（陽）⟷ 無法（陰）」、完形「形（陽）⟷ 質（陰）」、《老子》「二（陰陽分）⟷ 三（陰陽轉化）」、《中庸》「誠（陰）⟷ 明（陽）」等內容，以見「陰⟷ 陽」雙螺旋互動於一斑。

（六）陳滿銘的《中庸天人雙螺旋互動思想研究》：本書作者早在民國六十九（1980）年三月就寫成《中庸思想研究》一書，由文津出版社出版。當時雖以「天人」互動為「鍵軸」來通貫全書脈絡，卻不僅未用「雙螺旋」一詞強調其「往復、提升」之互動作用，也還沒建構成「0一二多」雙螺旋層次邏輯的完整體系來作一統合，更何況又已絕版多年。因此希望本書能在《中庸思想研究》一書之基礎上，藉近年所開創的「陰陽雙螺旋互動」與「0一二多層次邏輯系統」進行梳理、融貫，以新面貌和讀者見面。全書共八章：前七章所論，或「分」」或「合」，對《中庸》「天 ⟷ 人」雙螺旋互動思想須作全面性之統整，並作相關探討；而第八章則為「綜（結）論」， 針對全書主要內容，先著眼於「思想體系」，以「中和」為核心融通相關的論點，如「仁性 ⟷ 知（智）性」、「誠 ⟷ 明」、「成己 ⟷ 成物」、「三知 ⟷ 三行」與「誠 ⟷ 至誠」等，以見其完整之思想體系；其次著眼於「義理邏輯」，舉最基本之「歸納（實證性科學）⟷ 演繹（假設性哲學）」與「偏（曲）⟷ 全（化）」的層次螺輯類型作說明，並以西方心理學派之「完形論」：「部分相加」≠（＜）「整體」的主要論點加以統合；然後用「0一二多」將思想體系與義理邏輯予以融通，繪製簡圖加以表示，以收一目了然的效果。希望千慮一得，能稍稍有助於《中庸》天人雙螺旋互動思想之研究與發揚，以供學者參考。

以上六冊，就「三觀系統」來說，前三冊比較偏於「中觀」，卻下徹於「微觀」，也上徹於「宏觀」；而後三冊則比較偏於「宏觀」，卻下徹於「中觀」與「微觀」。因為「三觀系統」本身形成的就是「雙螺旋互動」的關係，是無法斷然拆開的。殷切地希望繼本套叢書之後，能一輯一輯地陸續推出，以增進大眾對「跨界章法學」的了解，從而參與研究之行列。

還有，必須一提的是：本套叢書是「章法學研究系列叢書」中的第二套，與二〇一四年出版的第一套《辭章章法學體系建構叢書》有著「雙螺旋互動」的關係。因此，閱讀時能兼顧這兩套叢書，是最為理想的。

值此出版前夕，念及這本叢書之所以能在極短時間內順利出版，完全要歸功於萬卷樓圖書公司總經理梁錦興先生、副總經理兼副總編輯張晏瑞先生的辛勤設計，與主編吳家嘉小姐、校對林秋芬小姐的編排與校對；為此，誠摯地向他（她）們致上萬分的謝意！

陳滿銘

序於國文天地雜誌社

2016年10月9日

目次

代序
陰陽雙螺旋互動系統之確認

陰陽雙螺旋互動系統主要含「0一二多」雙螺旋層次邏輯系統、大自然「轉化」四律（秩序：移位、變化：轉位、聯貫：對比與調和、統一：包孕）與方法論等三大內涵。茲依序簡述其確認之過程：

首先以「0一二多」而言，其確認過程是漸進的，而且是頗為崎嶇的。其焦點是由哲學（含《周易》、《論語》、《中庸》等）的義理邏輯與辭章學（含散文、詩、詞）的章法（層次邏輯）結構兩個角度導入，而由哲學（《中庸》）先發現「雙螺旋」，再由辭章學（章法）發現「0一二多」（演繹→歸納）或「多二一0」（歸納→演繹）結構；然後統合為一[1]。

就哲學（以儒學為主）來說，最需要理清的是研討對象之思想體系。在開始上「學庸」課時，對「自誠明」（天）與「自明誠」（人）間「本末先後」邏輯之互動關係即特別關注，思考再思考，終於找出兩者「互動、循環而提升」的「雙螺旋」關係，而在一九七六年寫了〈淺談「自誠明」與「自明誠」的關係〉之論文，發表於《孔孟月刊》15卷1期。當時為了便於讀者瞭解，曾畫一簡圖表示「自誠明」與「自明誠」之間天人互動、循環，由「偏」提升至「全」的雙螺旋關係，那就是：

1　以下敘述，詳見陳滿銘：〈對「多」、「二」、「一（0）」螺旋結構之確認（上、下）〉，《國文天地》23卷8、9期（2008年1、2月），頁77-87、99-104。

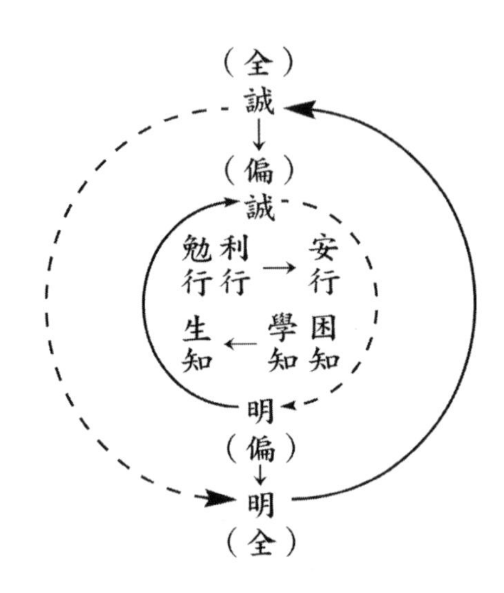

這個圖的虛線代表天賦——「性」（自誠明），實線代表人為——「教」（自明誠）。外圈指「全」，屬聖人；內圈指「偏」，屬學者。藉此可辨明「誠」與「明」、天賦與人為的交互關係。人就這樣在交互作用之下，自明而誠，自誠而明，互動而循環、提昇，形成不斷往復之「雙螺旋結構」，使自己的知（智）性與仁性，由偏而全地逐漸發揮它們的功能，最後臻於「至誠」（仁且智）的最高境界。至此，「誠」（仁）和「明」（智）便融合為一了，統於「至誠」了；這就是「人皆可以為堯舜」（《孟子・告子下》）的理論依據。不過，當時卻還沒有直接用「雙螺旋」一詞予以說明。

此後類似這樣用「雙螺旋結構」或結合「0一二多（多二一0）」加以梳理的論文，就陸續完成。其中一九七八年至二〇〇五年發表於學報、一般期刊與專書而較重要者，有三十篇。在此，先尋出「螺旋」（1976）義理邏輯，再正式提出「螺旋」一語（2000），然後才凸出「0一二多（多二一0）」（2003），而融合成「0一二多（多二一0）」雙螺旋結構（2003），以完整呈現「層次邏輯系統」（2005）的。這也可從兩篇序文裡看出端倪，其一寫於二〇〇二年一月：

> 孔門的學說，以「仁且智」的聖人境界為其最高理想，而這種理想，必須透過「好學」，「由智而仁」（自誠明）地以人為之努力，激發「由仁而智」（自誠明）的天然潛能，使「仁」（成己）與「智」（成物）兩者產生互動、循環而提昇的作用，逐漸由「偏」（局部）而「全」（整體）地增進不已，最後臻於「仁且智」的聖人境界。如此合天（天之道）、人（人之道）為一，是使人無限往上自覺的康莊大道，這種思想在《論語》一書裡，可以找到它的源頭、脈絡，而以《中庸》一書，發展得最為成熟而完整；至於《孟子》與《大學》，則前者較側重於「由仁而智」（自誠明）的「天之道」，後者較側重於「由智而仁」（自明誠）的「人之道」，兩者雖各有所偏重，而其歸趨卻一致。(《學庸義理別裁．序》)

這顯然是著眼於「螺旋」加以說明的。其二寫於二〇〇三年八月：

> 宇宙人生觀，各家雖各有所見，但只求其同而不求其異，則總括起來說，都可以從「(0) 一、二、多」（順）與「多、二、一 (0)」（逆）的互動、循環而提升的螺旋關係上加以統合。就以《論語》來說，各種德行是「多」、「仁」與「智」是「二」，而「仁且智」的聖域或其原動力（太極、至誠），則為「一〔太極〕(0)〔至誠〕」。這樣來看待孔子的人道思想（「多、二、一 (0)」），既最能掌握要領，就是來探討其天道思想（「(0) 一、二、多」），也一樣暢通無阻，直達源頭。(《論孟義理別裁》)

由此看來，「0一二多（多二一0）」雙螺旋結構，是晚至二〇〇三年才完整提出的。

就辭章學（以章法學為主）來說，早在四十幾年前，為了講授「國文教材教法」這門課程之需要，不得不接觸呈現層次邏輯的「章法」；而由於「章法」所研討的乃「篇章內容的層次邏輯結構」，因此對後來「0一二多（多二一0）」雙螺旋結構之發現，就有直接之關係。開始時，先以捕捉到的有限「章法」，切入各類文章，作一檢視；再就所發現的「章（篇）法」現象，加以分析、統整，以求得其通則。這樣一路走來，才逐漸地集樹而成林，深入了「章法」的領域，確認了「章法」是「客觀存在」，而「語文（含章法）能力」是來自「先天」的事實，而成為一個新學科。數一數近三十年來所發表的有關「章法」的文章，共有百餘篇。其中最早涉及「章法類型」的是〈常見於稼軒詞裡的幾種詞章作法〉（原題〈稼軒詞作法舉隅〉）一文，1974年6月發表於臺灣師大國文系《文風》25期，所涉及的章（篇）法有「今昔」、「遠近」、「大小」、「虛實」（情、景）、對照（「正反」）、演繹（「先凡後目」）、歸納（「先目後凡」）等，結合縱、橫向作說明，這可算是「清醒、自覺」的初步嘗試。

其次以大自然「轉化」四律而言，在努力尋找「章法類型」的同時，也沒有忽略落於「章法規律」來作探討。而最早以「章法規律」來梳理的是〈章法教學〉一文，一九八三年十二月發表於《中等教育》33卷5、6期。它首度以「秩序」、「聯貫」、「統一」等三大規律來規範「章法類型」，而所涉及的章（篇）法，除「遠近」、「大小」、「今昔」、「本末」、「輕重」、「虛實」、「凡目」外，還兼及詞句、節段的聯貫與主旨的安置（篇首、篇腹、篇末、篇外）等，結合教學進行探討。這對章法學之研究而言，雖可算是向前推動了一大步，但將「變化律」併入「秩序律」裡，是仍有缺憾的。

這種缺憾，一直到一九九四年，由臺灣師大國文研究所第一個以「章法」為研究主題的碩士班導生仇小屏加入研究行列，才作了彌補。她在指導下以「中國辭章章法析論」為題，第一次用「秩序」、「變化」、「聯貫」、「統一」四大律來統合三十二種章法，並從古今文評點論著中去爬羅剔抉，尋出它們的理論依據與批評實例，首度呈現了「章法」的大致範圍與內容。這篇論文完成於一九九六年，長達六、七十萬字，而於一九九八年精簡過半，改名《文章章法論》，由萬卷樓圖書公司出版；獲得廣泛好評。她得此鼓勵，又於博一升博二那年（1999）的暑假，撰寫《篇章結構類型論》，在「進一層的指導與催促下，將原有章法的內容加以充實，並針對它所形成的結構類型，一一舉實例，附以結構分析表，作相當完整的論述；此外，也顧到各種章法間的分界，並涉及其心理基礎與美感效果，予以扼要的說明。這對文章篇章邏輯結構的研究與分析而言，無疑地提供了一把精緻實用的鑰匙。」（見拙文〈《篇章結構類型論》序，2000年）這些成果，對一個研究生而言，是十分難能可貴的，南京大學王希杰教授就讚譽說：「如果說，陳教授提出了四大規律，那麼應當說，仇博士（生）把這四大規律具體化，以四大規律為基礎建立了一個章法學的體系。這一著作的出現，可以說是中國章法學科學化的一個標誌。」（見〈讀仇小屏博士的《文章章法論》〉，臺北：《國文天地》16卷4期，2000年9月）這種肯定，對章法學的研究是有相當大之推動力的。

單獨摸索了多年後，多了夥伴一起研究，速度當然就加快了一些。在這過程中，關於二元「移位」與「轉位」、「調和」與「對比」理論之提出，對「0一二多（多二一0）」雙螺旋結構的確認，是佔有相當重要地位的。而這個問題也在指導下，由仇小屏博士處理，先後發表了〈論章法的對比與調和之美〉（臺北：《第四屆中國修辭學國際學術研討會論文集》，2002年5月）與〈論章法的移位、轉位及其美感〉（《辭章學論文集》上冊，福州：海潮攝影藝術出版社，2002年12月）兩篇論文；而且又在其博士論文《古典詩詞時空設計之研究》

（2001年，後改名《古典詩詞時空設計美學》，由文津出版社出版，2002年）與升等為副教授之論著《篇章意象論》（2005）中作了相當深化與拓展之論述。這對於由「二」徹下以統合「多」、徹上以歸根於「一0」，從而使個人掌握「章法結構」中陰陽的流動與力度的變化，甚而試圖破天荒地作辭章剛柔成分之量化，無疑地提供了有力的切入點。

必須一提的是：「移位」與「轉位」提升到哲學層面加以論述的，是由另一博士導生黃淑貞提供資料，由個人重新整理後發表（2004）[2]，這是要特別感謝她的。

多了助力，攻堅的努力自然就更為加緊，以專著之出版（2001年至2005年）而言，於二〇〇一年出版《章法學新裁》、於二〇〇二年出版《章法學論粹》，又於二〇〇三年以「陰陽二元對待」為基礎，貫通「章法哲學」、「章法結構」、「章法美學」、「比較章法」等內容，先出版《章法學綜論》，再於二〇〇五年出版《篇章結構學》，嚴密地地為辭章章法學建構了一個完整的體系。不但以「0一二多（多二一0）」的雙螺旋結構將哲學、文學（章法、意象）與美學「一以貫之」，也運用此結構，理清了辭章與章法、內容與章法、章法與主旨、意象、韻律（節奏）和風格之間的關係，以證明章法規律、結構與自然規律的一體性，並由此進一步地扣緊與風格關係至為密切之「二」（陰陽、剛柔）與「0」，先就「移位」（順、逆）與「轉位」（抝），探討章法風格之形成因素，對整體結構之陽剛與陰柔的成分試予以量化，推算出其比例，以見章法風格之梗概。雖然在目前，對各種結構所引生「陰柔」或「陽剛」之「勢」數（倍）的推斷，還十

2　陳滿銘：〈章法的「移位」、「轉位」結構論〉，臺灣師大《師大學報・人文與社會類》49卷2期（2004年10月），頁1-22。

分粗糙；但畢竟已試著從「無」生「有」地跨出一大步，作了一些探討，對一篇辭章之剛柔成分，已初步推定其量化之準則與公式，從而計算出其比例[3]。如此冒著招來「走火入魔」之譏的危險，作此嘗試，就是希望藉此拋磚引玉，能使辭章風格學，甚至整個辭章學之研究，加緊腳步邁向科學化，在「直覺」、「直觀」之外，拓展出「有理可說」的無限空間。

除了出版這些專著之外，在（2001年至2005年）四年內，也在兩岸發表了約三十篇相關論文，使得「0一二多」與「轉化四律」結合為一，看似完整無缺，卻漏掉了涉及「統一律」的「包孕」一層。對此，自二〇〇六年起，先後發表了如下論文：

〈章法的包孕式結構〉（上、下），《國文天地》21卷9、10期（2006年2、3月），頁98-103、92-98。

〈章法包孕式結構論——以「多」、「二」、「一（0）」螺旋結構切入作考察〉，《江南大學學報・人文社會科學版》5卷4期（2006年8月），頁85-90。

〈意象包孕式結構論——以多二一（0）螺旋結構切入作考察〉，《湘南學院學報》30卷4期（2009年8月），頁36-42。

〈篇章內容、形式包孕關係探論——以多二一（0）螺旋結構切入作探討〉，臺灣師大《中國學術年刊》32期・秋季號（2010年9月），頁283-319。

〈論章法之包孕式結構——以全篇用「因果」章法包孕而成之作品作考察〉，臺灣師大《中國學術年刊》33期・秋季號（2011年9月），頁123-158。

3　陳滿銘：《章法學綜論》（臺北市：萬卷樓圖書公司，2003年6月初版），頁299-328。

〈論「凡目」、「圖底」章法之包孕式結構——以蘇辛詞為例作考察〉，臺灣師大《國文學報》49期（2011年6月），頁161-188。

〈論章法之包孕式結構——以全篇用「因果」章法包孕而成之作品作考察〉，臺灣師大《中國學術年刊》33期．秋季號（2011年9月），頁123-158。

〈論章法包孕結構之陰陽變化——以蘇辛詞為作觀察〉，臺北大學《中文學報》15期．特稿（2014年3月），頁1-24。

而最近又寫了一篇：〈論「陰陽包孕」與「0一二多」雙螺旋邏輯系統〉（未發表），用如下簡圖呈現其系統：

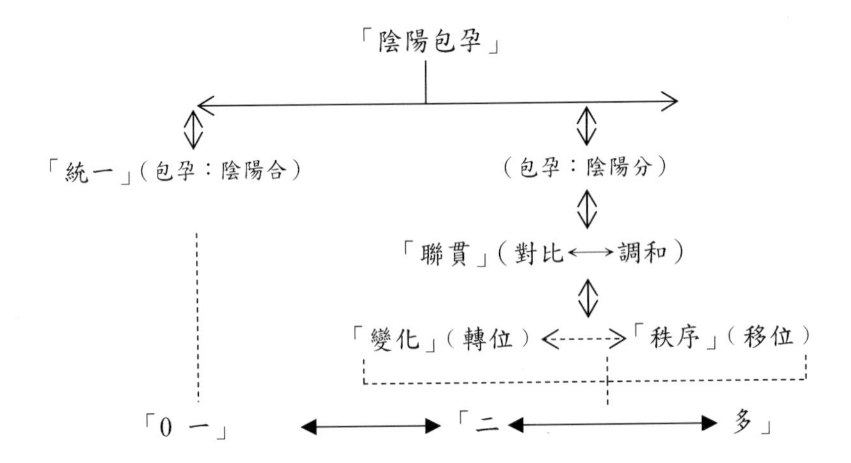

希望這樣能彌補此一缺憾。

然後以「方法論」而言，真正用「方法論」發表的，到二〇〇九年才開始，而且只有如下數篇：

〈論章法結構之方法論系統〉，《肇慶學院學報》30卷（2009年1月），頁33-37。

〈論章法結構之方法論系統——歸本於《周易》與《老子》作考察〉，臺灣師大《國文學報》46期（2009年12月），頁61-94。

〈論章法四大律之方法論原則——以多二一（0）螺旋結構作系統探討〉，臺灣師大《中國學術年刊》33期春季號（2011年3月），頁87-118。

〈試論方法論原則之層次系統——以修辭與章法為考察範圍〉，中山大學《文與哲》學報20期（2012年6月），頁367-407。

而最近有寫了一篇：〈論跨界章法學——以其方法論之三觀體系為重心作探討〉，將在今年舉辦的「第十一屆章法學學術研討會」時作「專題演講」的講稿。個人在兩岸發表了四百多學術論文，其中「自覺」地牽扯到「方法論」的應有很多，因此「三一語言學」創始人王希杰教授，在論「章法學的方法論原則」時說：「陳滿銘教授……把章法變成一門科學——可以把握，有規律規則可以遵循的學問。這是一個了不起的貢獻。……但是……法則太多，可能顯得繁瑣、瑣碎，使人難以把握的。可貴的是，陳滿銘教授……力圖建立統率這些比較具體的法則的更高的原則。……創建了四大原則：（1）秩序律（2）變化律（3）聯貫律（4）統一律……這符合科學的最簡單性原則，而且也是變化無窮的。這其實就是《周易》的方法論原則。」[4] 而語言風格學大家黎運漢教授，在論「章法學方法論體系」時也說；「一門學科的建立與研究方法密切相關，學科的進步與發展有時也要依靠新的方法來解決。因此，『漢語辭章章法』要成為獨立的學科，也跟其他學科一樣，要有自己的『方法論體系』。陳滿銘教授的章法學論著中雖然沒有專章講述『方法論』，但其幾部論著中無處不散發著他在

4　王希杰：〈陳滿銘教授和章法學〉，《畢節學院學報》總96期（2008年2月），頁1-5。

『方法論』上的自覺。……體現出其章法學具有了較為完備的『方法論體系』。」[5]這種讚美令人由衷感激！

由於本書以此三大內涵為「鍵軸」作通貫，因此，為使每一章論述維持其完整性，其相關內容難免或詳或略地會多次出現在不同章節，對此，敬祈　讀者見諒！

限於個人能力，加上成書倉促，疏漏之處在所難免，謹請　方家碩學不吝指正！

陳滿銘

序於國文天地雜誌社

二〇一六年五月九日

5 黎運漢：〈陳滿銘對辭章法學的貢獻〉，《陳滿銘與辭章章法學》（臺北市：文津出版社，2007年12月一版一刷），頁52-70。

第一章 陰陽雙螺旋互動的方法論三觀系統

大自然萬事萬物層層「轉化」的雙螺旋運動，主要是在「陰陽二元」互動之持續作用下，以「秩序」（移位）、「變化」（轉位）、「聯貫」（對比、調和）與「統一」（包孕）之四大規律加以規範，形成龐大之「0 一二多」雙螺旋層次邏輯系統的。歸本於其方法論而言，即由此統合為三觀體系，以呈現大自然萬事萬物「陰陽互動」作層層「轉化」的雙螺旋層次邏輯準則。而「雙螺旋層次邏輯」，一直以來又簡稱「章法」，因此本章所論，也可稱作「章法學方法論的三觀系統」。

「雙螺旋層次邏輯學」，又簡稱「章法學」，是研究深藏於宇宙人生「萬事萬物」之間，以「陰陽二元」互動為基礎，而形成其「雙螺旋層次邏輯」關係的一門學問。若要挖掘這種「萬事萬物」之「雙螺旋層次邏輯」，將它們彰顯出來，則非靠由一般「科學方法」提升到哲學層面的「方法論」不可。而這些「方法論」，是可在「陰陽二元」的不斷互動下，經「移位」（秩序）、「轉位」（變化）、「對比、調和」與「包孕」（聯貫←→統一），產生「互動、循環、往復而提升」之「0 一二多」雙螺旋層次邏輯運動，構成其「微觀」（方法論：個別）、「中觀」（方法論原則：概括）而「宏觀」（方法論系統：體系）的完整體系，以呈現其普遍性與適應性，而由此打開「雙螺旋層次邏輯學」研究的一扇大門[1]。

而此「三觀」可彼此互動而形成雙螺旋層次邏輯關係，這種關係，可用如下簡圖呈現：

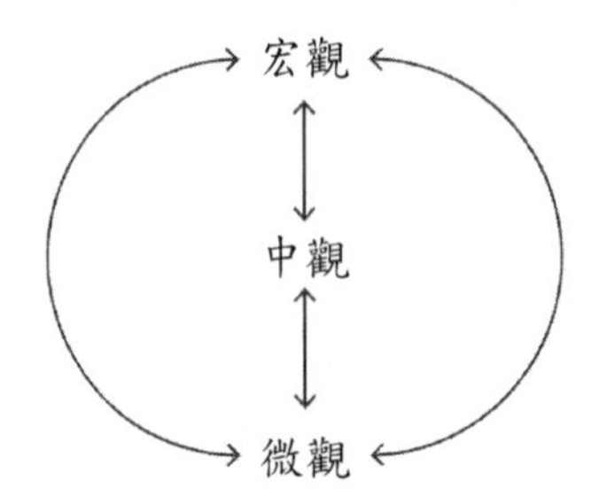

凡事物之轉化，脫離不了之「起因」、「過程」與「結果」。如《易》有「三易」（簡易、變易、不易）、「三才」（天、地、人），儒

1 此扇門自一九七四年開始逐漸打開，見陳滿銘：《比較章法學》（臺北市：萬卷樓圖書公司，2012年11月初版）。頁1-377。即以個人專著而言，除《比較章法學》外，《學庸義理別裁》（2002年）、《論孟義理別裁》（2003年）、《蘇辛詞論稿》（2003年）、《意象學廣論》（2006年）、《辭章學十論》（2006年）、《多二一（0）螺旋結構論——以哲學、文學、美學為研究範圍》（2007年）、《篇章意象學》（2011年），皆屬「跨界章法學」之性質。

家主張「三德」(智、仁、勇)、三綱(明明德、親民、止於至善),佛家主張「三觀」(空觀、假觀、中觀)、史家主張三長(才、學、識)……等,不一而足。這是形成此「三觀」理則之主因[2],而就「方法論」而言,也可由此觀察。

第一節　微觀層面的方法論

這主要是就「雙螺旋層次邏輯類型」,即「章法類型」[3]而言的。凡是「章法」都由「陰陽二元」互動,呈現其層次邏輯關係,而形成多種類型。這種「陰陽二元」互動觀念的論述,在我國的哲學古籍裡,很容易找到。其中以《周易》與《老子》二書,為最早而最明顯。

先以《周易》來看,它以「陰陽」為其一對基本概念,是由此陰(斷 --)陽(連 —)二爻而衍為四象,再由四象而衍為八卦、六十四卦的。而八卦之取象,是兩相對待的,即乾(天)為「三連」(☰)而坤(地)為「六斷」(☷)、震(雷)為「仰盂」(☳)而艮(山)為「覆碗」(☶)、離(火)為「中虛」(☲)而坎(水)為「中滿」(☵)、兌(澤)為「上缺」(☱)而巽(風)為「下斷」(☴);而所謂「三連」(陰)與「六斷」(☷)、「仰盂」(☳)與「覆碗」(☶)、「中虛」(☲)與「中滿」(☵)、「上缺」(☱)與「下斷」(☴),正好形成四組兩相互動之運作關係,以呈現其簡單的「二元互動」之邏輯結構。後來將此八卦重疊,推演為六十四卦,雖更趨複雜,卻依然存有這種「二元互動」的運作關係,如「坎(☵)上震(☳)下」

---

2 陳滿銘:〈章法學三觀論〉,高雄師大《國文學報》21期特約稿(2015年1月),頁1。

3 陳滿銘:《章法學綜論》(臺北市:萬卷樓圖書公司,2003年6月初版),頁17-33。又,蒲基維:〈章法類型概說〉,《大學國文選・教師手冊・附錄三》(臺北市:普林斯頓國際公司,2011年7月二版修訂),頁483-523。

（〈屯〉）與「震（☳）上坎（☵）下」（〈解〉）、「艮（☶）上巽（☴）下」（〈蠱〉）與「巽（☴）上艮（☶）下」（〈漸〉）、「乾（☰）上兌（☱）下」（〈履〉）與「兌（☱）上乾（☰）下」（〈夬〉）、「離上（☲）坤（☷）下」（〈晉〉）與「坤（☷）上離（☲）下」（〈明夷〉）……等，就是如此。而〈雜卦〉云：

> 乾，剛；坤，柔。比，樂；師，憂。臨、觀之意，或與或求。……震，起也；艮，止也。損、益，衰盛之始也。大畜，時也；無妄，災也。萃，聚，而升，不來也。謙，輕；而豫，怡也。……兌，見；而巽，伏也。隨，無故也；蠱，則飭也。剝，爛也；復，反也。晉，晝也，明夷，誅也。井，通；而困，相遇也。咸，速也；恆，久也。渙，離也；節，止也。解，緩也；蹇，難也。睽，外也；家人，內也。否、泰，反其類也。……革，去故也；鼎，取新也。小過，過也；中孚，信也。豐，多故也；親寡，旅也。離，上；而坎，下也。……大過，顛也；頤，養正也。既濟，定也；未濟，男之窮也。姤，遇也，柔遇剛也；……夬，決也；剛決柔也。君子道長，小人道憂也。

這些卦的要義或特性，都兩兩互動，如剛和柔、樂與憂、與和求、起和止、衰和盛、時和災、見和伏、速和久、離和止、外和內、否和泰、去故和取新、多故和親寡、上和下……等等。由此反映宇宙人生之「雙螺旋層次邏輯」，為人生行為找出準則，以適應宇宙自然之動態規律[4]。

---

4 陳滿銘：〈論螺旋邏輯學的創立——以哲學螺旋與科學螺旋為鍵軸探討其體系之建構〉，《國文天地．學術論壇》31卷1期（2015年6月），頁116-136。又參見徐復觀：

後以《老子》來看，這種「陰陽二元」互動，也處處可見，如：

> 天下皆知美之為美，斯惡已；皆知善之為善，斯不善已。故有無相生，難易相成，長短相較，高下相傾，音聲相和，前後相隨。（二章）
> 寵辱若驚，貴大患若身。何謂寵辱若驚？寵為下，得之若驚，失之若驚，是謂寵辱若驚。（十三章）
> 曲則全，枉則直，漥則盈，敝則新，少則得、多則惑，是以聖人抱一，為天下式。（二十二章）
> 知其雄，守其雌，為天下谿；為天下谿，常德不離，復歸於嬰兒。知其白，守其黑，為天下式；為天下式，常德不忒，復歸於無極。知其榮，守其辱，為天下谷；為天下谷，常德乃足，復歸於樸。（二十八章）

如上所引，「美」（喜）與「惡」（怒）、「善」（是）與「不善」（非）[5]、「有」與「無」、「難」與「易」、「長」與「短」、「高」（上）與「下」、「前」與「後」、「寵」（榮）與「辱」、「得」與「失」、「曲」（偏）與「全」、「枉」（曲）與「直」、「漥」與「盈」、「敝」與「新」、「少」與「多」、「重」與「輕」、「靜」與「躁」、「雄」與「雌」、「白」與「黑」等，都是兩相對待而互動的。

《中國人性論史．先秦篇》（臺北市：臺灣商務印書館，1978年10月四版），頁202；陳望衡：《中國古典美學史》（長沙市：湖南教育出版社，1998年8月一版一刷），頁182。

5 王弼注二章：「美者，人心之所進樂也；惡者，人心之所惡疾也。美、惡，猶喜、怒也；善、不善，猶是、非也。喜、怒同根，是、非同門；故不得而偏舉也。此六者，皆陳自然不可偏舉之名數。」見《老子王弼注》（臺北市：河洛圖書出版社，1974年10月臺景印初版），頁3。

到目前為止，透過「模式研究」（人為探索）以對應「客觀存在」（自然呈現）[6] 的努力結果，已發現之「章法類型」有：今昔、久暫、遠近、內外、左右、高低、大小、視角轉換、知覺轉換、時空交錯、狀態變化、本末、淺深、因果、眾寡、並列、情景、論敘、泛具、虛實（時間、空間、假設與事實、虛構與真實）、凡目、詳略、賓主、正反、立破、抑揚、問答、平側（平提側注、平提側收）、縱收、張弛、插補、偏全、點染、天（自然）人（人事）、圖底、敲擊……等類型 [7]，都由「陰陽二元」互動所形成。大抵而論，屬於本、先、靜、低、內、小、近……的，為「陰」為「柔」，屬於末、後、動、高、外、大、遠……的，為「陽」為「剛」[8]。如「正反」法以「正」為「陰」而「反」為「陽」、「因果」法以「因」為「陰」而「果」為「陽」，而其他的也皆如此，以反映自然運動的雙螺旋層次邏輯準則。

就單以「偏（陽）全（陰）」而言，「三一」語言學派創始人王希杰認為就是「方法論」，說：「值得一提的是，在〈從偏全的觀點試解讀四書所引生的一些糾葛〉一文 [9]中，滿銘教授說：『讀古書，尤其是有關義理方面的專著，很多時候是不能一味單從「偏」（局部）或「全」（整體）的觀點來瞭解其義的。讀《四書》也不例外，必須審慎地試著辨明「偏」還是「全」的觀點來加以理解，才不至於犯混同的毛病。』……我認為，滿銘教授的這一說法是具有『方法論』意義的。」[10]

---

6 陳滿銘：〈論辭章之無法與有法——以客觀存在與科學研究作對應考察〉，彰化師大《國文學誌》23期（2011年12月），頁29-63。

7 陳滿銘：《章法學綜論》，頁17-32。

8 陳望衡：《中國古典美學史》，頁184。

9 陳滿銘：〈從偏全的觀點試解讀《四書》所引生的一些糾葛〉，臺灣師大《中國學術年刊》13期（1992年4月），頁11-22。

10 王希杰：〈陳滿銘教授和章法學〉，《畢節學院學報》總96期（2008年2月），頁1-5。

可見這些由「陰陽二元」互動所形成之「章法類型」，亦即「雙螺旋層次邏輯類型」，能在《周易》、《老子》中尋得其哲理根源，成為「雙螺旋層次邏輯學」中屬於「微觀」層面之「方法論」。

第二節　中觀層面的方法論

這主要是就「螺旋層次邏輯規律」，亦即「章法規律」而言的。章法結構是在「陰陽二元」互動之作用下，由「移位」或「轉位」與「對比、調和」、「包孕」而形成的。其中由「移位」呈現「秩序律」；「轉位」呈現「變化律」；「對比、調和」徹下、徹上以呈現「聯貫律」；由「包孕」徹下、徹上以呈現「統一律」。而這種「雙螺旋層次邏輯」之四大規律，乃先由「秩序」而「變化」而「聯貫」，然後趨於「統一」，形成「雙螺旋層次邏輯系統」。這種理論，可見於《周易》與《老子》[11]。在此，也只歸本於《周易》作簡要探討。

先以「秩序」而言，涉及「移位」，此乃「陰陽二元」最基本的一種互動，是在對待往來中起伏消息、迭相推蕩而產生的。因為事物之發展是統一物分裂為兩相對待，而相互作用的運作過程，而此對待面的相互作用，在《周易》的《易傳》中以相互推移（剛柔相推）、相互摩擦（剛柔相摩）、與相互衝擊（八卦相蕩）等各種表現形式[12]，為順向移位與逆向移位，提出了最精微的論證。就以〈乾卦〉來看，由初九的「潛龍，勿用」，移向九二的「見龍在田，利見大人」，移向九三的「君子終日乾乾，夕惕若。厲，無咎」；再移向九四的「或躍在淵，無咎」；然後躍升，移向九五的「飛龍在天，利見大人」，形成

11 陳滿銘：〈論章法四大律之方法論原則──以多二一（0）螺旋結構作系統探討〉，臺灣師大《中國學術年刊》33期春季號（2011年3月），頁87-118。

12 馮友蘭：《中國哲學史新編》二（臺北市：藍燈文化公司，1991年12月初版），頁376。

一連串的順向位移。上九，則因已到達了極限、頂點，會由吉變凶，漸次另形成逆向移位，開始向對待面轉化，造成另一種轉位，故說是「亢龍有悔」了。而這種「移位」全離不開雙向「陰陽互動」作用：

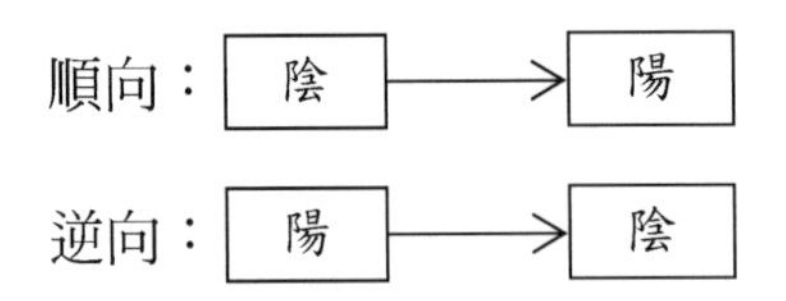

而六爻之所以能夠用以模擬事物的運動變化，是因「六位」能體現「道」的陰陽互動、統一之規律性。而此「六位」原則一確立，整個自然界與人類社會的基本規律全都可加以反映，故〈說卦傳〉將其概括為「分陰分陽」，「六位而成章」，以「六位」體現著哲學原理。「六爻」體現著事物在一定規律支配下的變化運動過程，從時間性上可劃分為潛在的與顯露的兩大階段，以一卦的卦象去體現，而其運動變化即可以由此清楚地瞭解而加以掌握[13]。因此，內外卦之間可以相互往來升降，六個爻畫之間也可以相互往來升降；通過這種往來升降的相互作用，就使種種的轉化運動，產生了一連串的順向移位（陰→陽）與逆向移位（陽→陰）；如：

（一）「正反」法：「正（陰）→反（陽）」（順向）、「反（陽）→正（陰）」（逆向）

（二）「因果」法：「因（陰）→果（陽）」（順向）、「果（陽）→因（陰）」（逆向）

13 徐志銳：《周易陰陽八卦說解》（臺北市：里仁書局，2000年3月初版四刷），頁60-73。

這種「移位」全離不開「陰陽二元」之互動作用，由此呈現「秩序律」。

次以「變化」而言，涉及以「移位」為基礎的「轉位」[14]。由於「陰陽」互動、生生而一，使《周易》哲學之發展形成開放的序列。這一序列正體現在〈乾〉、〈坤〉兩卦的「用九」、「用六」上。而「用九」、「用六」並不侷限於〈乾〉、〈坤〉兩卦，而是為六十四卦發其通例，然後每一卦位在九、六互變中，均可一一尋出因「移位」而造成「轉位」的變動歷程。由〈乾〉、〈坤〉，而至〈既濟〉、〈未濟〉，〈序卦〉不但說明了由運動變化而形成秩序的無窮盡歷程，也表示了宇宙萬物由六十四卦的位位互移，運動變化到達極點時，即會形成「大反轉」，反本而回復其根，形成另一個互動的循環系統。這一個「大反轉」，就是一個「大轉位」。這種「大轉位」可用下圖來表示：

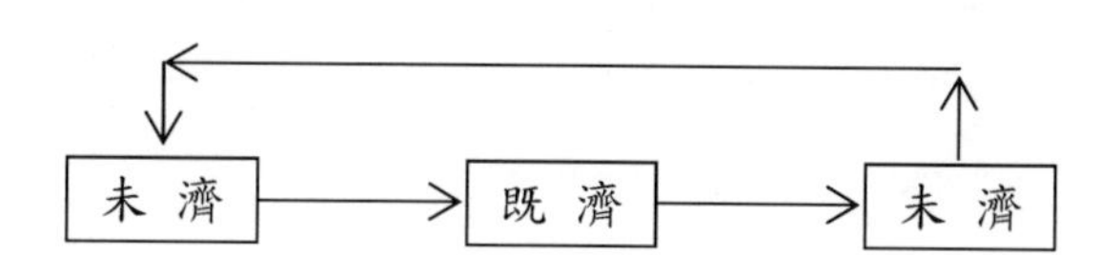

這雖是就「大轉位」而言，但「小轉位」又何嘗不是如此呢？就在這互動的「循環系統」中，自然涵蘊著無限的陰陽之「轉位」，如下圖：

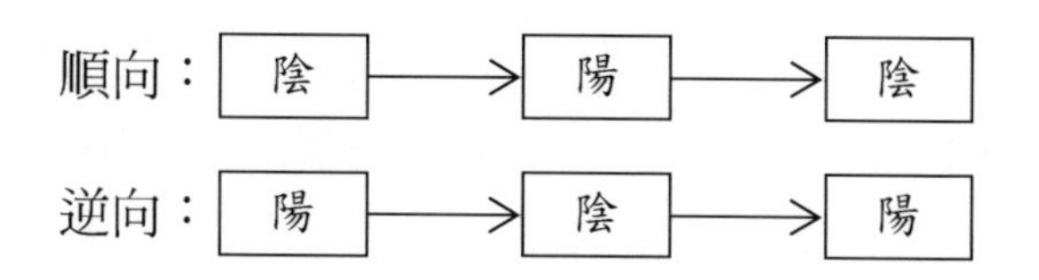

14 陳滿銘：〈章法的「移位」、「轉位」結構論〉，臺灣師大《師大學報・人文與社會類》49卷2期（2004年10月），頁1-22。又，黃淑貞：〈《周易》「移位」、「轉位」論〉，《孔孟月刊》44卷5、6期（2006年2月），頁4-14。

這種互動之「循環系統」，由陰陽、剛柔的相摩相推，太儀而兩儀，兩儀而四象，四象而八卦，八卦而六十四卦；再由六十四卦的位位互移、反轉，運動變化到達極點，形成「大位移」、「大反轉」，反本而回復其根，使萬物生生而無窮。因此，《周易》講「生生之德」的「生生」，即不絕之意，也深具新陳代謝之意。說明了由「陰陽二元」互動而轉化，宇宙萬物就在一次又一次的大小「移位」、「轉位」中，循環反復，永無止境。其中以「轉位」來說，產生「陰→陽→陰」（順向）與「陽→陰→陽」（逆向）的變化，如：

（一）「正反」法：「正（陰）→反（陽）→正（陰）」（順向）、「反（陽）→正（陰）→反（陽）」（逆向）
（二）「因果」法：「因（陰）→果（陽）→因（陰）」（順向）、「果（陽）→因（陰）→果（陽）」（逆向）

而由此呈現「變化律」。

再以「聯貫」而言，這種「轉化」主要有兩種：「對比」與「調和」。以「對比」而言，也稱「異類相應的聯繫」，如上引〈雜卦〉所謂的「剛」與「柔」、「樂」與「憂」、「與」與「求」、「起」與「止」、「衰」與「盛」、「時」與「災」、「見」與「伏」、「速」與「久」、「離」與「止」、「否」與「泰」……等都是，對此，戴璉璋說：「以上各卦所標示的特性或要義：剛和柔、樂和憂、與和求、起和止、盛和衰等等，都是異類相應的聯繫。」[15]以「調和」而言，是由史伯、晏嬰「同」的觀念發展出來的。原來的「同」，指「同一物的加多或重複」，到了《周易》，則指同類事物的「相從」，〈雜卦〉

15 戴璉璋：《易傳之形成及其思想》（臺北市：文津出版社，1988年11月臺灣初版），頁196。

云：「屯，見而不失其居；蒙，雜而著。……大壯，則止；遯，則退也。大有，眾也；同人，親也。……小畜，寡也；履，不處也。需，不進也；訟，不親也。……歸妹，女之終也；漸，女歸待男行也。」這是以「止」和「退」、「眾」和「親」、「寡」和「不處」、「不進」和「不親」、「女之終」和「女歸待男行」等的相類而形成「同類相從的聯繫」（調和），對此，戴璉璋說：「依〈序卦傳〉，屯與蒙都是代表事物始生、幼稚時期的情況，〈雜卦傳〉作者用『見而不失其居』、『雜而著』來描述屯、蒙兩掛的特性，也都是就始生的事物而言。此外引〈大壯〉以下各卦的『止』和『退』、『眾』和『親』、『寡』和『不處』、『不進』和『不親』、『女之終』和『女歸待男行』，都是同類相從的聯繫。」[16]而這所謂的「對比」、「調和」，是對應於「剛柔」來說的[17]。如說得徹底一點，即一切「對比」與「調和」，都是由於陰（柔）陽（剛）相對、相交、相和的結果，如單以「章法類型」來說，「正反」法為「對比」、「因果」法為「調和」[18]。這樣結構由單一而系統、下徹而上徹，以凸顯了相反相成的互動作用，而趨於「統一」的「雙螺旋層次邏輯結構」；「聯貫律」即由此呈現。

終以「統一」而言，主要涉及「包孕」。在《周易》六十四卦中，除「乾」、「坤」兩卦，一為陽之元，一為陰之元外，其他的六十二卦，全是由「陰陽二元」互動而含融、聯貫而統一的。《周易・繫辭下》說：「陽卦多陰，陰卦多陽。其故何也？陽卦奇，陰卦偶。」對此，清焦循注云：「陽卦之中多陰，則陰卦之中多陽。兩相孚合捋

---

16 戴璉璋：《易傳之形成及其思想》，頁195。

17 歐陽周、顧建華、宋凡聖編著：《美學新編》（杭州市：浙江大學出版社，2001年5月一版九刷），頁81。又，仇小屏：《古典詩詞時空設計美學》（臺北市：文津出版社，2002年11月初版一刷），頁332。

18 仇小屏：〈論辭章章法的對比與調和之美〉，《章法學論文集》上冊（福州市：海潮攝影藝術出版社，2002年12月第一版），頁78-97。

多益寡之義也。如〈萃〉陽卦也，而有四陰，是陰多於陽，則以〈大畜〉孚之。〈大有〉陰卦也，而有五陽，是陽多於陰，則以〈比〉孚之。設陽卦多陽，則陰卦必多陰，以旁通之；如〈姤〉與〈復〉、〈遯〉與〈臨〉是也。聖人之辭，每舉一隅而已。……奇偶指五，奇在五則為陽卦，宜變通於陰；偶在五則為陰卦，宜進為陽。」[19] 可見《周易》六十四卦，有陽卦與陰卦之分，而要分辨陽卦與陰卦，照焦循的意思，是要看「奇在五」或「偶在五」來決定，意即每卦以第五爻分陰陽，如是陽爻則為陽卦，如為陰爻則是陰卦[20]。如此卦卦都產生「陰陽包孕」之作用。這種作用，如鎖定單一結構，擴及全面，以「陽／陰或陽」而言，則可形成下列三種不同的包孕式結構：

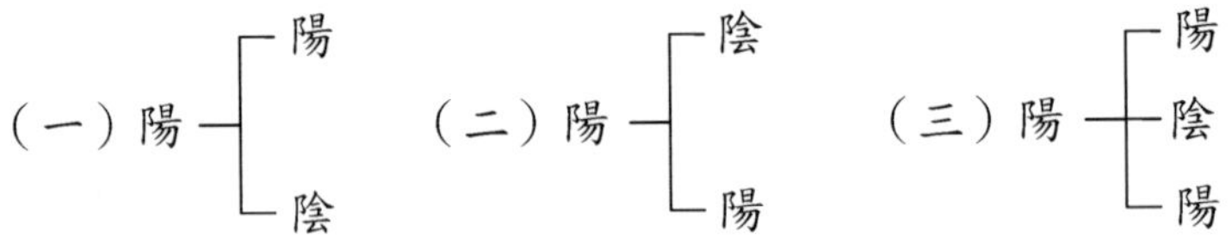

（一）陽 ─┬─ 陽
　　　　└─ 陰

（二）陽 ─┬─ 陰
　　　　└─ 陽

（三）陽 ─┬─ 陽
　　　　├─ 陰
　　　　└─ 陽

其中（一）、（二）兩種，如：

（一）「正反」法：「反（陽）／反（陽）→正（陰）」、「反（陽）／正（陰）→反（陽）」

（二）「因果」法：「果（陽）／果（陽）→因（陰）」、「果（陽）／因（陰）→果（陽）」

---

19 陳居淵：《易章句導讀》（濟南市：齊魯書社，2002年12月一版一刷），頁209。

20 陽卦與陰卦之分，或以為要看每一卦之爻畫線段的總數來決定，如為奇數屬陽，如是偶數則為陰。見鄧球柏：《帛書周易校釋》（長沙市：湖南人民出版社，2002年6月三版一刷），頁536。

這些都可形成「移位」結構外，3 又可合而形成「轉位」結構，如：

（一）「正反」法：「反（陽）／反（陽）→正（陰）→反（陽）」
（二）「因果」法：「果（陽）／果（陽）→因（陰）→果（陽）」

以「陰／陽或陰」而言，則可形成下列三種不同的包孕式結構：

（一）陰：陽、陰
（二）陰：陰、陽
（三）陽：陰、陽、陰

其中（一）、（二）兩種，如：

（一）「正反」法：「正（陰）／反（陽）→正（陰）」、「正（陰）／正（陰）→反（陽）」
（二）「因果」法：「因（陰）／果（陽）→因（陰）」、「因（陰）／因（陰）→果（陽）」

這些都一樣可形成「移位」結構外，3 又可合而形成「轉位」結構[21]，如：

（一）「正反」法：「反（陽）／正（陰）→反（陽）→正（陰）」

---

21 其中有關於《易傳》的論述，詳見陳滿銘：〈章法包孕式結構論——以「多」、「二」、「一（0）」螺旋結構切入作考察〉，《江南大學學報‧人文社會科學版》5卷4期（2006年8月），頁85-90。又，陳滿銘：〈論章法包孕結構之陰陽變化——以蘇辛詞為例作觀察〉，臺北大學《中文學報》15期〔特稿〕（2014年3月），頁1-24。

（二）「因果」法：「果（陽）／因（陰）→果（陽）→因（陰）」

於是就在這種作用下，結構由單一而系統，以產生下徹的作用，統合了「秩序、變化、聯貫」的轉化運動，而由此呈現「統一律」。

可見這四大「章法規律」，對「章法類型」來說，有「概括」作用，都可從《周易》（《老子》）裡尋得其哲理源泉，成為「章法學」中屬於「中觀」層面之「方法論原則」。對此，王希杰說：「陳滿銘教授……把章法變成一門科學——可以把握，有規律規則可以遵循的學問。這是一個了不起的貢獻。……但是……法則太多，可能顯得繁瑣、瑣碎，使人難以把握的。可貴的是，陳滿銘教授……力圖建立統率這些比較具體的法則的更高的原則。……創建了四大原則：（1）秩序律，（2）變化律，（3）聯貫律，（4）統一律……這符合科學的最簡單性原則，而且也是變化無窮的。這其實就是《周易》的方法論原則，乾坤兩卦，生成六十四卦。所以他的章法學是一個具有生成轉化潛能的體系，或者說是具有生成性。因此是具有生命力的。」[22]

第三節　宏觀層面的方法論

這主要是就「雙螺旋層次邏輯系統」，即「0 一二多」而言的。從根本來看，「陰陽二元」互動乃一切「轉化」之根源，就拿八卦與由八卦重疊而成的六十四卦來說，即全由「陰陽」二爻所構成，以象徵並概括宇宙人生的各種變化，〈說卦〉說的「觀變於陰陽而立卦」，就是這個意思。《易傳》以為就在這種「陰陽」的相對、相交、相和之「互

22 王希杰：〈陳滿銘教授和章法學〉。又，陳滿銘：〈論章法四大律之方法論原則——以多二一（0）螺旋結構作系統探討〉，臺灣師大《中國學術年刊》33期春季號（2011年3月），頁87-118。

動」作用下，變而通之，通而久之，於是創造了天地萬物（含人類），達於「統一」的境地[23]。而《易傳》這種「互動」的「轉化」思想，也可推源到「和」的觀念，它始於春秋時之史伯，他從四支（肢）、五味、六律、七體（竅）、八索（體）、九紀（臟）到十數、百體、千品、萬方、億事、兆物、經入、姟極，提出「和」的觀點[24]，「作為對事物的多樣性、多元性衝突融合的體認」[25]，而後到了晏子，則作進一步之論述，認為「和」是指兩種相對事物之融而為一，即所謂「清濁、小大、短長、疾徐、哀樂、剛柔、遲速、高下、出入、周疏，以相濟也」[26]。如此由「多樣的和（統一）」（史伯）進展到「兩樣（對待）的和（統一）」（晏子），再進一層從對待多數的「兩樣」中提煉出源頭的「剛（陽）柔（陰）」，而成為「剛（陽）柔（陰）的統一」（《易傳》），形成了「『多』（多樣事物、多樣對待）→『二』（剛柔、陰陽）→『一』（統一）」的順序，進程逐漸是由「委」（有象）而追溯到「源」（無象），很合於歷史發展的軌跡。而這種結構，如對應於「三易」（《易緯．乾鑿度》）而言，則「多」說的是「變易」、「二」說的是「簡易」，而「一」說的是「不易」。因此「三易」不但可概括《周易》之內容與特色，也可藉以呈現「多⟷二⟷

23 陳望衡：「《周易》中的陰陽理論強調的不是相反事物的對立，而是相反事物的相交、相和。《周易》認為，陰陽相交是生命之源，新生命的產生不在於陰陽的對立，而在陰陽的交感、統一。因此陰陽的相合不是量的增加，而是新質的產生，是創造。因此，陰陽相交、相合的規律就是創造的規律。」見《中國古典美學史》，頁182。

24 易中天注譯，侯迺慧校閱：《國語．鄭語》，《新譯國語讀本》（臺北市：三民書局，1995年11月初版），頁707-708。

25 張立文：《中國哲學邏輯結構論》（北京市：中國社會科學出版社，2002年1月一版一刷），頁22。

26 楊伯俊：《左傳．昭公二十年》，《春秋左傳注》（臺北市：源流文化公司，1982年4月再版），頁1419-1420。

一」的雙螺旋層次邏輯系統[27]。

以順向而言，其結構為「多→二→一」，若倒過來，由「源」而「委」地來說，就成為「一→二→多」[28]了。在《老子》、《易傳》中就可找到這種說法，如：

> 道生一，一生二，二生三，三生萬物。萬物負陰抱陽，沖氣以為和。(《老子‧四十二章》)
>
> 易有太極，是生兩儀，兩儀生四象，四象生八卦。(《周易‧繫辭上》)

這樣，結合《周易》和《老子》來看，它們所主張的「道」，如僅著眼於其「同」，則它們主要透過「相反相成」、「返本復初」而循環不已的螺旋作用，不但將「一→多」的順向歷程與「多→一」的逆向歷程前後銜接起來，更使它們層層推展，「循環、往復而提高」不已，而形成了螺旋式結構，以呈現宇宙創生、含容而轉化的萬物基本動態規律。

而最值得注意的是：就在這「由一而多」(順)、「多而一」(逆)的過程中，是有「二」介於中間，以產生承「一」啟「多」的作用

---

27 《周易》六十四卦，由第一卦〈乾〉至第六十三卦〈既濟〉為一循環，而由第六十四卦〈未濟〉倒回〈乾卦〉開始為又一循環，如此不斷循環就有「螺旋」意涵在內。見陳滿銘：〈論「多」、「二」、「一(0)」的螺旋結構——以《周易》與《老子》為考察重心〉，臺灣師大《師大學報‧人文與社會類》48卷1期(2003年7月)，頁1-21。

28 就由「無」而「有」而「無」的整個循環過程而言，可以形成「(0)一、二、三(多)」(正)與「三(多)、二、一(0)」(反)的螺旋關係。此種螺旋關係，涉及哲學、文學、美學……等，見陳滿銘：〈意象「多」、「二」、「一(0)」螺旋結構論——以哲學、文學、美學作對應考察〉，《濟南大學學報‧社會科學版》17卷3期(2007年5月)，頁47-53。

的。而這個「二」，從「道生一，一生二，二生三，三生萬物」等句來看，該就是「一生二，二生三」的「二」。雖然對這個「二」，歷代學者有不同的說法，大致說來，以為「二」是指「陰陽二（兩）氣」[29]。而這種「陰陽二氣」的說法，其實也照樣可包含「天地」在內，因為「天」為「乾」為「陽」，而「地」則為「坤」為「陰」；所不同的，「天地」說的是偏於時空之形式，用於持載萬物[30]；而「陰陽」指的則是偏於「二氣之良能」[31]，用於創生萬物。這樣看來，老子的「一」該等同於《易傳》之「太極」、「二」該等同於《易傳》之「兩儀」（陰陽），因此所呈現的，和《周易》（含《易傳》）一樣，是「一→二→多」與「多→二→一」之原始結構。不過，值得一提的是：（一）即使這「一」、「二」、「多」之內容，和《周易》（含《易傳》）有所不同，也無損於這種結構的存在。（二）「道生一」的「道」，既是「創生宇宙萬物的一種基本動力」，而它「本身又體現了無（无）」[32]，那麼正如王弼所注「欲言無（无）耶，而物由以成；欲言有耶，而不見其形」[33]，老子的「道」可以說是「无」，卻不等於實際之「無」（實零）[34]，而是「恍惚」的「无」（虛零），以指在「一」之前的「虛理」[35]。這種「虛理」，如勉強以「數」來表示，則可以是「（0）」。這樣，順、逆向的結構，就可調整為「（0）一→二→多」

29 以上諸家之說與引證，見黃釗：《帛書老子校注析》（臺北市：學生書局，1991年10月初版），頁231。

30 徐復觀：《中國人性論史·先秦篇》，頁335。

31 朱熹：《四書集注》（臺北市：學海出版社，1984年9月初版），頁31。

32 林啟彥；《中國學術思想史》（臺北市：書林出版社，1999年9月一版四刷），頁34。

33 王弼：《老子王弼注》，頁16。

34 馮友蘭：《馮友蘭選集》上卷（北京市：北京大學出版社，2000年7月一版一刷），頁84。

35 唐君毅：《中國哲學原論·導論篇》（香港：新亞研究所，1966年3月出版），頁350-351。

（順）與「多→二→一（0）」（逆），以補《周易》（含《易傳》）之不足，這就使得宇宙萬物創生、含容的順、逆向歷程，更趨於完整而周延了[36]。而順、逆向的統合，可用「0 一二多」來表示其關係可用如下簡圖加以呈現：

（一）單一結構系統圖：

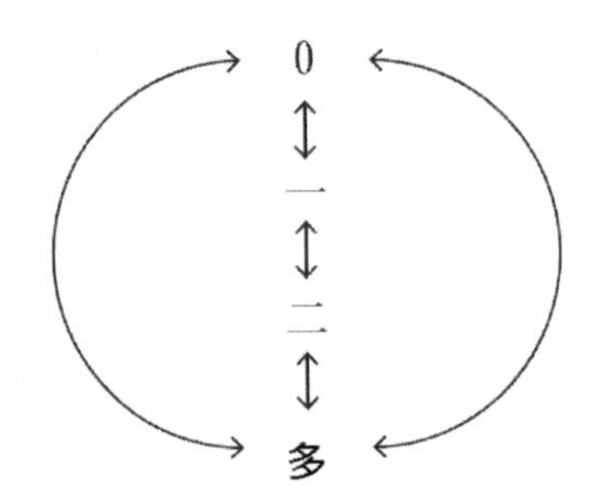

（二）層層結構系統圖：

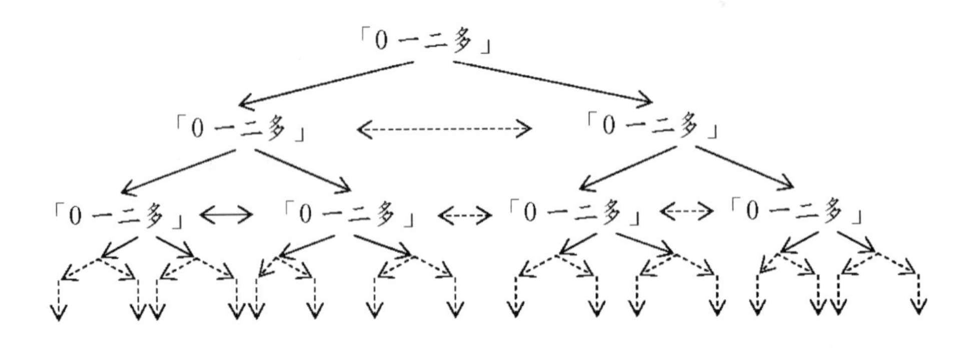

而此「層次邏輯」每一層的的內容或意象雖可以萬變、億變，但其雙螺旋結構卻不變，都以「陰陽二元」之互動為「二」，「秩序（移位）、變化（轉位），聯貫（包孕、對比與調和：下徹）為「多」，「統一」（包孕、對比、調和：上徹）為「一 0」。

---

36 陳滿銘：〈論「多」、「二」、「一（0）」的螺旋結構——以《周易》與《老子》為考察重心〉。

如此配合「章法類型」（微觀）與「四大規律」（中觀）來看，它們的關係可表示如下簡圖：

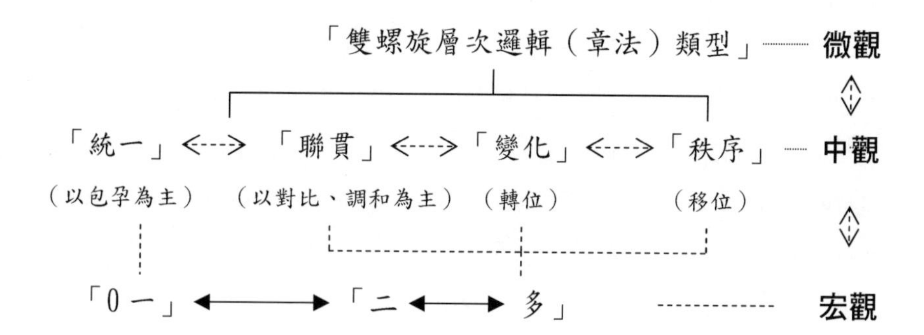

由此可見「宏觀」層的「0 一二多」雙螺旋層次邏輯系統——「方法論系統」[37]，是可統合「微觀」層的「雙螺旋層次邏輯（章法）類型」、「中觀」層的「四大規律」（「秩序（移位）」、「變化（轉位）」、「聯貫」（以對比、調和為主）與「統一（以包孕為主）」，而形成其雙螺旋層次邏輯（章法）學「方法論」之「三觀」體系的。而這些動態的層次邏輯理則，都同樣源出於《周易》與《老子》，清晰可辨。

第四節　綜合探討

任何學術之「研究」，都離不開「科學方法」，而「科學方法」是以「邏輯思維」為主的，與藝術或文學之「創作」以「形象思維」為主的，有所不同。

用「科學方法」研究學術，必定涉及「求異」與「求同」的互動

37 陳滿銘：〈論章法結構之方法論系統——歸本於《周易》與《老子》作考察〉，臺灣師大《國文學報》46期（2009年12月），頁61-94。

邏輯。一般而言，開始時，先在某一層面作「移位」或「轉位」式的「求異」，有了結果之後，再提升到高一層面作「包孕」式的「求同」——「歸納」，且以高一層面之「求同」來檢查低一層面的「求異」——「演繹」；兩者就如此互動，繼續不斷地提升其層面，以逐漸由某一學術領域跨界到其他領域，譬如由「人文學科」跨到「社會學科」，甚至跨到「自然學科」，致使一些「方法論」提升為「方法論原則」，甚至形成其「方法論系統」。而這種「求異」與「求同」，就「方法論」來看，前者是「先果後因」的「歸納」，後者是「先因後果」的「演繹」，都與「因果邏輯」有關[38]。

而這種「因果邏輯」，在哲學上雖只是「範疇」之一，卻與「諸範疇」息息相關，張立文說：

> 就彼此相聯繫的範疇而言，中國佛教哲學中的「因」這個範疇，它自身包含著兩個事物或現象的聯繫，這種特定的聯繫，各以對方的存在為自己存在的前提或條件。其內在衝突的伸展，使「因」作為一方與「果」作為另一方構成相對相關的聯繫。範疇這種衝突性格，使自身或與諸範疇都處於相互聯繫、相互轉化之中，並在這種普遍的有機聯繫中，再現客觀世界的衝突及其發展的全進程。[39]

38 陳滿銘：〈楊晉龍《治學方法》序〉，收入楊晉龍：《治學方法》（臺北市：萬卷樓圖書公司，2014年9月初版），頁（序）1-4。就「因果」而言，如由「總（凡）分（目）」切入，則像韋世林所說的「要求總論點能演繹推導出分論點，或者是分論點能歸納推導出總論點。」見黃順基、蘇越、黃展驥主編：《邏輯與知識創新》（北京市：中國人民大學出版社，2002年一版一刷），頁86。

39 張立文：《中國哲學邏輯結構論》，頁11。

而陳波也說：

> 因果聯繫是世界萬物之間普遍聯繫的一個方面，也許是其中最重要的方面。一個（或一些）現象的產生會引起或影響到另一個（或一些）現象的產生。前者是後者的原因，後者就是前者的結果。科學的一個重要任務就是要把握事物之間的因果聯繫，以便掌握事物發生、發展的規律。[40]

既然「因果」這一範疇能產生「普遍的有機聯繫」、「也許是其中最重要的方面」，其重要性就可想而知。也就難怪在邏輯學中，會那樣受到普遍的重視，而尊之為「律」了。

雖然「因果律」曾一度受到羅素（B. Russell, 1872-1970）偏執之影響，使研究沉寂了半個世紀；但到了二十世紀三〇年代後，卻有了新的發展，如美國當代哲學家、計算機理論家勃克斯（A. W. Burks, 1915-2008），就提出了「因果陳述邏輯」，任曉明、桂起權在《邏輯與知識創新》中介紹說：

> 作為一種證明或檢驗的邏輯，因果陳述邏輯在科學理論創新中能否起重要作用呢？答案是肯定的。第一，因果陳述邏輯對於解釋或預見事實有重要意義。就如同假說演繹法所起的作用一樣，因果陳述邏輯可以從理論命題推演出事實命題，或是解釋已知的事實，或是預見未知的事實。這種推演的基本步驟是以一個或多個普遍陳述，如定律、定理、公理、假說等作為理論前提，再加上某些初次條件的陳述，逐步推導出一個描述事實

---

40 陳波：《邏輯學是什麼》（北京市：北京大學出版社，2002年1月一版一刷），頁167。

> 的命題來。這種情形就如同上一節所舉的「開普勒和火星軌道」的例子一樣。第二，因果陳述邏輯對於探求科學陳述之間的因果聯繫，進而對科學理論做出因果可能性的推斷有著重要作用。勃克斯所創建的這種邏輯對科學理論創新的貢獻在於：通過對科學推理的細緻分析，發現經典邏輯的實質蘊涵、嚴格蘊涵都不適於用來刻劃因果模態陳述的前後關係。於是，他提出了一種「因果蘊涵」，進而建立一個公理系統，為科學理論中因果聯繫的探索奠定了邏輯上的基礎。[41]

勃克斯這樣以「因果蘊涵」作為「因果陳述邏輯」的核心概念，而建立了一個「公理系統」，「從具有邏輯必然性的規律或理論陳述中推導出具有因果必然性的因果律陳述，進而推導出事實陳述（按：即求異，屬實證性歸納）。這種推導過程，不僅能解釋已知的事實，而且能預見未知的事實（案：即求同，屬假設性演繹）。」[42] 這在科學理論方面，是有相當大的創新功能的。

既然「因果邏輯」關涉「求異：實證性歸納」與「求同：假設性演繹」，能產生「普遍的有機聯繫」，而建立了一個「公理系統」，自然就具有「母性」來統合諸多「層次邏輯」類型，如「本末」、「終始」、「先後」、「今昔」、「動靜」、「體用」、「虛實」（時間、空間、假設與事實、虛構與真實）、「賓主」、「立破」、「問答」、「敘論」……等[43]。更值得注意的是：這種「因果邏輯」既是一般「方法論」，也是「方法論原則」，更可用其「移位」、「轉位」作橫向聯繫、「包孕」作縱向

---

41 黃順基、蘇越、黃展驥主編：《邏輯與知識創新》，頁328-329。

42 黃順基、蘇越、黃展驥主編：《邏輯與知識創新》，頁332。

43 陳滿銘：〈論「因果」章法的母性〉，《國文天地》18卷7期（2002年12月），頁94-101。

聯繫，以形成其「雙螺旋層次邏輯系統」[44]。由此更彰顯出「因果邏輯」（因→果、果→因）在眾多「層次邏輯」類型中的基礎性。

而由於「雙螺旋層次邏輯」反映的是宇宙人生萬事萬物「轉化」的內在關係，而這「萬事萬物」之「轉化」，正是「學術研究」的對象，所以要從事於此，便必須重視這種能上徹於「雙螺旋層次邏輯系統」的「方法論」。《大學》一開篇就說：「物有本末，事有終始，知所先後，則近道矣。」直接指出：「本末」、「終始」、「先後」的「層次邏輯」就是研究《大學》深入其義理的主要「方法」──「方法論」。其實，這「本末」、「終始」、「先後」或其他的「雙螺旋層次邏輯」，不是僅僅可用於研究某一種已有的「典籍」或「學說」，以解釋「已知的事實」（求異：實證性歸納）而已，更可由此逐步「開疆闢土」，能預見「未知的事實」（求同：假設性演繹），作「知識創新」的努力。因為宇宙萬物的創生、含容、變化的過程，都脫離不了這種「雙螺旋層次邏輯系統」的不斷作用。

而所謂「螺旋」，本用於教育課程之理論上，早在十七世紀，即由捷克教育家夸美紐斯（John Amos Comenius, 1592-1670）所提出；而近代美國心理學家布魯納（J. S. Brunner, 1915-）更進一步提出認知學習理論，指出教材結構與學生的認知結構必須互相結合，以達到螺旋式提升的效果。《教育大辭典》解釋說：

> 螺旋式課程（Spiral curriculum）圓周式教材排列的發展，十七世紀捷克教育家夸美紐斯提出，教材排列採用圓周式，以適應不同年齡階段的兒童學習。但這種提法，不能表達教材逐步

---

44 陳滿銘：〈因果邏輯與章法結構〉，臺北大學《中文學報》14期（2013年9月），頁1-28。

> 擴大和加深的含義，故用螺旋式的排列代替。二十世紀六〇年代，美國心理學家布魯納也主張這樣設計分科教材：按照正在成長中的兒童的思想方法，以不太精確然而較為直觀的材料，儘早向學生介紹各科基本原理，使之在以後各年級有關學科的教材中螺旋式地擴展和加深。[45]

所謂「圓周」、「逐步擴大和加深」，指的正是「循環、往復、螺旋式提高」，《簡明國際教育百科全書》即指出：

> 螺旋式循環原則（Principle of Spiral Circulation）排列德育內容原則之一，即根據不同年齡階段（或年級），遵循由淺入深，由簡單到複雜，由具體而抽象的順序，用循環、往復、螺旋式提高的方法排列德育內容。螺旋式亦稱圓周式」。[46]

可見「螺旋」就是「不斷互動、循環、往復而提高」的意思。這種螺旋作用，可用下列簡圖來表示：

二元 → 互動 → 循環 → 往復 → 提高

這是著眼於「陰陽二元」，即「二」來說的，若以此「二」為基礎，徹上於「一 0」、徹下於「多」，則成為「0 一二多」之雙螺旋結構。如此可用下圖來表示：

---

45 顧明遠主編：《教育大辭典》（上海市：上海教育出版社，1990年6月一版一刷），頁276。

46 許建鉞編譯：《簡明國際教育百科全書》（北京市：新華書局北京發行所，1991年6月一版一刷），頁611。

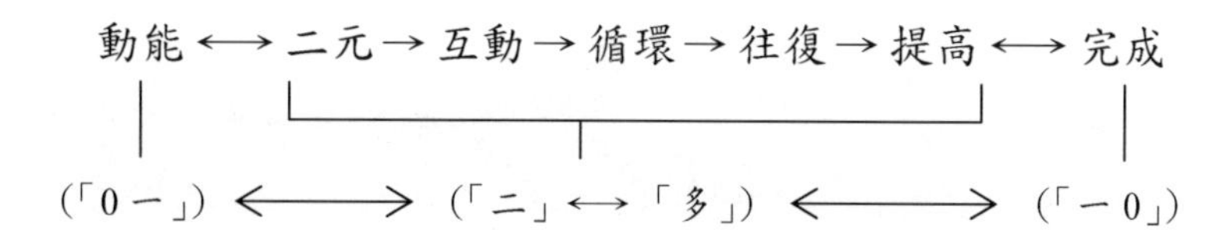

又如果再依其順逆向，將「0 一二多」加以拆解，則可呈現如下列兩式：

一、順向：「0 一」 ⟶ 「二」⟶「多」
二、逆向：「多」 ⟶ 「二」⟶「一 0」

而這兩式是可以不斷地彼此「互動、循環而往復而提高」，而形成層層之雙螺旋結構，以體現宇宙人生「轉化」生生不息之生命力的。

很值得注意的是：相對於人文，近年科技界亦發現生命之「基因」:「DNA」也呈現這種雙螺旋結構，約翰．格里賓（John Gribbin）著、方玉珍等譯《雙螺旋探密——量子物理學與生命》以為：

> 生命分子是雙螺旋這一發現為分子生物學揭開了新的一頁，而不是標誌著它的結束。但在我們以雙螺旋發現為基礎去進一步理解世界之前，如果能有實驗證明雙螺旋複製的本質，那麼關於雙螺旋的故事就會更加完美了。

並附「DNA」分子的雙螺旋結構圖[47] 如下：

---

47 約翰．格里賓著，方玉珍等譯：《雙螺旋探密——量子物理學與生命》（上海市：上海科技教育出版社，2001年7月版），頁221-225。

其一：

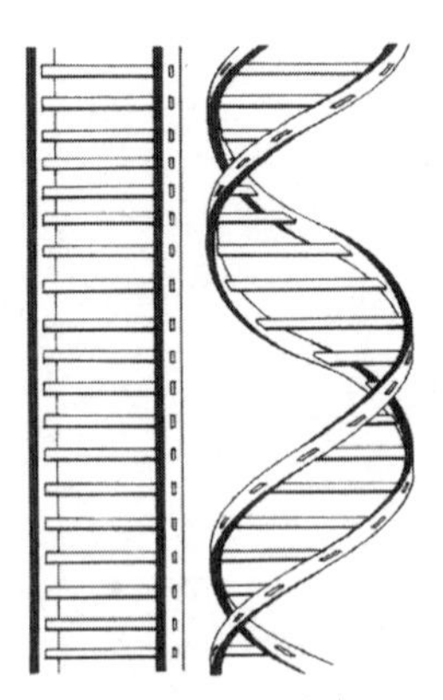

實際上，兩條 DNA 鏈相互盤繞，形成一個雙螺旋

其二：

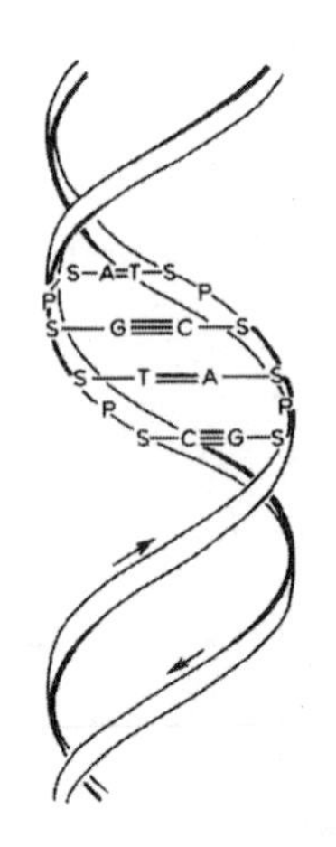

部分 DNA 雙螺旋近觀圖

試將鹼（碱）基雙雙配對，用梯形配合「0 一二多」呈現，可形成下圖：

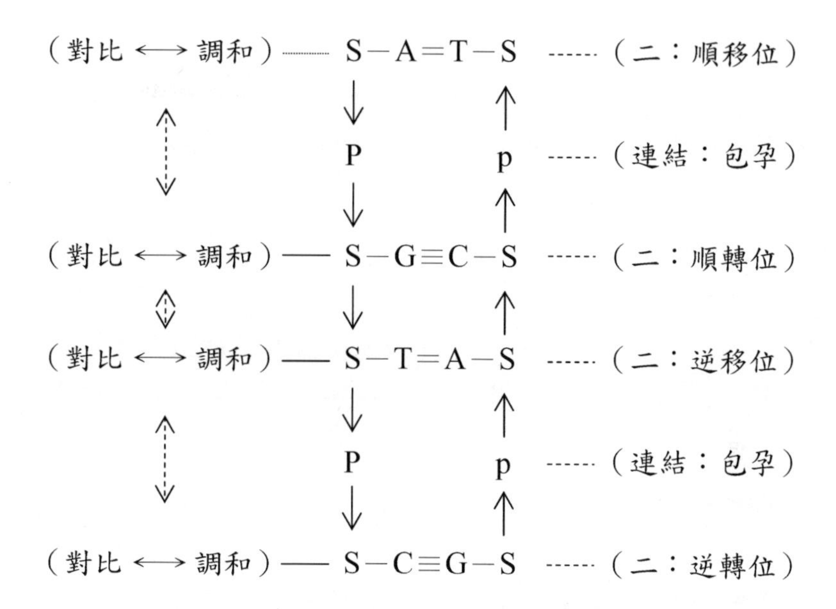

其中「A（Adenine：腺嘌呤）⟷ T（Thymine：胸腺嘧啶）」、「G（Guanine：鳥嘌呤）⟷ C（Cytosine：胞嘧啶）」為鹼基 4 密碼（雙雙形成「陰陽互動」）；「S」表示端點；「P」（磷酸根）表示連結（形成層次：涉及「包孕」之分合[48]與「對比 ⟷ 調和」）；「＝」表示兩組（對）「氫鍵」，力度較弱（涉及「移位」）、「≡」表示三組（對）「氫鍵」，力度較強（涉及「轉位」）。由此層層以「對比 ⟷ 調和」下徹、上徹並加以「包孕」，趨於「統一」，形成每一單元「DNA」的「0 一二多」雙旋螺結構，呈現如下簡表：

---

48 陳滿銘：〈論「陰陽包孕」與「0一二多」雙螺旋邏輯系統〉，正向臺灣某一大學學報投稿中。

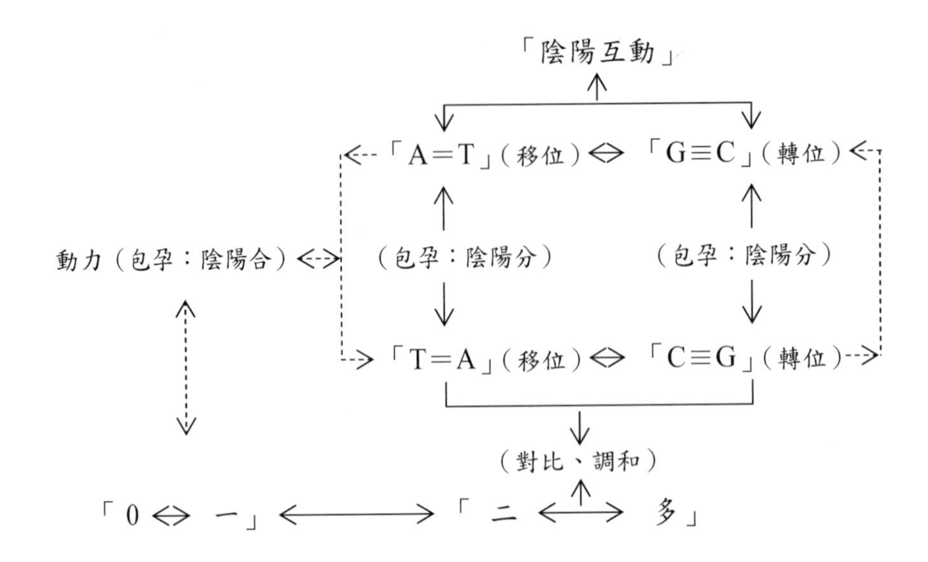

如單就「轉化四律」來看，則可呈現如下簡圖：

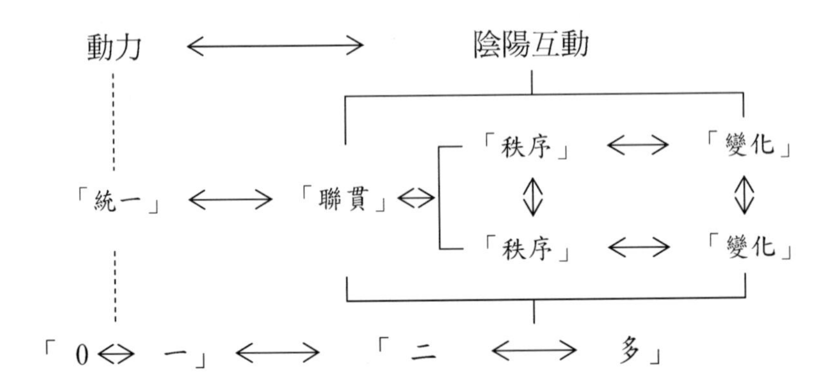

對這種「雙螺旋結構」，歐陽周、顧建華、宋凡聖（2001）編著的《美學新編》也從美學角度解釋說：

> 從微觀看，由於近代物理學與生物學、化學、數學、醫學等的相互交叉和滲透，對分子、原子和各種基本粒子的研究更加深

> 入，並取得一系列的成果。……特別要指出的是，「DNA」分子的雙螺旋結構模式，體現了自然美的規律：兩條互補的細長的核苷酸鏈，彼此以一定的空間距離，在同一軸上互相盤旋起來，很像一個扭曲起來的梯子。由於每條核苷酸鏈的內側是扁平的盤狀碱基，當兩個相連的互補碱基 A 連著 P（應是 T），G 連著 C 時，宛若一級一級的梯子橫檔，排列整齊而美觀，十分奇妙。[49]

這樣，對應於「0 一二多」雙螺旋結構來看，所謂「宛若一級一級的梯子橫檔」，該是「二」（陰陽互動）產生作用的整個歷程與結果，亦即「二 ⟷ 多」；所謂「當兩個相連的互補碱基 A 連著 T，G 連著 C」，該是兩組「二」（陰陽互動）；而「DNA」本身的質性與動力，則該為「0 ⟷ 一」。至於所謂「兩條互補的細長的核苷酸鏈，彼此以一定的空間距離，在同一軸上互相盤旋起來」，該是一順一逆、一陰一陽的雙螺旋邏輯結構。如果這種解釋合理，那麼，從極「微觀」（小到最小）到極「宏觀」（大到最大），都一律由「一順一逆」的「0 一二多」雙螺旋邏輯結構，按「轉化四律」加以層層組織，以體現大自然「生生不息」的「轉化」運動規律[50]。

對此，戴維揚詮釋說：

> 陳滿銘……「多、二、一（0）」及「（0）一、二、多」雙向的

49 歐陽周、顧建華、宋凡聖編著：《美學新編》，頁303。

50 陳滿銘：〈論螺旋邏輯學的創立——以哲學螺旋與科學螺旋為鍵軸探討其體系之建構〉。又，陳滿銘：〈哲學螺旋與科學螺旋的對應、貫通——以「多二一（0）」與「DNA」雙螺旋結構為重心作探討〉，《南京曉庄學院學報》4期（2015年7月），頁19-22。

> 「邏輯結構」，筆者將其譯成英文的「DNA」的雙螺旋結構（in the form of a double helix）；一個超大超長變化萬千的大體系，其運作方式以兩兩（4 基底），結合一再衍生的「DNA」譜系。其……鹼基「DNA」的運作模式，A 長配 T；G 常配 C，兩兩、雙雙、對對構成天底下萬物的結構密碼；證之，星球的運轉也是如此遵照「普世法則」的大原理（Principles）以及彗星（如哈雷每 76 年穿梭其間的小插曲（Parameters）。[51]

可見「0 一二多」雙螺旋層次邏輯系統之「原始性」與「普遍性」，就值得大家共同重視了。

因此，「求異：實證性歸納」（果 → 因）與「求同：假設性演繹」（因 → 果）在學術研究上是十分重要的，就「方法論」體系而言，它們既可屬於基礎性的「微觀」面，也可屬於概括性的「中觀」面，更可屬於統合性的「宏觀」面。因此推擴開來，對「方法論」層面之認定，是不能一成不變的；而「雙螺旋層次邏輯（章法）學」即以此為基礎而形成。

結語

綜上所述，可知雙螺旋層次邏輯（章法）學之「方法論」是可形成其「三觀」體系的。而這一體系之確立，與「辭章章法學」的研究有「雙螺旋互動」之密切關係，從四十餘年前開始，個人帶動博、碩士團隊，經由「歸納（果 → 因）⟷ 演繹（因 → 果）」的雙螺旋互動，先從各體辭章作品之解析中，歸納為「模式」，再以演繹，歸根

---

51 戴維揚：〈概論詞彙學（Lexicology）的體系架構〉，《國文天地》30卷5期（2014年10月），頁53。

於《周易》與《老子》，為「模式」尋出哲理依據，如此不斷地「求異 ⟷ 求同」，作「互動、循環、往復而提高」之研討，才逐漸地使「章法學」研究方法形成「方法論」體系，以呈現其「三觀」的「雙螺旋層次邏輯系統」。

對此，「三一語言學」的創始人王希杰，先論「章法學體系」時說：「章法學作為一門學問，不是有關部門章法的個別的知識，而是章法知識的總和，是一種概念的系統。章法學是一門實用性很強的學問，也有極高的學術價值。它同文章學、修辭學、語用學、文藝學、美學、邏輯學等都具有密切關係。章法學已經初步形成了一門科學。陳滿銘教授初步建立了科學的章法學體系。」[52] 再論「章法的客觀性」時就說：「凡存在的事物，都有是『章』有『法』的。德國哲學家黑格爾說：凡存在的，都是合理的。這個『理』，其實就是『章』和『法』。」然後論臺灣「章法學的方法論原則」時說：「有一篇論文，題目叫做〈談詞章學的兩種基本作法：歸納與演繹〉（《中等教育》27 卷 3、4 期，1976 年 6 月），歸納法和演繹法其實也就是章法學的基本方法。……章法學的成功，是歸納法的成功，這近四十種章法規則是從大量的文章中歸納出來的，一律具有巨大的解釋力，覆蓋面很強。同時也是演繹法的成功的運用，例如《章法學綜論》中的『變化律』的十五種結構，很明顯是邏輯演繹出來的，當然也是得到許多文章的驗證的。……值得一提的是，……大量運用模式化手法。這本是很好的方法，但是……可能顯得繁瑣、瑣碎，使人難以把握的。可貴的是，……並不滿足於單純地『歸納（歸納 ⟷ 演繹）法則』，他們力圖建立統率這些比較具體的法則的更高的原則。」[53]

而辭章學大家鄭頤壽，先論「臺灣辭章學研究的哲學思辨」時

52 王希杰：〈章法學門外閑談〉，《國文天地》18卷5期（2003年6月），頁53-57。

53 王希杰：〈陳滿銘教授和章法學〉。

說：「章法學……涉及文章學、修辭學、語體學、邏輯學以及美學等諸多方面。綜合研究這諸多方面的章法現象及其理論體系的學問……臺灣學者陳滿銘教授，在研究這一方面具有突出的成就，雖非絕後，實屬空前。……新的學科建設必須站在哲學的高度，並以之作指導，才能高瞻遠矚，不斷開拓，建構科學的理論體系。中國古老的哲學多門，其中最有影響的是樸素的辯證法思想，……它具有濃厚的文化底蘊，融進了我國的許多學科、各個領域和生活，至今仍有強盛的生命力。臺灣辭章章法研究，能充分運用我國傳統（《周易》、《老子》）的辯證法。陳滿銘教授的《章法學新裁》一書，談篇章結構，就用了辯證法的觀點，……仇小屏博士的《篇章結構類型論》（上、下）也是全書用辯證法來建構體系的。」[54]又論「三觀體系」時說：「篇章辭章學的『三觀』理論建構了科學的、體系嚴密的學科理論大廈，是『篇章辭章學』藝術之所以能夠成『學』的最主要依據。分清這『三觀』、『大廈』的建構就有了層次性、邏輯性；抓住這『三觀』，就抓住了學科體系的『綱』和『目』。我們用『三觀』理論所作的概括、評價，應該基本上描寫了篇章辭章學的理論體系。……是從具體的『方法』到概括的『規律』，……從一個個的『章法』入手，一個、兩個、十個、三十幾個、四十幾個……『集樹成林』（微觀）之後，又由博返約，把它們分別類聚於秩序律、變化律、聯貫律、統一律之中，有總有分，形成四個章法的『族系』（中觀）。這就把章法條理化、系統化了。……（又）從分別的『章法』、『規律』到統領『全軍』的理論框架『（0）一、二、多（「多、二、一（0）」）』（宏觀）。這是認識的又一個飛躍、昇華，它加強了學科的哲學性、科學性。」[55]

54 鄭頤壽：〈臺灣辭章學研究述評〉，《國文天地》17卷10期（2001年3月），頁99-107。
55 鄭頤壽：〈陳滿銘創建篇章辭章學——代序〉，見《陳滿銘與辭章章法學》（臺北市：文津出版社，2007年12月一版一刷），頁（7）-（12）。

又，語言風格學大家黎運漢，在論「章法學方法論體系」時說；「一門學科的建立與研究方法密切相關，學科的進步與發展有時也要依靠新的方法來解決。因此，『漢語辭章章法』要成為獨立的學科，也跟其他學科一樣，要有自己的『方法論體系』。陳滿銘教授的章法學論著中雖然沒有專章講述『方法論』，但其幾部論著中無處不散發著他在『方法論』上的自覺。……體現出其章法學具有了較為完備的『方法論體系』。」[56]

四十餘年來，臺灣章法學的研究就這樣在許多學者的支持與鼓勵下，由「章法（雙螺旋層次邏輯）類型」（微觀：個別）而「章法（雙螺旋層次邏輯）規律」（中觀：概括）而「0　一二多」（宏觀：體系），形成完整的「雙螺旋層次邏輯（章法）學方法論」之雙螺旋層次邏輯系統，這樣由「清醒自覺」（自然）而「認知確定」（人為），一路摸索，步步辛苦爬高，而在今天危然臨下，深深嘆幾口氣的同時，卻有「卻顧所來徑，蒼蒼橫翠薇」（李白〈下終南山過斛斯山人宿置酒〉詩）的感動。所謂「辛苦必有收穫」，真希望研究團隊能繼續不畏辛苦，以此為基礎，加倍努力，靈活運用具有原始性、普遍性之「雙螺旋層次邏輯（章法）學三觀方法論體系」，繼續多方研討，從各個角度找出「事事物物」逐層「雙螺旋互動」的「層次邏輯」，一面加深對「辭章章法學」之研究，一面擴大推出「跨界章法學」，並儘量將成果化深為淺、轉繁為簡，作積極之推廣，以期獲得各界更多的支持與鼓勵。

---

56 黎運漢：〈陳滿銘對辭章法學的貢獻〉，《陳滿銘與辭章章法學》，頁52-70。

第二章
「歸納（陽）⟷演繹（陰）」雙螺旋互動

「歸納（陽）」（求異：顯性）與「演繹（陰）」（求同：潛性），是在各學術領域中廣被應用的兩種科學研究方法。這兩種方法，通常都分別看待，而本文則不但視為「互動」，且關涉「雙螺旋」，並以「0 一二多」雙螺旋層次邏輯系統切入，舉「完形」理論、遺傳「基因」與「辭章」為例作探討，以見「歸納（陽）」（求異：顯性）與「演繹（陰）」（求同：潛性），兩者互動之密切關係。

研究宇宙人生的萬事萬物，都不斷地用由實證性的「歸納（陽）」（求異：顯性）與假設性的「演繹（陰）」（求同：潛性）[1]，產生二元互動，形成各式各樣的「雙螺旋層次邏輯」，以呈現它順向（徹下）、逆向（徹上）的層層系統[2]。而這種「雙螺旋層次邏輯系統」，是可由「0 一二多」作主軸加以層層貫穿的。本文即由此主軸，舉「完形」理論、遺傳「基因」與「辭章」表現為例，進行考察，以見其「歸納（求異：顯性）←→ 演繹（求同：潛性）」（陽 ←→ 陰）呈現雙螺旋互動之實際於一斑。

第一節 「0 一二多」雙螺旋層次系統之形成

「0 一二多」反映的是宇宙萬物創生、轉化的動態雙螺旋層次邏輯系統，是在「無形」（無極、道）剛剛形成「有形」（太極、一）即「0 一」時，「陰陽」就由「合」而「分」，開始產生互動，先經「移位（秩序）」或「轉位（變化）」轉化過程，然後在「對比 ←→ 調和（聯貫）」與「包孕：分 ←→ 合」的徹下、徹上之作用下，終於「統

---

1 「歸納」與「演繹」與「觀察」、「聯想」、「想像」有關，其思路為「抽象←→具象」、「一般←→特殊」、「已知←→未知」、「整體←→個體」、「原型←→典型」、「分析←→綜合」有關，見歐陽周、顧建華、宋凡聖等：《美學新編》（杭州市：浙江大學出版社，2001年），頁83。又與「求異←→求同」、「因←→果」有關，見黃順基、蘇越、黃展驥主編：《邏輯與知識創新》第二十章（北京市：中國人民大學出版社，2002年），頁324。又，陳滿銘：〈潛性、顯性互動類型論——以辭章之義旨、章法為例作探討〉，《成大中文學報》24期（2009年4月），頁29-56。本文為求簡便，特別聚焦於「求異←→求同」與「顯性←→潛性」進行觀察，以見一斑。

2 陳滿銘：〈論螺旋邏輯學的創立——以哲學螺旋與科學螺旋為鍵軸探討其體系之建構〉，《國文天地・學術論壇》31卷1期（2015年6月），頁116-136。又，陳滿銘：〈哲學螺旋與科學螺旋的對應、貫通——以「多←→二←→一（0）」與「DNA」雙螺旋結構為重心作探討〉，《南京曉庄學院學報》2015年4期（2015年7月），頁19-22。

一」，而形成「轉化四律」與「0 一二多」互相融貫之「雙螺旋層次邏輯系統」的[3]。

對這種系統之形成，如就古代聖賢之探討而言，則他們是先由「有象（現象界）」以探知「無象（本體界）」（歸納 → 演繹），逐漸形成「多（秩序、變化、聯貫）⟷ 二（陰陽）⟷ 一（統一 2）⟷ 0（統一 1）」的逆向（上徹）雙螺旋層次邏輯結構；再由「無象（本體界）」以解釋「有象（現象界）」（演繹→歸納），逐漸形成「0（統一 1）⟷ 一（統一 2）」⟷ 二（陰陽）⟷ 多（秩序、變化、聯貫）」的順向（下徹）雙螺旋層次邏輯結構的。就這樣「一順一逆」、「一上一下」，往復探求、驗證（歸納 ⟷ 演繹），久而久之，使「0 → 一 → 二 → 多」（順向：下徹）與「多 → 二 → 一 → 0」（逆向：上徹）產生「互動、循環、往復而提升」的作用，以形成「0 一二多」（含順、逆雙向[4]）的「雙螺旋層次邏輯系統」。它們的關係，從研究角度來看，可用如下簡圖來表示：

一、順向（演繹 → 歸納），「陰陽」由合而分：「0（統一 1）⟷ 一（統一 2）⟷ 二 ⟷ 多（秩序、變化、聯貫）」

二、逆向（歸納 → 演繹），「陰陽」由分而合：「多（秩序、變化、聯貫）⟷ 二 ⟷ 一（統一 2）⟷ 0（統一 1）」

三、統合（歸納 ⟷ 演繹），「陰陽合 ⟷ 分」：「0 一二多」（統一 ⟷ 聯貫 ⟷ 變化 ⟷ 秩序）

而這種系統可從《周易》、《老子》的相關論述中獲得證明。《周易．

---

3 陳滿銘：〈論章法四大律之方法論原則——以「多二一（0）」螺旋結構作系統探討〉，臺灣師大《中國學術年刊》33期春季號（2011年3月），頁87-118。

4 為簡便起見，在下文裡不再作「含順逆雙向」之輔助說明。

繫辭上》云：

> 是故易有太極，是生兩儀，兩儀生四象，四象生八卦。

據此，其順向歷程顯然就可用「一⟷二⟷多」的雙螺旋層次邏輯結構來呈現，其中「一」指「太極」，「二」指「兩儀（陰陽）」，「多」指「四象生八卦（萬物）」（含人事）。如果對應於〈序卦傳〉由天而人、由人而天，亦即「既濟」而「未濟」之的循環來看，則此「一⟷二⟷多」，就可以緊密地和逆向歷程之「多⟷二⟷一」接軌，形成其「一二多」雙螺旋層次邏輯系統。

這種系統，在《老子》一書中，不但可以找到，而且更清晰而完整，如：

> 道生一，一生二，二生三，三生萬物。萬物負陰而抱陽，沖氣以為和。（四十二章）

在此，老子的「一」該等同於《易傳》之「太極」、「二」該等同於《易傳》之「兩儀」（陰陽），因此所呈現的，和《周易》一樣，是「一⟷二⟷多」（順向）與「多⟷二⟷一」（逆向）之原始雙螺旋層次邏輯結構。不過，值得一提的是：老子的「道」可以說是「无」，卻不等於實際之「無」（實零），而是「恍惚」的「无」（虛零），以指在「一」之前的「虛理」[5]。這種「虛理」，如勉強以「數」來表示，則可以是「（0）」。這樣，順、逆向的結構，就可調整為「0 一→二→多」（順向：演繹）與「多⟷二⟷一 0」（逆向：歸

5 唐君毅：《中國哲學原論．導論篇》（香港：人生出版社，1966年3月出版），頁350-351。

納），融成「0 一二多」（歸納←→演繹）雙螺旋層次邏輯系統，以補《周易》（含《易傳》）之不足，這就使得宇宙萬物創生、轉化的順、逆向動態歷程，更趨於完整而周延了[6]。而其關係可用如下簡圖加以呈現：

（一）單一雙螺旋層次邏輯系統圖：

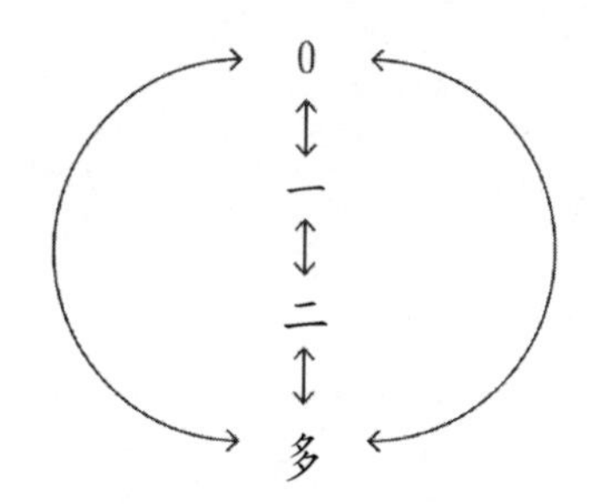

（二）轉化四律雙螺旋層次邏輯系統圖：

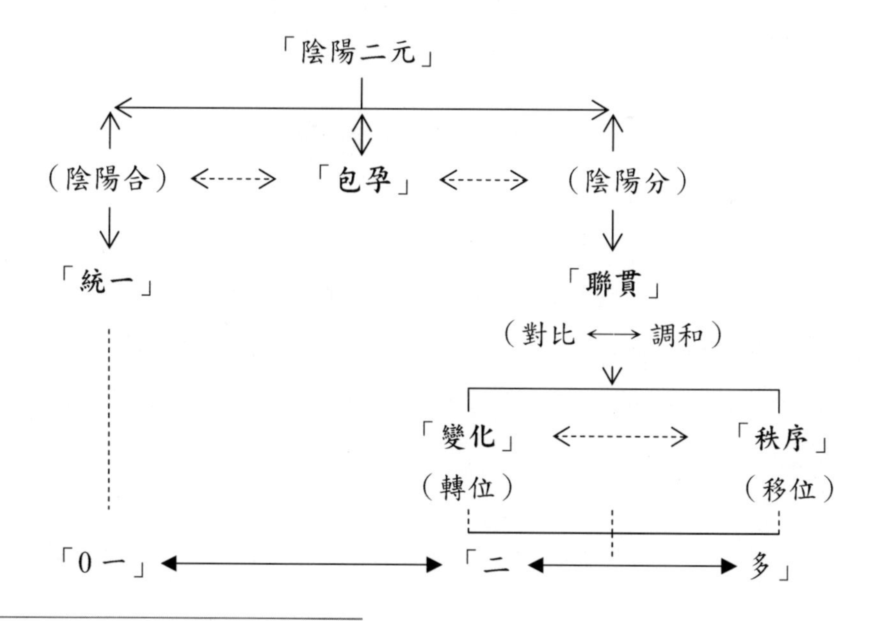

6　陳滿銘：〈論「多二一（0）」的螺旋結構──以《周易》與《老子》為考察重心〉，《師大學報．人文與社會類》48卷1期（2003年7月），頁1-20。

（三）逐層雙螺旋層次系統圖：

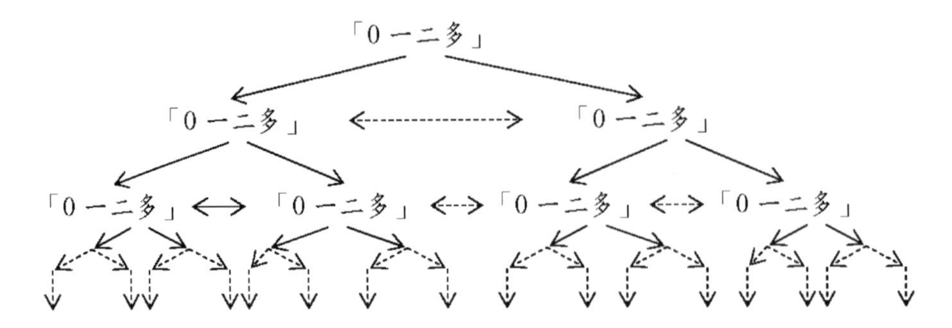

由此可見「層次邏輯」是逐層由「0 一二多」雙螺旋層次邏輯結構來統合「陰陽二元（合⟷分）」、「四大規律」（「秩序（移位）」、「變化（轉位）」、「聯貫（調和⟷對比及包孕：分）」與「統一（包孕：合）」，而形成由「不同層次的大螺旋套小螺旋的衍生運動」[7] 之龐大「雙螺旋層次邏輯系統」的。

第二節　「歸納（陽）⟷演繹（陰）」與「0 一二多」系統

「演繹（求同：潛性）」（陰）與「歸納（求異：顯性）」（陽）這兩種思維邏輯，在黃順基、蘇越、黃展驥所主編的《邏輯與知識創新》一書中，曾從「一般（演繹）⟷特殊（歸納）」的角度作全面之探討，它指出：

> 科學邏輯主要包括：（1）演繹邏輯，它研究從「一般」到「特

7　佚名：〈太極陰陽與螺旋運動〉，《華夏中醫網》，引自：http://www.epochtimes.com/b5/6/9/14/n1453677.htm。

> 殊」的推理；(2) 歸納邏輯，它研究從「特殊」到「一般」的歸納推理和「特殊」到「特殊」的類比推理。前面各編（案：共三編、九章）研究的重點是演繹邏輯在知識創新中的作用，本編（案：共四章）研究歸納邏輯，重點是整個科學邏輯在知識創新中的作用。[8]

而後面第五編共三章，則由此延伸以「其他思維形式」（含發散、收斂）作綜合討論，可見「演繹（求同：潛性）⟷ 歸納（求異：顯性）」（陰 ⟷ 陽）邏輯形成「一般 ⟷ 特殊」的對應關係，「在知識創新中」的重大「作用」。但認為「一般」性的「演繹（求同：潛性）」（陰）重於「特殊」性的「歸納（求異：顯性）」（陽），它說：

> 從演繹主義的方案中可以提煉出如下的科學探究或知識創新的模式：『從經驗背景 → 引出問題→提出假設 ⟷ 檢驗 → 問題的解決』。在這一探究模式中存在一種反饋機制，使得假設與它的檢驗之間能多次往復循環。……作為提出假設與檢驗假設這依往復過程前提背景信息或背景知識是不可忽視的。……古典歸納主義提出的『歸納程序』是：『觀察事實 → 累積數據資料 → 做出假設或經驗概括』。其實這一程式是似是而非的。因為對於科學假設的提出來說，盲目的觀察是不頂用的。[9]

並且引用愛因斯坦的話說：

> 適用於科學幼年時代的以「歸納法」為主的方法，正在讓位給

8　黃順基、蘇越、黃展驥主編：《邏輯與知識創新》，頁321。

9　黃順基、蘇越、黃展驥主編：《邏輯與知識創新》，頁375。

探索性「演繹法」(《愛因斯坦文集》第一卷，頁 362)。[10]

其實，如越過「古典」就「現在」來說，則「觀察」，除親身閱歷之外，還包括閱讀，以獲得各種資訊，化古今人經驗為自己經驗，而且與「記憶」產生互動，彭聃齡主編《普通心理學》:「記憶（memory）是在頭腦中積累和保存個體經驗的心理過程，運用信息加工的術語講，就是人腦對外界輸入的信息進行編碼、存儲和提取的過程。……記憶是一種積極、能動的活動。人對外界輸入的信息能主動地進行編碼，使其成為人腦可以接受的形式。現代心理學家認為，只有經過編碼的信息才能記住。」[11] 作為一種心理過程，「記憶」是在「觀察」之同時一個識記、再認和再現的過程，是人們運用知識經驗進行思考、想像、解決問題、創造發明等一切智慧活動的前提。有了「觀察」、「記憶」，人們才能積累知識、豐富經驗；因此有「記憶」的「觀察」，是一點也不「盲目」的。況且既然強調「背景信息或背景知識」與「多次往復循環」，隱然在「演繹（求同：潛性）」(陰）中已將「歸納（求異：顯性）」(陽）納入，形成其「雙螺旋層次邏輯」的關係。

而且從「哲學性（假設：潛性）⟷ 科學性（實證：顯性）」（陰 ⟷ 陽）的雙螺旋對應 [12] 來看，「演繹法」在西方傳統哲學中被廣泛地運用，而「歸納法」對於自然科學的發展也相當重要；兩種思維方式同時運用了人類心理上的理智與感官等兩種官能。對此，錢志純在解說「歸納」與「演繹」的定義時提到：

---

10 黃順基、蘇越、黃展驥主編：《邏輯與知識創新》，頁436。

11 彭聃齡主編：《普通心理學》(北京市：北京師範大學出版社，2001年)，頁201、392。

12 陳滿銘：〈哲學「多二一（0)」與科學「DNA」雙螺旋的對應、貫通〉，《國文天地》30卷12期（2015年5月），頁116-125。

> 吾人用以求知的官能有二，即理智與感官，二者不可偏廢。理智沒有經驗與物件，則其推論沒有根據；同樣，經驗與物件，康德稱之為知識的塵粒，如果沒有理智來統一，則永遠不能成為科學。由是吾人用以推論的二方法，即演繹與歸納，實有互相輔助之效。演繹是由普通原則，推知局部事例；歸納是由局部事例，推知普遍原則之存在。[13]

理智的官能感知到「普遍原則」之存在，而感官所感知則為「局部事例」。「歸納（局部事例⟷普遍原則）」與「演繹（普遍原則⟷局部事）」就是運用這兩種心理成為近代哲學與科學的重要法則。而歐陽周、顧建華、宋凡聖也說：

> 歸納和演繹是互相聯繫，互為條件，互相補充又互相轉化的。認識通常從歸納開始，歸納是演繹的基礎；歸納的結論常常是演繹的前提，演繹得出的結論又成為歸納的指導；演繹轉化為歸納，再用事實的歸納來驗證和豐富演繹的結論。例如達爾文，當他接受了拉馬克等人的生物進化論觀點後，收集了大量事實，從中歸納、研究，得出了生物進化的系統理論和結論。科學研究就是這樣從個別到一般，又從一般到個別，循環往復，步步深入的。[14]

這樣來看待「演繹（求同：潛性）」（哲學性）與「歸納（求異：顯性）」（科學性），是比較合理的。

---

13 錢志純：《理則學》（臺北縣：輔仁大學出版社，1986年），頁128。

14 歐陽周、顧建華、宋凡聖編著：《美學新編》，頁322-323。

可見所謂的「普遍 ⟷ 局部」、「一般 ⟷ 個別」之「循環往復」，是可等同於「求同（潛性）⟷ 求異（顯性）」（陰 ⟷ 陽）的雙螺旋互動的。如果先由此切入，首先從「大螺旋（求同；潛性）⟷ 小螺旋（求異：顯性）」系統來看，則以三層為例：「演繹 ⟷ 歸納」中的「底層」為「異：顯」、「次層」為「同：潛」，「上層、次層」中的「次層」為「異：顯」、「上層」為「同：潛」；再配合「0一二多」，則可呈現如下簡圖：

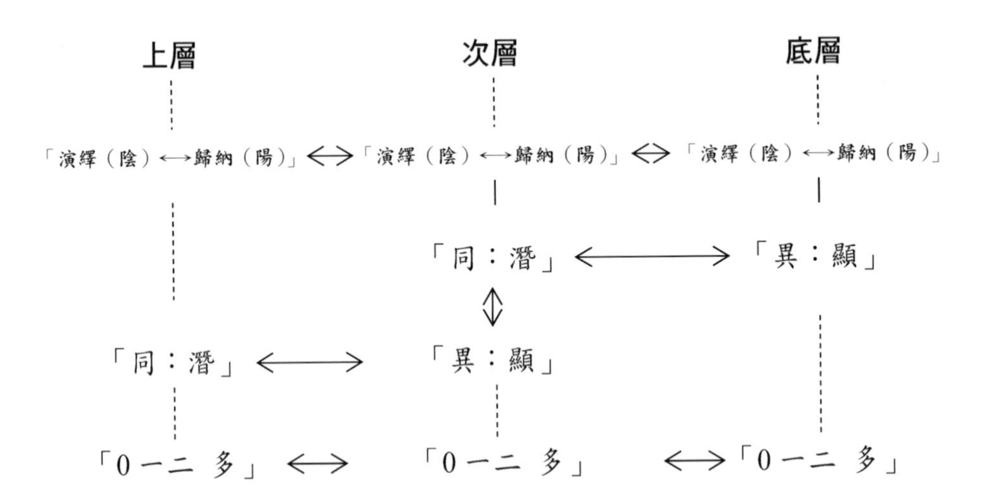

然後從單一結構來看，「歸納」為「異：顯」、「演繹」為「同：潛」，如下簡圖：

「演繹（陰）」⟷「歸納（陽）」

「同：潛」⟷「異：顯」

「0 一」⟷「二 ⟷ 多」

可見如此由「大螺旋」（同、潛：演繹）層層下徹為「小螺旋」（異、顯：歸納）、由「小螺旋」（異、顯：歸納）層層上徹為「大螺旋」（同、潛：演繹），是可形成其「雙螺旋層次邏輯」之龐大系統的。

第三節　「歸納（陽）⟷演繹（陰）」與「完形」系統

「完形」理論之核心觀點，是「異質（同形）同構」與「部分相加不等於整體」。它源自維臺默（Max Wertheimer, 1880-1943）的一個實驗，朱立元、張德興等認為：「格式塔心理學……的一個著名原則便是：各種現象都是格式塔現象，整體不等於部分之和。一九一二年，維臺默做過一個著名的似動現象的實驗。他受到玩具影器的啟發，企圖用似動現象來解釋看活動電影時的運動現象。這個實驗表明：在一定的條件下，靜止的各個部分卻能夠產生運動的整體效果。根據這個實驗，他首次提出了「部分相加不等於整體」的基本觀點，從而標誌了柏林格式塔心理學派的誕生。安海姆關於知覺的概念遵循了這一基本原則，強調了知覺的整體性。」[15] 這一實驗的「部分」是「靜」的、「整體」是「動」的，由「靜」而「動」產生了「整體」之效果，是有「螺旋」意涵在內的，也就是說，「部分」與「整體」之間，因「由靜而動」而產生螺旋作用，致「部分相加不等於整體」，藉此「強調了知覺的整體性」，而這種整體性，自然也涵蓋了「異質（同形）同構」中「心理場（力）」之整體與「物理場（力）」之部分的觀點。

15 蔣孔陽、朱立元主編：《西方美學通史．第六卷》（上海市：上海文藝出版社，1999年），頁709。

以「異質（同形）同構」而言，格式塔心理學家認為：審美體驗就是對象的表現性及其力的結構（外在世界：象），與人的神經系統中相同的力的結構（內在世界：意）的同型契合。由於事物表現性的基礎在於力的結構，「所以一塊突兀的峭石、一株搖曳的垂柳、一抹燦爛的夕陽餘暉、一片飄零的落葉……都可以和人體具有同樣的表現性，在藝術家的眼裡也都具有和人體同樣的表現價值，有時甚至比人體還更有用。」[16] 基於此，格式塔學派的代表人魯道夫・安海姆（Rudolf Amheim）提出了「藝術品的力的結構與人類情感的結構是同構」之論點，以為推動我們自己情感活動起來的力，與那些作用於整個宇宙的普遍性的力，實際上是同一種力。他說：

> 我們自己心中生起的諸力，只不過是在遍宇宙之內同樣活動的諸力之個人的例子罷了。[17]

也就是說：現實世界存在之本質乃一種力，它統合著客觀存在之「物理力」與主觀世界的「心理力」，在審美過程中，這種力使人類知覺扮演中介的角色，將作品中之「物理力」與人類情感的「心理力」因「同構」而結合為一。

對此，李澤厚在〈審美與形式感〉一文中說：

> 不僅是物質材料（聲、色、形等等）與視聽感官的聯繫，而更重要的是它們與人的運動感官的聯繫。對象（客）與感受（主），物質世界和心靈世界實際都處在不斷的運動過程中，

16 蔣孔陽、朱立元主編：《西方美學通史・第六卷》，頁714。

17 安海姆著，李長俊譯：《藝術與視知覺心理學》（臺北市：雄獅圖書公司，1982年），頁444。

即使看來是靜的東西，其實也有動的因素……其中就有一種形式結構上巧妙的對應關係和感染作用……格式塔心理學家則把這種現象歸結為外在世界的力（物理）與內在世界的力（心理）在形式結構上的「同形同構」，或者說是「異質同構」，就是說質料雖異而形式結構相同，它們在大腦中所激起的電脈衝相同，所以才主客協調，物我同一，外在對象與內在情感合拍一致，從而在相映對的對稱、均衡、節奏、韻律、秩序、和諧……中，產生美感愉快。[18]

而歐陽周、顧建華、宋凡聖等在《美學新編》中也指出：

完形心理學美學依據「場」的概念去解釋「力」的樣式在審美知覺中的形成，並從中引申出了著名的「同形論」或稱為「異質同構」的理論。按照這種理論，他們認為外部事物、藝術樣式、人物的生理活動和心理活動，在結構形式方面，都是相同的，它們都是「力」的作用模式。在安海姆看來，自然物雖有不同的形狀，但都是「物理力作用之後留下的痕跡」。藝術作品雖有不同的形式，卻是運用內在力量對客觀現實進行再創造的過程。[19]

他們這把「意」與「象」之所以形成、互動、趨於統一，而產生美感的原因、過程與結果，都簡要地交代清楚了。

---

18 李澤厚：《李澤厚哲學美學文選》（臺北市：谷風出版社，1987年），頁503-504。

19 歐陽周、顧建華、宋凡聖等：《美學新編》，頁253。安海姆之「同形說」，參見蔣孔陽、朱立元主編：《西方美學通史》第六卷，頁715-717。

以「部分相加不等於整體」而言，涉及〈繫辭傳〉論及「言不盡意」、「立象以盡意」的論題。〈繫辭上〉云：

> 子曰：「書不盡言，言不盡意。」然則，聖人之意，其不可見乎？子曰：「聖人立象以盡意，設卦以盡情偽，繫辭焉以盡其言，變而通之以盡利，鼓之舞之以盡神。

一般而言，語言在表達思想情感時，會存在著某種侷限性，此即「書不盡言，言不盡意」的意思，這可被視為已初步具有「部分相加不等於整體」的意涵。而對比於此，在〈繫辭傳〉中，卻特地提出了「象可盡意、辭可盡言」的論點。王弼《周易略例．明象》對此曾說明云：

> 夫象者，出意者也；言者，明象者也。盡意莫若象，盡象莫若言。言生於象，故可尋言以觀象；象生於意，故可尋象以觀意。意以象盡，象以言著[20]

由此可知，「情意」可透過「言語」、「形象」來表現，並且可以表現得很具體。而前者（情意）是目的、後者（言語、形象）為工具。陳望衡《中國古典美學史》釋此云：

> 王弼將「言」、「象」、「意」排了一個次序，認為「言」生於「象」、「象」生於「意」。所以，尋言是為了觀象，觀象是為了得意。言——象——意，這是一個系列，前者均是後者的工

20 王弼：《周易略例．明象》，收入《易經集成》149（臺北市：成文出版社，1976年），頁21-22。

> 具，後者均為前者的目的。[21]

他把「意」與「象」、「言」的前後關係，說得十分清楚。不過，他所謂的「言→象→意」，是就逆向一面來說的，如果從順向一面而言，則是「意→象→言」了。

此外，葉朗在《中國美學史大綱》裡，也從另一角度，將《易傳》所言之「象」與「意」，關涉到了「空白」、「補白」理論，闡釋得相當扼要而明白，他說：

> 「象」是具體的，切近的，顯露的，變化多端的，而「意」則是深遠的，幽隱的。〈繫辭傳〉的這段話接觸到了藝術形象，以「個別」表現「一般」，以「單純」表現「豐富」，以「有限」表現「無限」的特點。[22]

所謂的「個別」（象）與「一般」（意）、「單純」（象）與「豐富」（意）、「有限」（象）與「無限」（意），說的就是「象」永遠小於「意」、「意」永遠大於「象」之相互關係。而由此推演，當然「大意象」永遠大於「小意象」。這樣，凸顯了「意」、「大意象」（「整體」）＞「象」、「小意象」（「部分＋部分」）的原則。因此「部分相加」自然≠（＜）「整體」。

這種「異質（同形）同構」與「部分相加不等於整體」的關係，如以「演繹（同：潛）」⟷「歸納（異：顯）」與「0 一二多」切入，則可用如下簡圖來表示：

---

21 陳望衡：《中國古典美學史》（長沙市：湖南教育出版社，1998年），頁207。

22 葉朗：《中國美學史大綱》（臺北市：滄浪出版社，1986年），頁26。

（一）「異質（同形）同構」（心理場、物理場）：

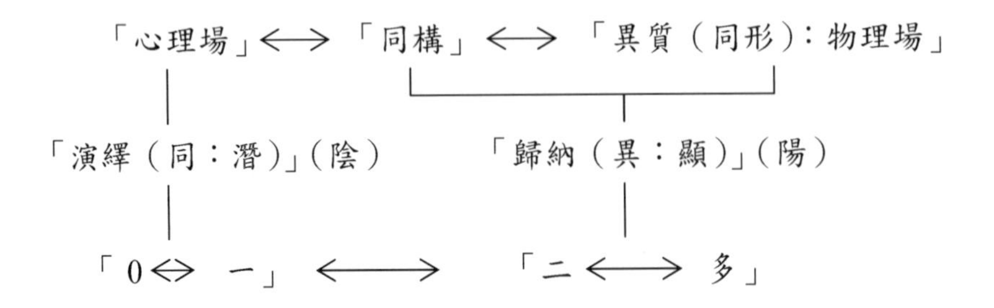

（二）「部分相加不等於整體」：

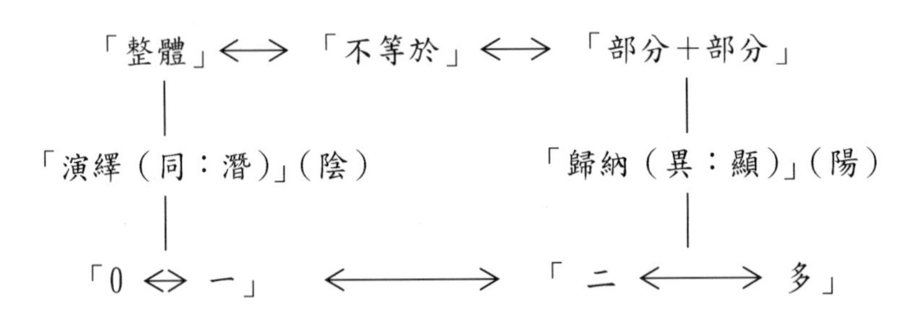

這兩者表面上看來是分開，其實是可加以統合，而形成「演繹（同：潛）」←→「歸納（異：顯）」的，亦即「異質（同形）同構」可以是「部分相加不等於整體」中的「部分」，也可以是一層「部分相加不等於整體」。依此，其雙螺旋層次邏輯系統可呈現如下簡圖：

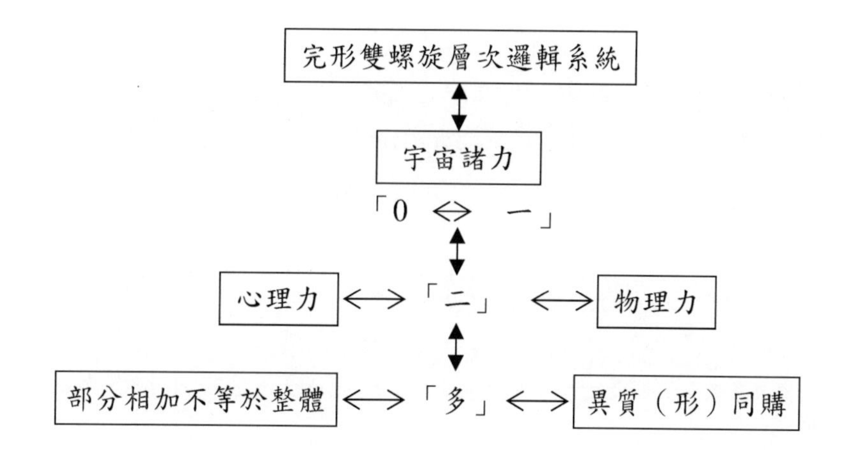

而它們的「歸納（異：顯）⟷ 演繹（同：潛）」互動雙螺旋邏輯層次，首先從「大螺旋（演繹：同、潛）⟷ 小螺旋（歸納：異、顯）」系統來看，就以「完形雙螺旋層次邏輯系統」而言，以三層為例：「次層、底層」中的「底層」為「歸納：異」、「次層」為「演繹：同」,「上層、次層」中的「次層」為「歸納：異、顯」、「上層」為「演繹：同、潛」；如下簡圖：

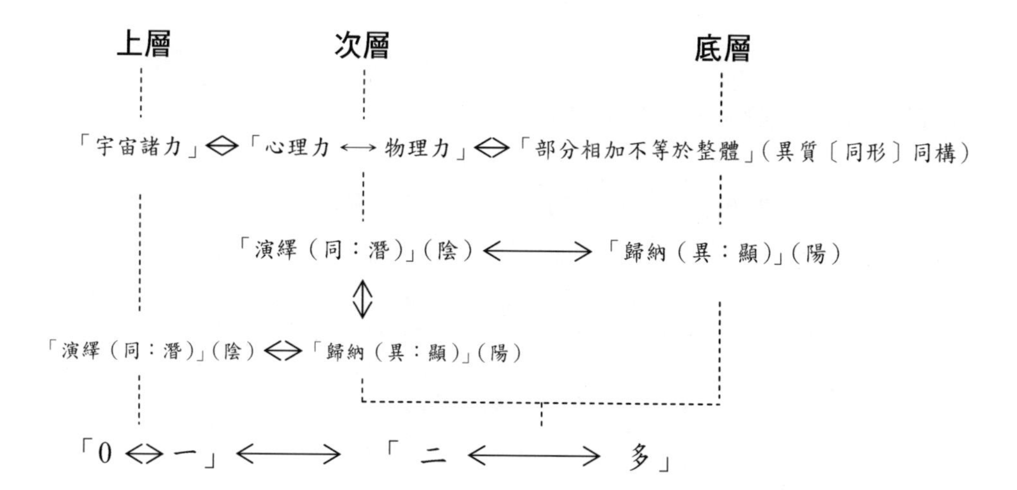

就「部分相加不等於整體」（含「異質（同形）同構」）而言，也以三層為例：「次層、底層」中的「底層」為「歸納：異、顯」、「次層」為「同、潛」，「上層、次層」中的「次層」為「歸納：異、顯」、「上層」為「演繹：同、潛」；如下簡圖：

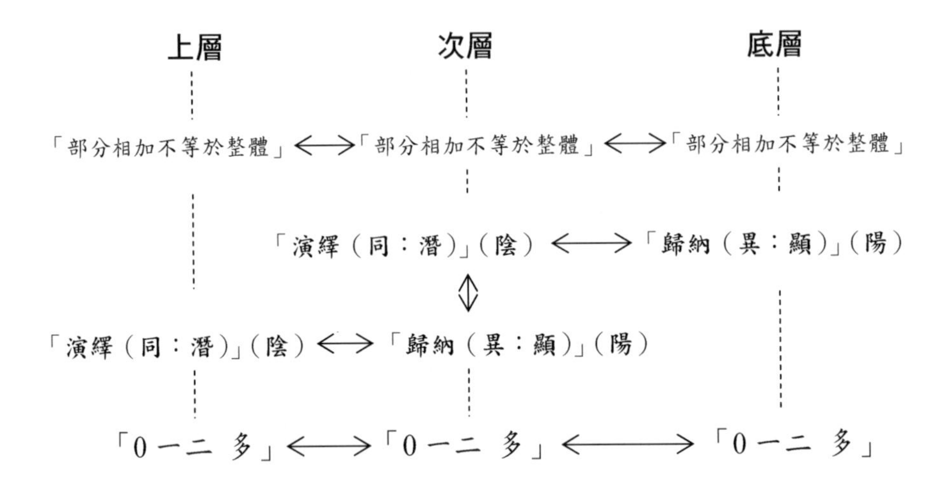

然後從單一結構來看，以「異質（同形）同構」而言，其中的「異質（同形）」（物理場）為「歸納：異、顯」、「同構」為「演繹：同、潛」；「同構」對「心理場」而言，「同構」是「歸納：異、顯」、「心理場」是「演繹：同、潛」；如下簡圖：

「心理場」←→「同構」←→「異質（同形）：物理場」

「演繹（同：潛）」（陰）←→「歸納（異：顯）」（陽）

⇕

「演繹（同：潛）」（陰）⇔「歸納（異：顯）」（陽）

「0 ⇔ 一」←→「二 ←→ 多」

如此由「大螺旋（演繹：同、潛）」（陰）層層下徹為「小螺旋（歸納：異、顯）」（陽）、由「小螺旋（歸納：異、顯）」（陽）層層上徹為「大螺旋（演繹：同、潛）」（陰），是可形成「完形」理論之龐大系統，以呈現其「雙螺旋層次邏輯」的。

第四節　「歸納（陽）⟷演繹（陰）」與「基因」系統

「基因」指的是攜帶有遺傳性質的「DNA」序列。而「DNA」的雙螺旋結構，是在一九五三年正式發現的。王淑鶯（2013）在〈DNA 雙股螺旋結構——跨領域之美麗結晶〉一文中指出：

> 1953 年 4 月 25 日，來自英國劍橋卡文迪西實驗室的華生（James Watson）和克里克（Francis Crick）共同在國際知名期刊《自然》發表了完整的「DNA」雙股螺旋結構模型。……多諾霍（J. Donohue）提出 A-T 和 G-C 配對是靠氫鍵維繫的。最重要也最具爭議的是，華生和克里克從魏爾金手上看見了由富蘭克林（Rosalind Franklin）所拍攝的一張極為清晰的「DNA」X 光繞射圖，讓他們推論「DNA」是由兩條走向相反單鏈所組成的雙螺旋。而從化學的角度來看，為了能夠符合 A-T 和 G-C 的氫鍵鍵結，唯有鹼基朝內，醣—磷酸骨架在外，且兩條單鏈走向相反才能形成穩定的分子。綜合這些資料，華生和克里克構築完整的三維「DNA」分子模型並發表結果在期刊上，之後與魏爾金在 1962 年獲得諾貝爾生物醫學獎的榮耀，也成

功引領生物學邁向更深入的分子生物學研究領域。[23]

對這種科學上的偉大發現，約翰・格里賓（John Gribbin）著、方玉珍等譯（2001）《雙螺旋探密——量子物理學與生命》也以為：「生命分子是雙螺旋這一發現為分子生物學揭開了新的一頁，而不是標誌著它的結束。但在我們以雙螺旋發現為基礎去進一步理解世界之前，如果能有實驗證明雙螺旋複製的本質，那麼關於雙螺旋的故事就會更加完美了。」並附「DNA」分子的雙螺旋進視圖[24]。

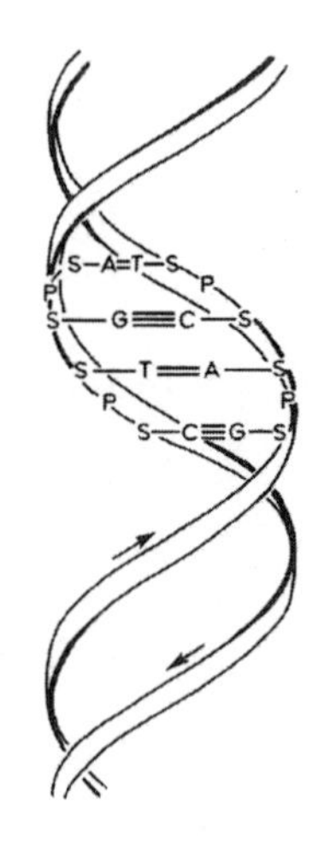

部分 DNA 雙螺旋近觀圖

對此，張大慶、韓啟德說明如下：

「DNA」雙螺旋結構的模型有 4 個重要特點：①「DNA」分子

23 王淑鶯：〈DNA雙股螺旋結構——跨領域之美麗結晶〉，《成大校刊》24期（2013年2月），頁48-49。

24 約翰・格里賓著，方玉珍等譯：《雙螺旋探密——量子物理學與生命》（上海市：上海科技教育出版社，2001年7月版），頁221-225。

是由兩條成對的鏈，以雙螺旋方式按一定空間距離相互平行盤繞；「DNA」分子中的兩條相對的平行鏈從頭至尾都嚴格遵守碱基配對原則。②兩條長鏈的方向是相反的。③腺嘌呤（A）與胸腺嘧啶（T）以兩個氫鍵聯結配對，胞嘧啶（C）與鳥嘌呤（G）以三個氫鍵聯結配對。比如，一條鏈上的碱基排列順序是「TCGACTGA」，那麼，另一條鏈上的碱基排列順序一定是「AGCTGACT」。這就意味著，「DNA」中一條鏈的碱基順序一旦確定，那麼另一條鏈的碱基順序也就確定了。④「DNA」雙螺旋結構對碱基順序不存在任何限制。[25]

依據以上說明，試將鹼（碱）基（陰陽互動）雙雙配對「DNA」，用梯形配合「0一二多」呈現，可形成下圖：

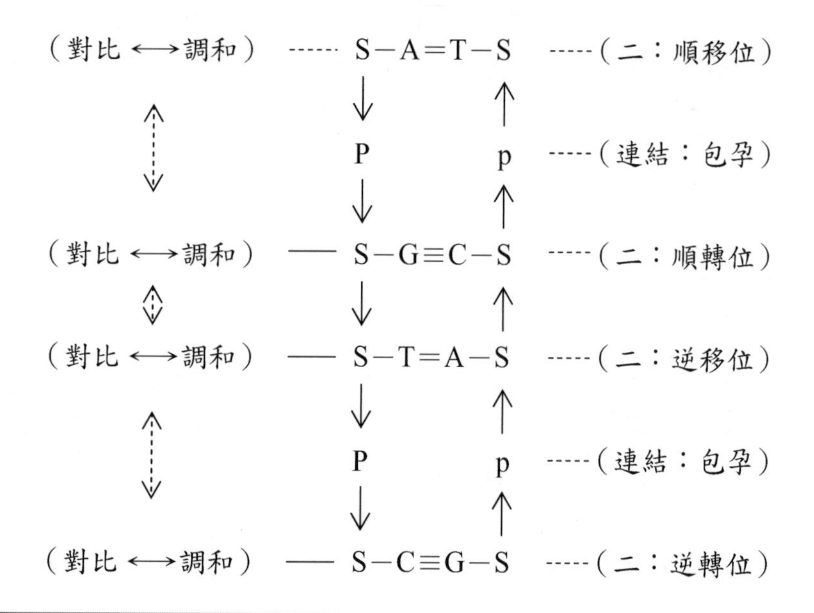

25 張大慶、韓啟德：〈超越雙螺旋——DNA對科學與社會文化的影響〉，北京大學《醫學與哲學》2003年7月，頁1-6。

其中「A（Adenine：腺嘌呤）⟷ T（Thymine：胸腺嘧啶）」、「G（Guanine：鳥嘌呤）⟷ C（Cytosine：胞嘧啶）」為碱基 4 密碼（雙雙形成「陰陽互動」）；「S」表示端點；「P」（磷酸根）表示連結（形成層次：涉及「包孕」與「對比 ⟷ 調和」）；「＝」表示兩組（對）「氫鍵」，力度較弱（涉及「移位」）、「≡」表示三組（對）「氫鍵」，力度較強（涉及「轉位」）。由此層層以「對比 ⟷ 調和」下徹、上徹並加以「包孕」，趨於「統一」，形成每一單元「DNA」的「0 一二多」雙旋螺結構，呈現如下簡表：

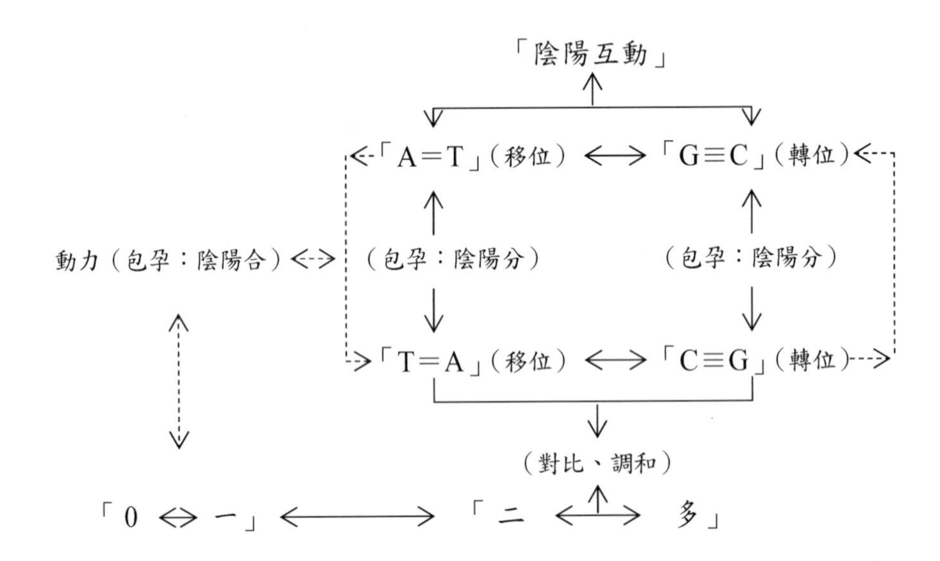

對這種「雙螺旋結構」，歐陽周、顧建華、宋凡聖（2001）編著的《美學新編》也從美學角度解釋說：

> 從微觀看，由於近代物理學與生物學、化學、數學、醫學等的相互交叉和滲透，對分子、原子和各種基本粒子的研究更加深入，並取得一系列的成果。……特別要指出的是，「DNA」分

> 子的雙螺旋結構模式，體現了自然美的規律：兩條互補的細長的核苷酸鏈，彼此以一定的空間距離，在同一軸上互相盤旋起來，很像一個扭曲起來的梯子。由於每條核苷酸鏈的內側是扁平的盤狀碱基，當兩個相連的互補碱基 A 連著 P〔應作 T〕，G 連著 C 時，宛若一級一級的梯子橫檔，排列整齊而美觀，十分奇妙。[26]

這樣，對應於「0 一二多」雙螺旋結構來看，所謂「宛若一級一級的梯子橫檔」，該是「二」產生作用的整個歷程與結果，亦即「多」；所謂「當兩個相連的互補碱基 A 連著 T，G 連著 C」，該是「二」；而「DNA」本身的質性與動力，則該為「一（0）」。至於所謂「兩條互補的細長的核苷酸鏈，彼此以一定的空間距離，在同一軸上互相盤旋起來」，該是一順一逆、一陰一陽的雙螺旋結構。這種雙螺旋結構，若就研究的角度，配合「歸納（異）⟷ 演繹（同）」來看，則可呈現如下簡圖：

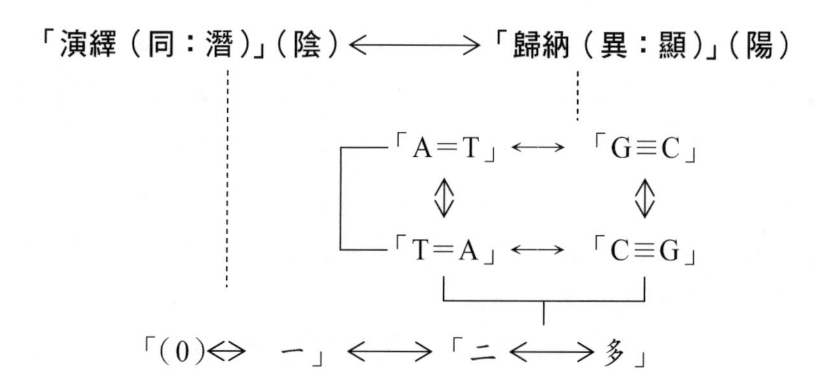

26 歐陽周、顧建華、宋凡聖編著：《美學新編》，頁303。

如果這種解釋或看法合理，那麼，從極「微觀」（小到最小）到極「宏觀」（大到最大），都可由一順一逆的「（0）一 ⟷ 二 ⟷ 多」（即「0 一二多」）雙螺旋結構加以層層組織，以體現自然的邏輯運動規律[27]。

以上就「微觀」來看「DNA」分子是如此，如擴大到「宏觀」來看，也一樣呈現了「0 一二多」的雙螺旋層次邏輯系統。

首先看星球的「公轉」與「自轉」，王振（2012）在〈宇宙奇觀——神奇的雙螺旋軌跡〉一文指出：

> 許多世紀以來，地球村的東方人和地球村的西方人，從不同的視角，以反對稱的思維方式，苦苦地追尋著宇宙的秘密和人體的奧秘。從波蘭人哥白尼（N. Copernicus）的日心說到英國人牛頓（Newton Isaac）的萬有引力，從美國人愛因斯坦（A. Einstein）的廣義相對論到英國人霍金（Hawking Stephen William）的量子宇宙論。這些偉大的西方科學家，為我們描繪出一幅又一幅從宏觀宇宙到微觀粒子雙螺旋運動的精美畫卷。……在太陽系裡，衛星自轉的同時繞行星公轉，行星自轉的同時繞太陽公轉；在銀河系裡，包括太陽系在內的無數恒星和星系自轉的同時繞銀心公轉；在本星系群裡，銀河天體也呈螺旋自轉的同時向長蛇座方向運動。……天文科學家通過光學和射電望遠鏡觀測太空，發現許許多多的天體都是自轉的同時又繞宇宙磁力線旋轉。龐大的宇宙系統竟然呈現層層相嵌套的旋轉奇觀，一切天體都由雙螺旋運動軌跡所交

27 陳滿銘：《意象學廣論》（臺北市：萬卷樓圖書公司，2005年11月初版），頁2-6。

織和貫穿！[28]

茲附〈雙螺旋到宇宙圖像：分形（全）〉（2012）中之一圖如下，供作參考：

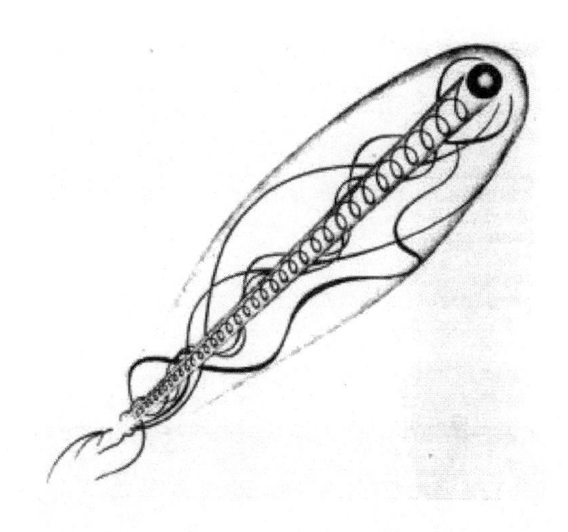

認為：我們的宇宙，由螺旋（漩渦）運作，萬事萬物從原子到銀河系，我們的太陽系，我們身邊的所有事物，都是由雙螺旋構成[29]。

其次看星雲、塵埃，周新（2006）在〈銀河系中心發現雙螺旋星雲——一新恆星河流橫過北方天空〉一文中報導：

> 根據美國加州大學洛杉磯分校 3 月 15 日發布的新聞簡報，天文學家在銀河系中心附近發現了一個史無前例的雙螺旋星雲。天文學家所觀測到的星雲部分伸展出 80 光年長。該發現發表

28 王振：《王振日誌・2012年1月15日》，引自：http://blog.renren.com/GetEntry.do?id=731032490&owner=220875522。

29 佚名：〈雙螺旋到宇宙圖像：分形（全）〉，引自：http://www.awaker.org/a/yishikexue/2012/0115/3893.html

在 3 月 16 日的《自然》雜誌上。「我們看到兩條就像「『DNA』分子一樣的相互纏繞的條帶」，論文的第一作者、加州大學洛杉磯分校的物理和天文學教授馬克．莫里斯教授說，「此前在宇宙中還沒有任何人見過像這樣的任何東西。大多數星雲是螺旋充滿恆星的星系或無定形的塵埃和氣體聚合體——空間氣象。我們所看到的表明了一種高度的有序。」天文學家是運用 NASA 斯匹哲紅外望遠鏡觀測到該雙螺旋星雲的，它大約離銀河系中心巨型黑洞 300 光年，而我們地球離中心黑洞卻超過 2 萬 5 千光年。

並附圖說明如下：

雙螺旋星雲。圖中亮點為發紅外線光的恆星，其中大部分是紅巨星和紅色超巨型星。很多其他恆星在這個區域也出現，但因為太微弱而不能在這敏感的紅外圖像上顯示出來。[30]

由以上研究分析與報導資料顯示：「DNA」可由「0 一二多」呈現其「雙螺旋結構」，而這種「雙螺旋結構」，所謂「『DNA』分子的雙螺旋結構模式，體現了自然美的規律」[31]；又所謂「天文學家在銀河系中心附近發現了一個史無前例的雙螺旋星雲。……我們看到兩條就像『DNA』分子一樣的相互纏繞的條帶」[32]；再所謂「龐大的宇宙系統竟然呈現層層相嵌套的旋轉奇觀，一切天體都由雙螺旋運動軌跡所交織和貫穿」、「人們在宏大的太空尺度上已經觀測到了這種典型『DNA』結構」[33]；然後指出：「從天體到地體，從地體到人體，都默默地遵循著一個共同的運動法則——宇宙的總法則——神奇的雙螺旋運動」[34]；由此可知這種「DNA」或「0 一二多」的雙螺旋結構，是無所不在的。

這種無所不在之雙螺旋結構，若就研究的角度，配合「歸納（異）⟷演繹（同）」來看，則可呈現如下二簡圖：

其一：

30 周新：〈銀河系中心發現雙螺旋星雲——一新恆星河流橫過北方天空〉，《正見網・2006年03月19日》，引自：http://www.spaceflightnow.com/news/n0603/15doublehelix/。

31 歐陽周、顧建華、宋凡聖編著：《美學新編》。

32 周新：〈銀河系中心發現雙螺旋星雲——一新恆星河流橫過北方天空〉。

33 李華平：《論天下・雜談（2014-04-13 21:37:30）》，引自：http://blog.sina.com.cn/s/blog_88ca44120101ja7f.html。

34 同上注。

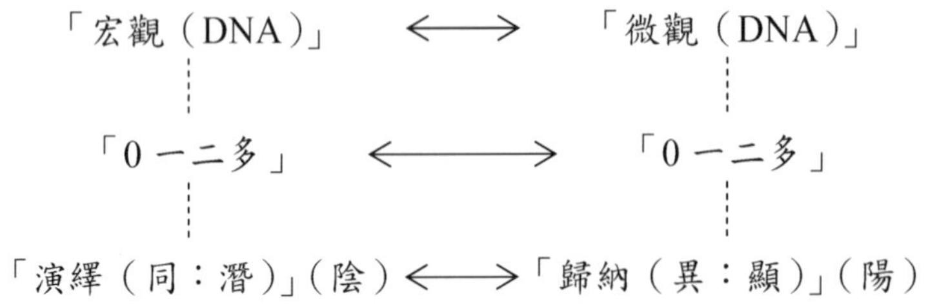

「宏觀（DNA）」 ⟷ 「微觀（DNA）」

「0 一二多」 ⟷ 「0 一二多」

「演繹（同：潛）」（陰）⟷「歸納（異：顯）」（陽）

其二：

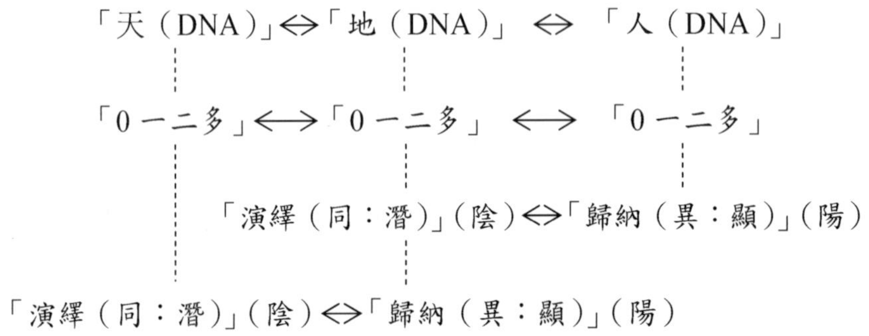

「天（DNA）」⟷「地（DNA）」 ⟷ 「人（DNA）」

「0 一二多」⟷「0 一二多」 ⟷ 「0 一二多」

「演繹（同：潛）」（陰）⟷「歸納（異：顯）」（陽）

「演繹（同：潛）」（陰）⟷「歸納（異：顯）」（陽）

對此，戴維揚就直接用「0 一二多」的雙螺旋結構加以貫穿並詮釋說：

> 陳滿銘……「多、二、一（0）」及「（0）一、二、多」雙向的「邏輯結構」，筆者將其譯成英文的「DNA」的雙螺旋結構（in the form of a double helix）；一個超大超長變化萬千的大體系，其運作方式以兩兩（4 基底），結合一再衍生的「DNA」譜系。其……鹼基「DNA」的運作模式，A 常配 T；G 常配 C，兩兩、雙雙、對對構成天底下萬物的結構密碼；證之，星球的運轉也是如此遵照「普世法則」的大原理（Principles）以及彗星（如哈雷每 76 年穿梭其間的小插曲（Parameters）。[35]

35 戴維揚：〈概論詞彙學（Lexicology）的體系架構〉，《國文天地》30卷5期（2014年10月），頁53。

這樣看來，這種「普世法則」、「宇宙的總法則」，是該受到「普世」之重視的，尤其是人文領域的研究者。

可見人文與科技雖然各自「求異」（歸納：顯性），而各有不同之內容，但所謂「萬變不離其宗」，在「求同」（演繹：潛性）上，卻有「殊途同歸」的結果。如此，則「0 一二多」或「DNA」雙螺旋層次邏輯系統之「原始性」與「普遍性」，就值得大家共同重視了。

第五節　「歸納（陽）⟷演繹（陰）」與「辭章」系統

「辭章」是靠「語文能力」結合「形象思維」、「邏輯思維」與「綜合思維」的運作而形成的。這三種「思維」，落到「辭章」中，各有所主，如是將一篇「辭章」所要表達之「情」或「理」，訴諸各種偏於主觀之「聯想」、「想像」，和所選取之「景（物）」或「事」接合在一起，或者是專就個別之「情」、「理」、「景」（物）、「事」等材料本身設計其表現技巧的，皆屬「形象思維」（運用典型的藝術形象來顯示各種事物的特質）；這涉及了「取材」與「措詞」等問題。而如果是專就「景（物）」或「事」等各種材料，對應於自然的轉化規律，結合「情」與「理」，訴諸偏於客觀之「聯想」、「想像」，按秩序、變化、聯貫與統一之原則，前後加以安排、佈置，以成條理的，皆屬「邏輯思維」（用抽象概念來顯示各種事物的組織）；這涉及了「布局」與「構詞」等問題。至於合「形象思維」與「邏輯思維」而為一，探討其「主題」與「體性」[36] 的，則為「綜合思維」，這涉及

36 陳望道：「語文的體式很多，……表現上的分類，就是《文心雕龍》所謂的『體性』的分類，如分為簡約、繁豐、剛健、柔婉、平淡、絢爛、謹嚴、疏放之類。」見《修辭學發凡》（香港：大光出版社，1961年），頁250。

了「立意」、「確立體性」等問題。《文心雕龍・章句》分「篇」、「章」、「句」(語)、「字」(詞)來統合它們[37]。

上文已強調過「思維」以「意象」為內容,「辭章」自不例外。而自來對「意象」之詮釋,有廣義與狹義之別:廣義者指全篇,屬於整體,可以析分為「意」與「象」;狹義者指個別,屬於局部,往往合「意」與「象」為一來稱呼。而整體是局部的總括、局部是整體的條分,所以兩者關係密切。不過,必須一提的是,狹義之「意象」,亦即單一之「意象」,雖往往合「意」與「象」為一來稱呼,卻大都用其偏義,譬如草木或桃花的意象,用的是偏於「意象」之「意」,因為草木或桃花都偏於「象」;如「桃花」的意象之一為愛情,而愛情是「意」;而團圓或流浪的意象,則用的是偏於「意象」之「象」,因為團圓或流浪,都偏於「意」;如「流浪」的意象之一為浮雲,而浮雲是「象」。因此前者往往是一「象」多「意」,後者則為一「意」多「象」。而它們無論是偏於「意」或偏於「象」,通常都通稱為「意象」。底下就特別著眼於「篇意象」與「章、句、字」等「意象」,試著用相應於它的「綜合思維」來統合「形象思維」與「邏輯思維」,並貫穿「辭章」的各主要內涵,以見「意象(思維)」在「辭章」上之軸心地位[38]。

先從「意象」之形成與表現來看,都與「形象思維」有關,涉及局部(含個別)的「意」(情、理)與「象」(事、景)之形成與表現;再從「意象」之組織來看,與「邏輯思維」有關,涉及意象(意與意、象與象、意與象、意象與意象)之排列組合。至於綜合思維所

37 劉勰著,黃叔琳注,李詳補注:《增訂文心雕龍校注》卷七(北京市:中華書局,2000年),頁444-450。

38 陳滿銘:〈意、象互動論——以「一意多象」與「一象多意」為考察範圍〉,中山大學《文與哲》學報11期(2007年12月),頁435-480。

涉及的，乃是核心之「意」（情、理），即一篇之中心意旨——「主旨」與審美風貌——「風格」。由此看來，「形象思維」、「邏輯思維」與「綜合思維」三者，涵蓋了「辭章」的各主要內涵，而都離不開「意象」。如由「象→意」來說，涉及後天之「辭章研究」（閱讀），所凸顯的是逆向（上徹）之雙螺旋結構；如由「意→象」來看，涉及先天之「語文能力」（創作），所表現的是順向（下徹）之雙螺旋層次邏輯結構[39]。

它們的關係，如由「歸納：異、顯⟷演繹：同、隱」（陽⟷陰）切入，則可明白地呈現如下圖：

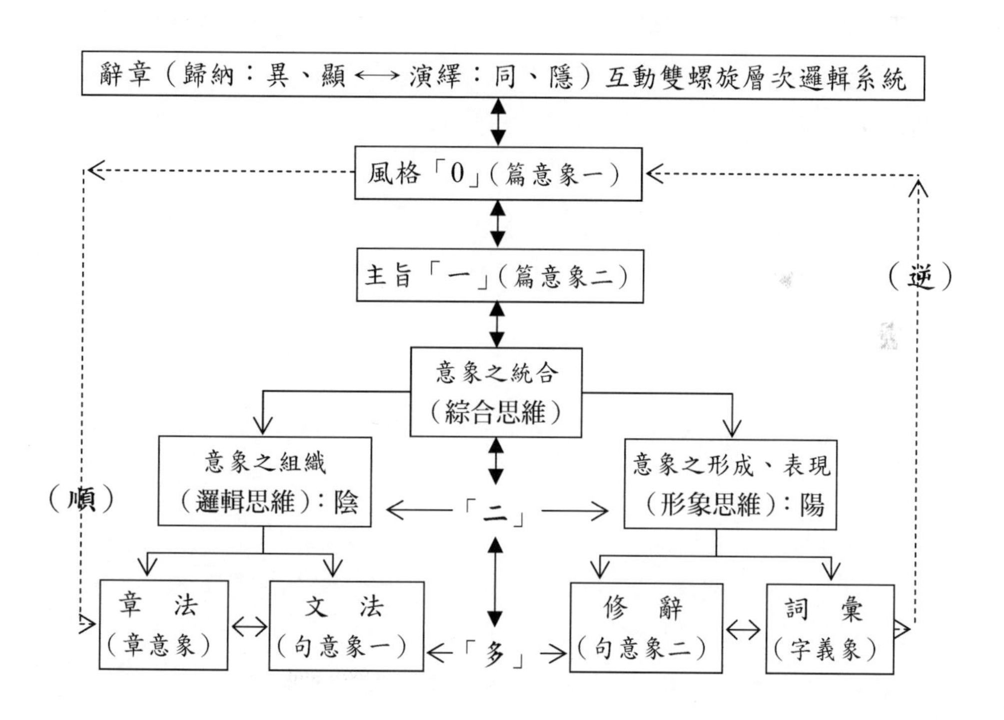

39 陳滿銘：〈辭章意象論〉，臺灣師大《師大學報・人文與社會類》50卷1期（2005年4月），頁17-39。

因此，「辭章」是離不開「意象」的，而「創作 ⟷ 閱讀」可說順逆、上下疊合，亦即「直觀表現（客觀存在）」（順）與「模式探索（科學研究）」（逆）的螺旋疊合 [40]，形成「辭章（歸納：異、顯 ⟷ 演繹：同、潛）之「陽 ⟷ 陰」互動雙螺旋層次邏輯系統」。

而它們的「歸納（異：顯）」⟷ 演繹（同：潛）」的「陽 ⟷ 陰」互動的雙螺旋層次邏輯，首先從「大螺旋（演繹：同、潛）⟷ 小螺旋（歸納：異、顯）」（陰 ⟷ 陽）系統來看，以一個作者一部作品多種主題中屬同一主題之三篇「辭章」所形成的三層為例：「一部作品、同一主題」中的「演繹：同一主題」為「歸納（異：顯）」、「一部作品」為「演繹（同：潛）」，「同一主題、三篇辭章」中的「三篇辭章」為「歸納（異：顯）」、「同一主題」為「演繹（同：潛）」，如下簡圖：

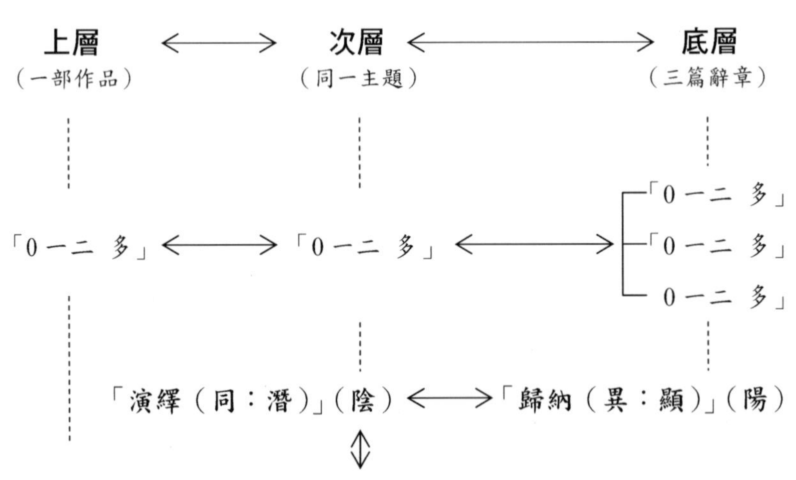

40 陳滿銘：〈論辭章之無法與有法——以客觀存在與科學研究作對應考察〉，彰化師大《國文學誌》23期（2011年12月），頁29-63。

其次從一篇「辭章」的主要內涵所形成的系統來看，「篇、章」中的「章」為「歸納（異）」、「篇」為「演繹（同）」，「章、句」中的「句」為「歸納（異）」、「章」為「演繹（同）」，「句、字」中的「字」為「歸納（異）」、「句」為「演繹（同）」，如下簡圖：

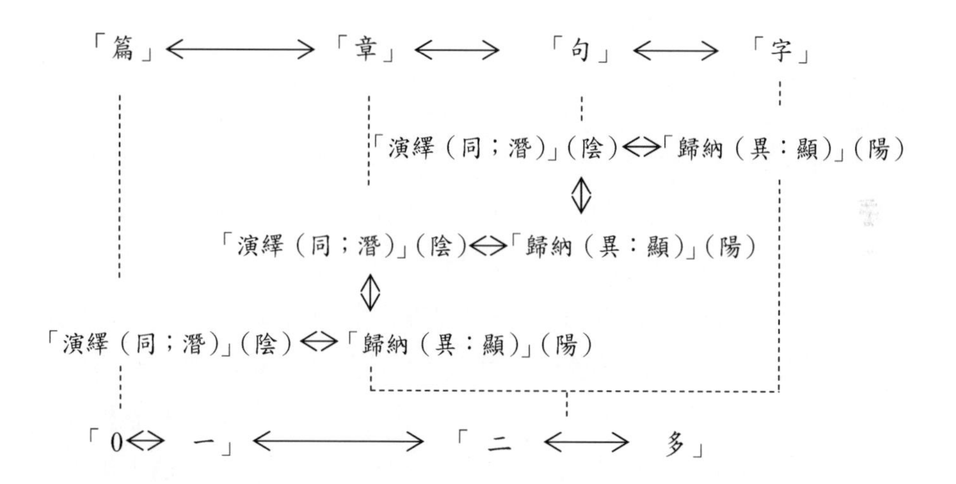

然後從「篇章」所形成的系統來看，「篇一（風格）、篇二（主旨）」中的「篇二（主旨）」為「歸納（異：顯）」、「篇一（風格）」為「演繹（同：潛）」，「篇二（主旨）、章」中的「章」為「歸納（異：顯）」、「篇二（主旨）」為「演繹（同：潛）」，如下簡圖：

「篇一」（風格）⟷「篇二」（主旨）⟷「章」

「演繹（同：潛）」（陰）⟺「歸納（異：顯）」（陽）

⇕

「演繹（同：潛）」（陰）⟺「歸納（異：顯）」（陽）

「0」⟷「一」⟷「二⟷　多」

如此由「大螺旋」(演繹：求同、潛性)層層下徹為「小螺旋」(歸納：求異：顯性)、由「小螺旋」(歸納：求異、顯性)層層上徹為「大螺旋」(演繹：求同、潛性)，是可形成「辭章」內涵，以呈現其「歸納(陽)⟷演繹(陰)」互動雙螺旋層次邏輯」之龐大系統的。

結語

綜上所述，可知人類研究宇宙人生的萬事萬物，都由「歸納(求異：顯性)、演繹(求同：潛性)」的「陽⟷陰」二元的互動，形成各式各樣的「雙螺旋層次」，以呈現「0 一二多」或「DNA」螺旋層次邏輯的龐大體系。而這種龐大體系，可視為「宇宙的總法則」。

一般而論，人類面對天、地、人所作之研究與觀察，其過程是一面由部分之「神學」而「哲學」而「科學」，主要藉「歸納(求異：顯性)」以累積「已知」；另一面又由部分之「科學」而「哲學」而「神學」，主要藉「演繹(求同：潛性)」以開發「未知」，形成「神學⟷哲學⟷科學」而進步不已的雙螺旋層次邏輯系統。一九五七年諾貝爾物理學獎得主楊振寧說：「科學的極致是哲學，哲學的極致是宗教。」[41] 假如用雙螺旋切入來說，則為「科學⟷『極致』⟷哲學⟷『極致』⟷宗教(神學)」，由此可看出三者互動的密切關係。它可用如下簡圖來表示：

41 佚名：〈楊振寧&李政道：敢於質疑和挑戰權威〉，引自《蝌蚪五線譜》：http://story.kedo.gov.cn/kxjqw/351119.shtml。

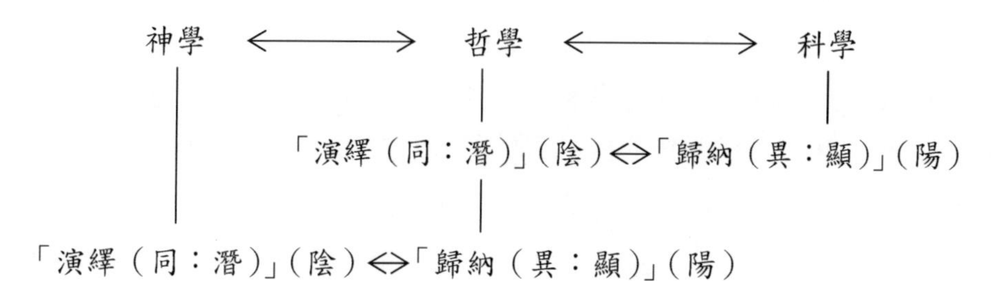

又以最近的重大發現：「重力波」而言，國際科學界表示：「他們已探測到『重力波』的首個直接證據，即愛因斯坦於一個世紀前（1916 年左右）預測的『時空漣漪』，這是物理學和天文學界的劃時代發現。研究人員宣布：當兩個黑洞於約十三億年前碰撞，兩個巨大質量結合所發出的擾動，於二〇一五年九月十四日抵達地球，被地球上的精密儀器偵測到。……將會加深我們對宇宙的理解，引發超乎預料的發現。」[42] 如就「歸納（求異：顯性）⟷演繹（求同：潛性）」來看，愛因斯坦百年前「廣義相對論」中有關「重力波」的「預測」，是「演繹（求同：潛性）」，而如今獲得「直接證據」則為「歸納（求異：顯性）」。兩者的關係可表示如下簡圖：

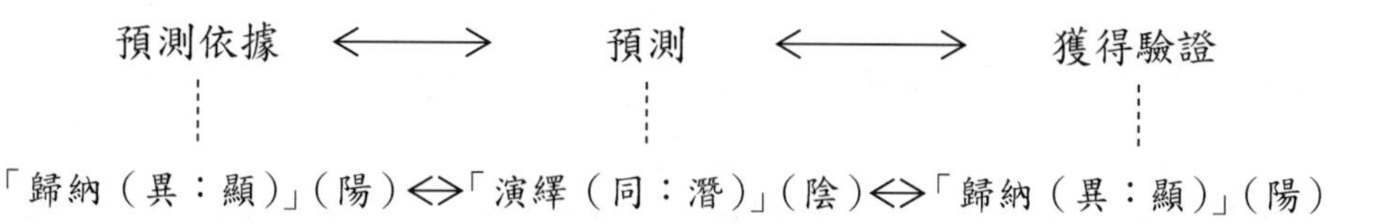

又就個人對「辭章章法學」的研究而言，其理論體系的建構，可大分為「微觀」、「中觀」與「宏觀」三層來概括。早在四十年多年前，

42 〈科學家發現重力波，愛因斯坦百年前預測今被證實〉，2016年2月12日中央社華盛頓11日綜合外電報導。

為了講授「國文教材教法」這門課程之需要，不得不從「微觀」層從一篇篇作品廣泛地去深挖各種「章法」或「章法結構」；而由於「章法」或「章法結構」所研討的乃「篇章內容材料的邏輯關係」，必然涉及由「章」而「篇」的完整結構系統，因此對後來「四大規律」與「四大族系」或「比較章法」作「中觀」層的認定，並以「方法論原則」及其「螺旋系統」作「宏觀」層的建構，就有直接關聯。這種建構，以最基本方法而言，它們形成「求異（歸納：顯性）⟷ 求同（演繹：潛性）」的「陽 ⟷ 陰」互動之雙螺旋層次邏輯關係，可用如下簡圖來表示：

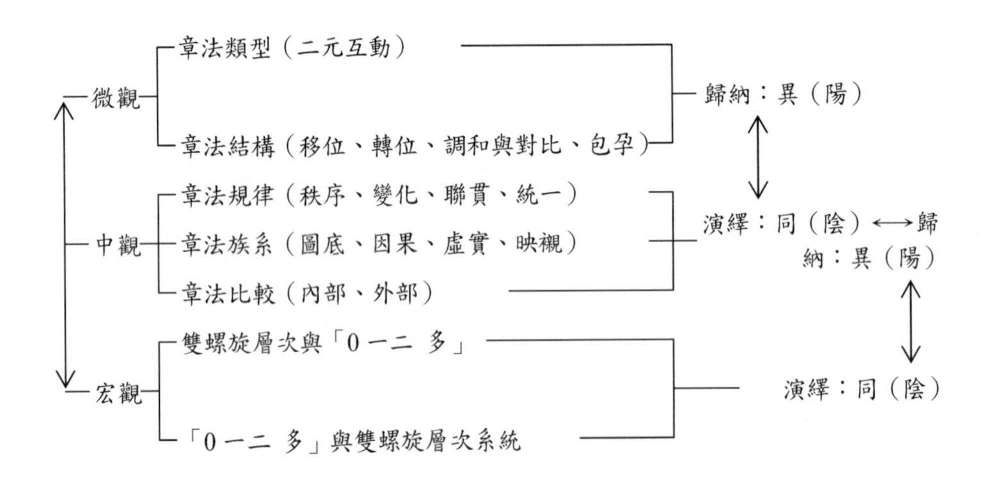

其中「章法規律」與「章法結構」，「章法族系」、「章法比較」與「章法類型」互相照應，而「雙螺旋」、「0 一二多」螺旋結構又與「章法結構」、「章法規律」互相照應；彼此環環相扣，形成一個完整的「演繹（求同、潛性）⟷ 歸納（求異、顯性）」的「陰 ⟷ 陽」互動「雙螺旋層次邏輯」體系[43]。

43 陳滿銘：〈論辭章章法學三觀體系之建構〉，中山大學《文與哲》學報23期（2013年

對此，辭章學大家鄭頤壽說：「篇章辭章學的『三觀』理論建構了科學的、體系嚴密的學科理論大廈，是『篇章辭章學』藝術之所以能夠成『學』的最主要依據。分清這『三觀』、『大廈』的建構就有了層次性、邏輯性；抓住這『三觀』，就抓住了學科體系的『綱』和『目』。我們用『三觀』理論所作的概括、評價，應該基本上描寫了篇章辭章學的理論體系。……是從具體的『方法』到概括的『規律』，……從一個個的『章法』入手，一個、兩個、十個、三十幾個、四十幾個……『集樹成林』（微觀）之後，又由博返約，把它們分別類聚於秩序律、變化律、聯貫律、統一律之中，有總有分，形成四個章法的『族系』（中觀）。這就把章法條理化、系統化了。……（又）從分別的『章法』、『規律』到統領『全軍』的理論框架『（0）一、二、多（「多、二、一（0）」）』（宏觀）。這是認識的又一個飛躍、昇華，它加強了學科的哲學性、科學性。」[44] 修辭學家孟建安也指出：「陳先生認為：天下的學問不外是在探究萬事萬物之『異』、『同』而已，而『異』、『同』本身又形成『二元對待』的螺旋關係。也就是說，『求異』多少，既可以徹上『求同』多少；同理，『求同』多少，既可以徹下『求異』多少。這樣循環不已，就拓展了學問的領域和成果。陳先生把這種道理運用到章法的研究上，認為『求同』與『求異』看似不同，實際上是兩相對應而成為一體的。」[45] 而語言學大家王希杰在評論臺灣「章法學的方法論原則」時則說：「有一篇論文，題目叫做〈談詞章的兩種基本作法：歸納與演繹〉（《中等教育》

12月），頁333-388。又，陳滿銘：《辭章章法學體系建構叢書》十冊（臺北市：萬卷樓圖書公司，2014年）。

44 鄭頤壽：〈陳滿銘創建篇章辭章學——代序〉，見《陳滿銘與辭章章法學》（臺北市：文津出版社，2007年），頁（7）-（12）。

45 孟建安：〈陳滿銘與漢語辭章章法學研究〉，《陳滿銘與辭章章法學》，頁121-122。

27 卷 3、4 期〔1976 年 6 月〕)，『歸納法』和『演繹法』其實也就是章法學的基本方法。滿銘教授的章法學的成功，是『歸納法』的成功，這近四十種章法規則是從大量的文章中『歸納』出來的，一律具有巨大的解釋力，覆蓋面很強。同時也是『演繹法』的成功的運用，例如《章法學綜論》中的變化律的十五種結構，很明顯是邏輯『演繹』出來的，當然也是得到許多文章的驗證的。……陳滿銘教授和他的弟子並不滿足於單純地『歸納法則』，他們力圖建立統率這些比較具體的法則的更高的原則（案：即演繹法則）。……這符合『科學』的最簡單性原則，而且也是變化無窮的；這其實就是《周易》的方法論原則（案：即「哲學」)。乾坤兩卦，生成六十四卦。所以他的章法學是一個具有生成轉化潛能的體系，或者說是具有生成性。因此是具有生命力的。例如：今昔：『今、昔（A)、昔（B)』、『昔（A)、昔（B)、今』、『「今、O』、『O、昔』」……（O，表示不在場，潛在的，空缺的，在文章的表層不出現的『顯』和『潛』的問題，也是影響和制約章法規則的千變萬化的一個重要因素。」[46] 可見章法學之研究，從頭到尾都未脫離過「科學性的『求異（歸納：顯性)』⟷ 哲學性的『求同（演繹：潛性)』」的「陽⟷陰」互動「雙螺旋層次系統」。

由此看來，這種「求異（歸納：顯性）⟷ 求同（演繹：潛性)」的「陽⟷陰」互動「雙螺旋層次邏輯系統」，除辭章章法學之外，對「跨界研究」在「知識創新」上來說，也是同樣適用、同樣重要的。

46 王希杰：〈陳滿銘教授和章法學〉，《畢節學院學報》總96期（2008年2月），頁4。

第三章
「異（陽）←→同（陰）」雙螺旋互動

宇宙人生的萬事萬物，都由「異（歸納：科學性）、同（演繹：哲學性）」的「陽←→陰」二元產生互動，形成各式各樣的「雙螺旋層次」，以呈現它「以同（陰）包異（陽）」（順向：徹下）、「以異（陽）顯同（陰）」（逆向：徹上）的層層系統。而這種「雙螺旋層次系統」，是可由「0 一二多」作主軸加以層層貫穿的。本文即由此主軸，舉「思維」、「辭章」、「完形」等領域為例，進行考察，以見其「哲學←→科學」對應、貫通之整體「鍵軸性」。

任何學術之「研究」，都離不開「科學方法」，而「科學方法」必定涉及「求異」（陽）與「求同」（陰）互動的「雙螺旋層次系統」。一般而言，開始時，先在某一層面作「移位」或「轉位」式的「求異」（陽），有了結果之後，再提升到高一層面作「包孕」式的「求同」（陰），且以高一層面之「求同」（陰）來檢查低一層面的「求異」（陽）；兩者就如此互動，加上「對比（陽）⟷ 調和（陰）」的雙螺旋作用下，繼續不斷地提升其層面，以逐漸由某一學術領域跨界到其他領域，譬如由「人文學科」跨到「社會學科」、「自然學科」，並由此層層提升到最高層面，自然就形成「以同（陰）包異（陽）」（順向：徹下）、「以異（陽）顯同（陰）」（逆向：徹上）的「雙螺旋層次系統」[1]。本文即以此為重心，先探討哲學「0 一二多」（含「（0）一 ⟷ 二 ⟷ 多」、「多 ⟷ 二 ⟷ 一（0）」雙向）雙螺旋層次系統之形成，再從「思維」、「辭章」與「完形論」等不同領域由這種「異 ⟷ 同」互動的「0 一二多」雙螺旋層次系統作對應、貫通之觀察，然後作相關討論，凸顯其「順向：徹下」或「逆向：徹上」予以統整之「鍵軸性」，以見它在「知識創新」上的重要功能。

第一節　哲學「0 一二多」雙螺旋互動系統的形成

大體說來，以宇宙萬物創生、轉化的動態歷程而言，是初由「陰陽二元」開始互動，再經「移位」（秩序）或「轉位」（變化）的轉化過程，然後經「包孕、對比與調和」（聯貫），產生「徹下、撤下」的作用，由「統一」將「秩序」、「變化」、「聯貫」等規律產生雙螺旋作

1　陳滿銘：〈試論方法論原則之層次系統——以修辭與章法為考察範圍〉，中山大學《文與哲》學報20期（2012年6月），頁367-407。

用加以整合，終於形成「0 一二多」之「雙螺旋層次系統」的。而以古代聖賢之探討而言，則他們是先由「有象」（現象界）以探知「無象」（本體界），逐漸形成「多⟷二⟷一（0）」的逆向（上徹）雙螺旋結構；再由「無象」（本體界）以解釋「有象」（現象界），逐漸形成「（0）一→二→多」的順向（下徹）雙螺旋結構的。就這樣一順一逆、一上一下，往復探求、驗證，久而久之，使「（0）一⟷二⟷多」（順向：下徹）與「多⟷二⟷一（0）」（逆向：上徹）產生「互動、循環、往復而提升（或下降）」的作用，而形成「0 一二多」（含順、逆雙向[2]）雙螺旋層次系統。這可從《周易》、《老子》的相關論述中獲得證明[3]。

由於這種研究之涵蓋面極大，雖然個人在多年以前，用科學方法尋得「模式」與「方法論」，以「0 一二多」雙螺旋結構為軸心，從章法、意象、篇章結構與辭章多角度切入，曾出版十幾種專著，又在兩岸學報或一般期刊發表過兩百多篇論文，並指導過相關博、碩士論文幾十篇[4]，且以「『多二一（0）』螺旋結構——以哲學、文學、美學維研究範圍」為題撰寫過專著問世[5]。總結起來說，這種「雙螺旋」，由「層次結構」而「系統」，是可用如下簡圖加以呈現的：

2 為簡便起見，在下文裡不再作「含順逆雙向」之輔助說明。

3 陳滿銘：〈論「多二一（0）」的螺旋結構——以《周易》與《老子》為考察重心〉，臺灣師大《師大學報．人文與社會類》48卷1期（2003年7月），頁1-20。

4 陳滿銘：〈章法學三觀體系的建構過程〉，《章法論叢．第七輯》（臺北市：萬卷樓圖書公司，2013年），頁1-24。

5 陳滿銘：《「多二一（0）」螺旋結構論——以哲學、文學、美學為研究範圍》（臺北市：文津出版社，2007年），頁298。

（一）單一雙螺旋層次結構圖：

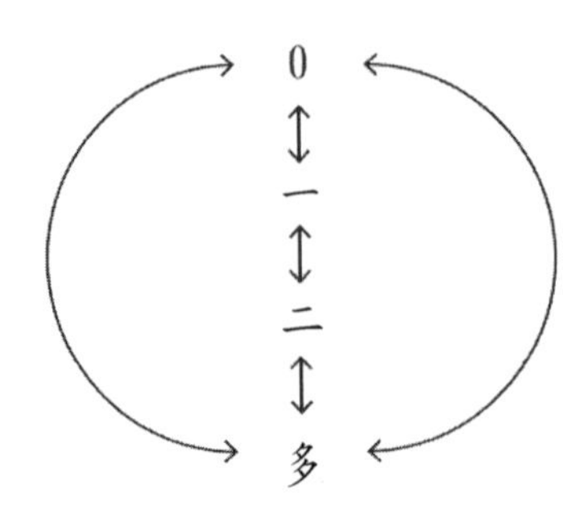

（二）逐層包孕的雙螺旋層次系統圖：

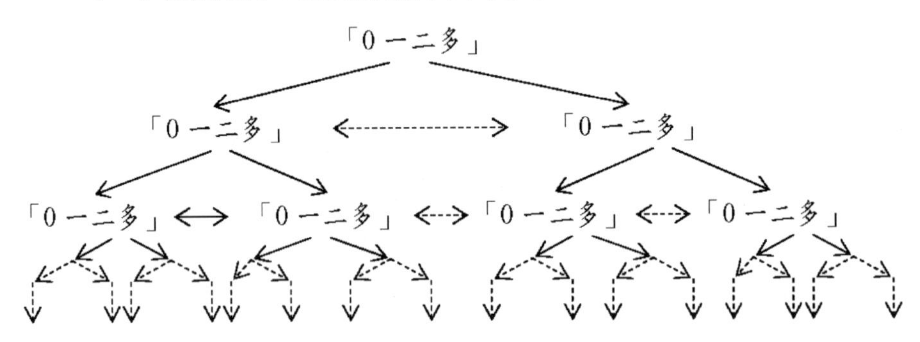

而此「層次邏輯」每一層的的內容或意象雖可以萬變、億變，但其雙螺旋結構卻不變，都以「陰陽二元」之互動為「二」，「秩序（移位）、變化（轉位），聯貫（對比 ⟷ 調和、包孕分：下徹）為「多」，「統一」（對比⟷調和、包孕合：上徹）為「一（0）」。其關係如下圖：

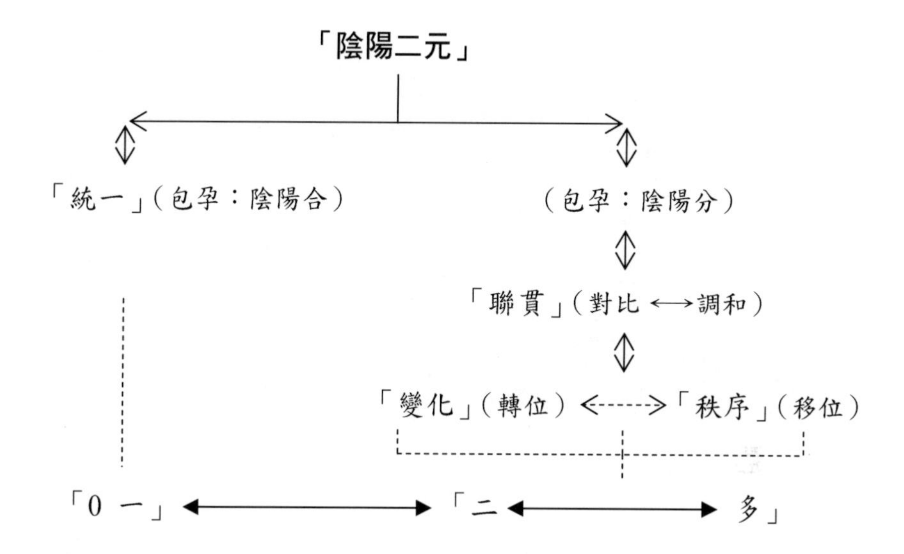

這種雙螺旋的「層次結構」與「系統」，首先從「大螺旋（同：陰）⟷ 小螺旋（異：陽）」來看，以三層為例：「次層、底層」中的「底層」為「異」、「次層」為「同」，「上層、次層」中的「次層」為「異」、「上層」為「同」；如下簡圖：

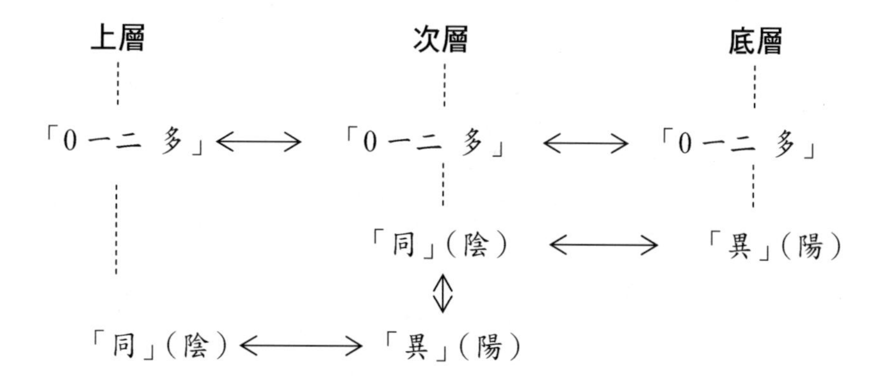

然後從單一結構來看，以「0 一二多」為例：「0 一」中的「0」是「同」、「一」是「異」、「一、二」中的「一」是「同」、「二」是

「異」,「二、多」中的「二」為「同」、「多」是「異」;如下簡圖:

「0」 ⟷ 「一」 ⟷ 「二」 ⟷ 「多」

「同」(陰)⟷「異」(陽)

⇕

「同」(陰)⟷「異」(陽)

⇕

「同」(陰)⟷「異」(陽)

以四大規律為例:「統一、聯貫」中的「統一」(包孕)是「同」、「聯貫」(對比、調和)是「異」,「聯貫、變化、秩序」中的「聯貫」(對比、調和)是「同」、「變化、秩序」(轉位、移位)是「異」;如下簡圖:

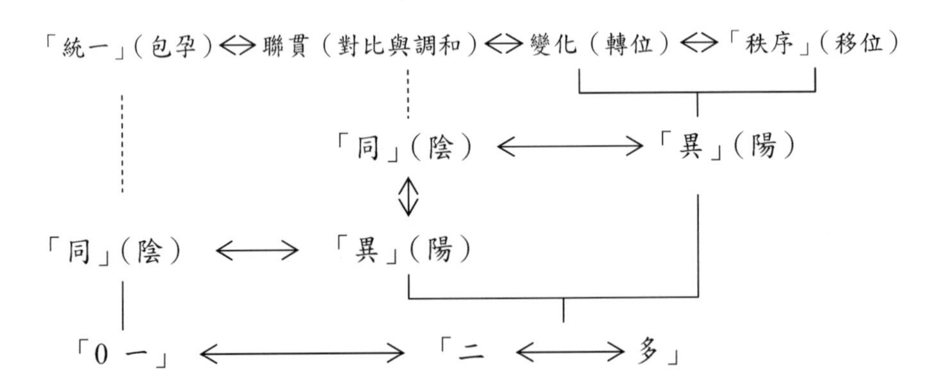

如此上下、順逆層層互動,是可形成層層「大螺旋(同)⟷小螺旋(異)」(陰⟷陽)以呈現「0 一二多」雙螺旋層次之龐大系統的。

第二節　「思維」系統的「異（陽）⟷同（陰）」雙螺旋互動

一般說來，人的基本「思維」主要有三種：「形象」、「邏輯」與「綜合」，都以「意象」為其內容。其中作比較偏於主觀聯想、想像的，屬「形象思維」[6]；作比較偏於客觀聯想、想像的，屬「邏輯思維」[7]；而兩者形成「二元」螺旋互動的[8]。至於合「形象」、「邏輯」兩種思維為一的，則為「綜合思維」，用於進一步表現「綜合力」，以發揮「創造力」來轉化各種「意象」。

以「意象」而言，在我國最早見於《易經》[9]，而文學中也隨後就注意到，以為它是「馭文之首術、謀篇之大端」（見《文心雕龍．神思》）。說得簡單一點，它「是作者的意識與外界的物象相交會，經

---

6 胡有清：「所謂形象思維，指的是以客觀事物的形象信息為基礎，經過分解、轉化、組合等演化過程，創造出新的形象。這是一種始終不捨棄事物的具體型態及形象，並以其為基本形式的思維方式。」見《文藝學論綱》（南京市：南京大學出版社，2002年），頁160。

7 邏輯思維又稱抽象思維。胡有清：「抽象思維側重於對客觀事物本質屬性的理解和認識。思維主體儘管也有自己的個性特徵，但一般總要納入一定的模式範疇，總能用明晰的語言加以說明。」見《文藝學論綱》，頁171。

8 盧明森：「形象思維是與抽象思維相比較而存在的。抽象思維的基本特點是概念性、抽象性與邏輯性，因此，可以稱之為概念思維、抽象思維、邏輯思維；與之相對應，形象思維的基本特點是意象性、具體性與非邏輯性，因此可以稱之為意象思維、具體思維、非邏輯思維。」見黃順基、蘇越、黃展驥主編：《邏輯與知識創新》第二十章（北京市：中國人民大學出版社，2002年），頁429。又，胡有清：「在藝術活動中，當人們用形象思維來把握和展示豐富的社會生活時，總會受到抽象思維的制約和影響。也就是說，抽象思維在一定程度上規範和導引形象思維。」見《文藝學論綱》，頁172。

9 先用於哲學，再用於文學或藝術，見陳滿銘：〈辭章意象論〉，臺灣師大《師大學報．人文與社會類》50卷1期（2005年4月），頁17-39。

過觀察、審思與美的釀造，成為有意境的景象。」[10] 這裡所說的「物象」，所謂「物猶事也」（見朱熹《大學章句》），是包含有「事」的，因為「物（景）」只是偏就「空間」（靜）而言，而「事」則是偏就「時間」（動）來說。而盧明森則從文藝領域加以擴充說：

> 它（意象）理解為對於一類事物的相似特徵、典型特徵或共同特徵的抽象與概括，同時也包括通過想像所創造出來的新的形象。人類正是通過頭腦中的意象系統來形象、具體地反映豐富多彩的客觀世界與人類生活的，既適用於文學藝術領域、心理學領域，又適用於科學技術領域。[11]

可見「意象」乃一切思維（含形象、邏輯、綜合）的基本單元，因為從源頭來看，「意象」乃合「意」與「象」而成，而「意」與「象」，即「心」與「物」，原有著「二而一」、「一而二」的螺旋互動關係。

如此，若進一步地就「意象」與「聯想、想像」的關係而言，當然是先有「意象」，然後才有「聯想、想像」的，盧明森說：「意象是聯想與想像的前提與基礎，沒有意象就不可能進行聯想與想像。」說得一點也沒錯。而且由於聯想「是從對一個事物的認識引起、想到關於其他事物的認識的思維活動，是一種廣泛存在的思維活動，既存在於『形象思維』活動中，也存在於『抽象（邏輯）思維』動中，還存在於『抽象（邏輯）思維』與『形象思維』活動之間……不是憑空產生的，而是有客觀根據，又有主觀根據的。」而想像則「是在認識世界、改造世界過程中，根據實際需要與有關規律，對頭腦中儲存的各

---

10 黃永武：《中國詩學．設計篇》（臺北市：巨流圖書公司，1999年），頁3。

11 黃順基、蘇越、黃展驥主編：《邏輯與知識創新》第二十章，頁430。

種信息進行改造、重組，形成新的意象的思維活動，其中，雖常有『抽象（邏輯）思維』活動參與，但主要是『形象思維』活動。……理想是想像的高級型態，因為它不僅有根有據、合情合理、很有可能變成事實，而且有大量『抽象（邏輯）思維』活動參加，在實際思維活動具有重大的實用價值。」[12] 所以聯想與想像都有主、客觀成分，可和「形象思維」、「邏輯（抽象）思維」，甚至「綜合思維」產生互動；如果換從形象、邏輯與綜合思維的角度切入，則可以這麼說：「形象思維」的最基本特徵，在於思維活動始終藉著偏於主觀性的聯想與想像，伴隨著具體生動的形象而進行；而「邏輯思維」的最基本特徵，乃在於人們在認識事物時，藉著偏於客觀性的聯想與想像，主要在因果律的規範下，用概念、判斷、推理來反映現實的過程；所以前者是運用典型的藝術形象來揭示各事物的特質，後者則是用抽象概念來揭示各事物的組織。至於「綜合思維」，則統合「形象思維」與「邏輯思維」，將藝術形象與抽象概念融成一體，以呈現整體的形神特色[13]。

因此，一切「思維」，始終以「意象」為內容，拿「思維」的起點（觀察、記憶）、過程（聯想與想像）來說是如此，就連其終點（創造力）來看也是如此。這樣，聯想與想像便很自然地能流貫於「形象思維」（偏於主觀）與「邏輯思維」（偏於客觀）或「綜合思維」（合主、客觀）活動之中，使「意象」得以形成、表現、組織，以至於統合，成為「0一二多」的雙螺旋層次結構，而產生美感。

---

12 黃順基、蘇越、黃展驥主編：《邏輯與知識創新》，頁431-433。

13 陳滿銘：〈意象與聯想、想像互動論——以「多二一（0）」螺旋結構切入作考察〉，《修辭論叢》第七輯（臺北市：中國修辭學會、東吳大學中文系主編，2006年），頁1-12。

針對這種「形象思維」與「邏輯思維」之螺旋互動，李清洲指出：「腦功能定位學說表明：人類大腦由兩半球構成，大腦對人體的運動和感覺的管理是交叉的，左半球的功能側重於『邏輯思維』，如語言、邏輯、教學、分析、判斷等；右半球側重於『形象思維』，如空間、圖形、音樂、美術 等。左、右腦半球猶如兩種不同類型的資訊加工系統，它們各司其職，相輔相成，相互協作，共同完成思維活動。左右兩半球資訊交換的生理結構是胼胝體，它由兩億條神經纖維組成，每秒鐘可以處理兩半球之間往返傳遞的 40 億個資訊。」[14] 可見「形象思維」與「邏輯思維」在「0 一二多」的雙螺旋結構中所以會螺旋互動，完全源自於生命，是自然而然的。這樣統合為「綜合思維」，便形成「思維系統」或「意象系統」[15]，以呈現其「雙螺旋層次」。它可用下圖加以表示：

14 李清洲：〈形象思維在生物學教學中的功能〉，廈門：《學知報．教學論壇》（2010年5月4日），B08版。

15 陳滿銘：〈論章法結構與意象系統——以「多」、「二」、「一（0）」螺旋結構切入作考察〉，《江南大學學報．人文社會科學版》4卷4期（2005年8月），頁70-77。

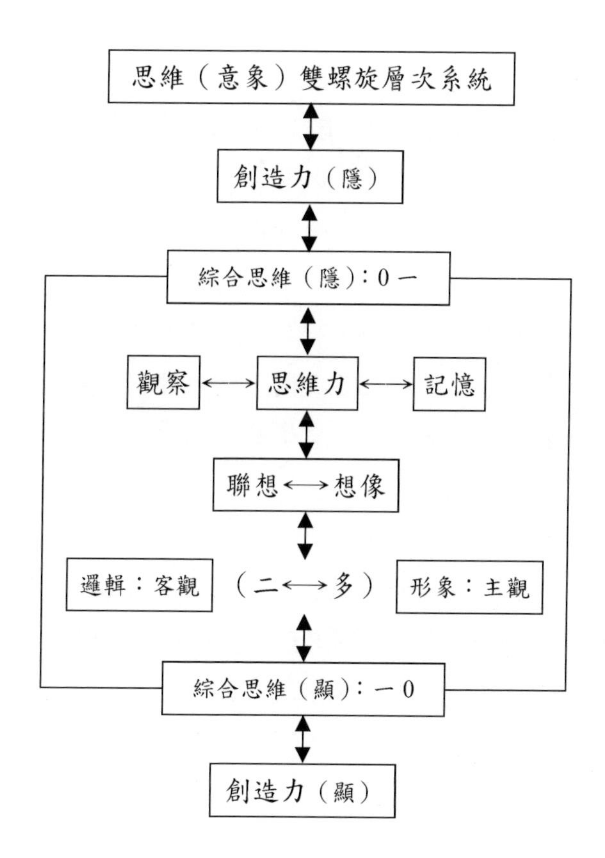

由此可見，在這種由「隱」而「顯」地呈現「思維（意象）系統」整個歷程裡，是完全離不開「思維力」（含觀察、記憶、聯想、想像、創造）之運作的。

而這種雙螺旋結構或系統，如果對應到「創造」主體的「才」、「學」、「識」三者而言，則顯然其中的「才」，是對應於「思維」主體的資質稟賦，亦即隱性「創造力」來說的，屬於智能（智力）層，為「思維」之潛能，以觸生「意象」；「學」是對應於「觀察」與「記憶」來說的，屬於知識層，為「思維」之基礎，以儲存「意象」；而「識」則是對應於顯性「創造力」來說的，屬於智慧層，為「思維」之無限開展，藉以提升或創新「意象」而由「隱」而「顯」地形成

「意象系統」，以呈現其「雙螺旋層次」。這些不但可適用於藝術文學、心理學等領域，也適用於科技領域，因此盧明森說：

> 它（意象）理解為對於一類事物的相似特徵、典型特徵或共同特徵的抽象與概括（聯想），同時也包括通過「想像」所創造出來的新的形象。人類正是通過頭腦中的「意象系統」（主、客觀）來形象、具體地（主觀）反映豐富多彩的「客觀」世界與人類生活的，既適用於文學藝術領域、心理學領域，又適用於科學技術領域。[16]

可見「意象」是一切主、客觀思維（含形象、邏輯、綜合）的表現內涵，如著眼於「由隱而顯」的順向（下徹）過程來說，則為先天的「直觀表現」（自然而然）；如著眼於「由顯而隱」的逆向（上徹）過程來說，則為後天的「模式研究」（知其所以然）；如此經由「模式研究（知其所以然）⟷ 直觀表現（自然而然）」的螺旋互動，才將整體「意象（思維）系統」之「雙螺旋層次」凸顯出來。

而它們的「異（陽）⟷ 同（陰）」雙螺旋層次，首先從「大螺旋（同）⟷ 小螺旋（異）」系統來看，以三層為例：「次層、底層」中的「底層」為「異」、「次層」為「同」，「上層、次層」中的「次層」為「異」、「上層」為「同」；如下簡圖：

16 黃順基、蘇越、黃展驥主編：《邏輯與知識創新》第二十章，頁430。

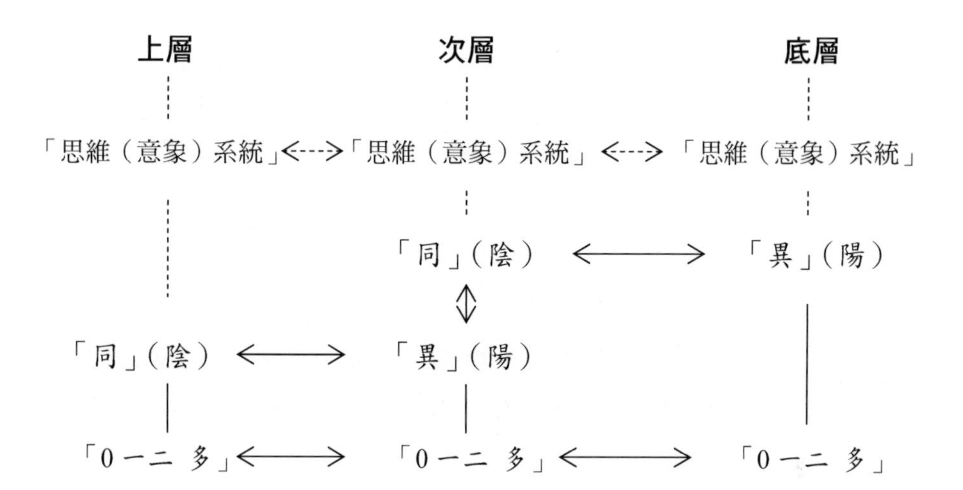

然後從單一結構來看，以五種「思維力」為例：「『觀察、記憶』、『聯想、想像』」中的「觀察、記憶」為「異」、「聯想、想像」為「同」，「『聯想、想像』、創造（隱、顯）」中的「聯想、想像」為「異」、「創造（隱、顯）」為「同」；如下簡圖：

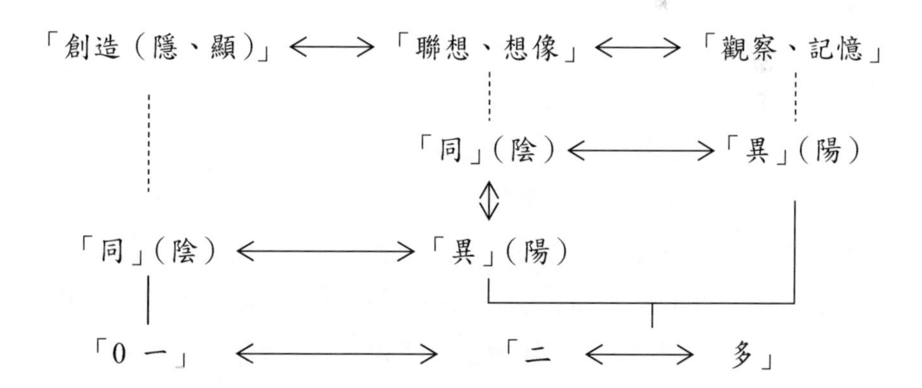

以三大「思維型態」為例：「邏輯 ⟷ 形象」為「異」、「綜合」為「同」，如下簡圖：

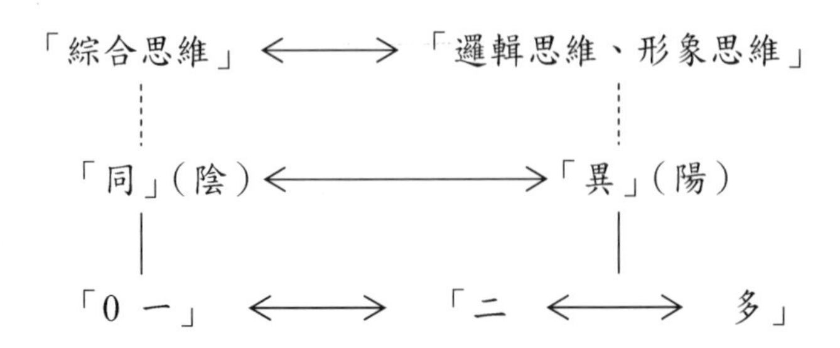

如此由「大螺旋」（同：陰）層層下徹為「小螺旋」（異：陽）、由「小螺旋」（異：陽）層層上徹為「大螺旋」（同：陰），是可形成「思維（意象）雙螺旋」之「陰←→陽」互動之龐大層次系統的。

第三節　「辭章」系統的「異（陽）←→同（陰）」雙螺旋互動

「辭章」是靠「語文能力」結合「形象思維」、「邏輯思維」與「綜合思維」的運作而形成的。這三種「思維」，落到「辭章」中，各有所主，如是將一篇「辭章」所要表達之「情」或「理」，訴諸各種偏於主觀之「聯想」、「想像」，和所選取之「景（物）」或「事」接合在一起，或者是專就個別之「情」、「理」、「景」（物）、「事」等材料本身設計其表現技巧的，皆屬「形象思維」（運用典型的藝術形象來顯示各種事物的特質）；這涉及了「取材」與「措詞」等問題。而如果是專就「景（物）」或「事」等各種材料，對應於自然的轉化規律，結合「情」與「理」，訴諸偏於客觀之「聯想」、「想像」，按秩序、變化、聯貫與統一之原則，前後加以安排、佈置，以成條理的，皆屬「邏輯思維」（用抽象概念來顯示各種事物的組織）；這涉及了「布局」與「構詞」等問題。至於合「形象思維」與「邏輯思維」而為一，探討其「主題」與「體性」[17] 的，則為「綜合思維」，這涉及了「立意」、「確立體性」等問題。《文心雕龍．章句》分「篇」、「章」、「句」（語）、「字」（詞）來統合它們 [18]。

上文已強調過「思維」以「意象」為內容，「辭章」自不例外。而自來對「意象」之詮釋，有廣義與狹義之別：廣義者指全篇，屬於整體，可以析分為「意」與「象」；狹義者指個別，屬於局部，往往合「意」與「象」為一來稱呼。而整體是局部的總括、局部是整體的條分，所以兩者關係密切。不過，必須一提的是，狹義之「意象」，亦即單一之「意象」，雖往往合「意」與「象」為一來稱呼，卻大都用其偏義，譬如草木或桃花的意象，用的是偏於「意象」之「意」，因為草木或桃花都偏於「象」；如「桃花」的意象之一為愛情，而愛情是「意」；而團圓或流浪的意象，則用的是偏於「意象」之「象」，因為團圓或流浪，都偏於「意」；如「流浪」的意象之一為浮雲，而浮雲是「象」。因此前者往往是一「象」多「意」，後者則為一「意」多「象」。而它們無論是偏於「意」或偏於「象」，通常都通稱為「意象」。底下就特別著眼於「篇意象」與「章、句、字」等「意象」，試著用相應於它的「綜合思維」來統合「形象思維」與「邏輯思維」，並貫穿「辭章」的各主要內涵，以見「意象（思維）」在「辭章」上之軸心地位 [19]。

先從「意象」之形成與表現來看，都與「形象思維」有關，涉及

---

17 陳望道：「語文的體式很多，……表現上的分類，就是《文心雕龍》所謂的『體性』的分類，如分為簡約、繁豐、剛健、柔婉、平淡、絢爛、謹嚴、疏放之類。」見《修辭學發凡》（香港：大光出版社，1961年），頁250。

18 劉勰著，黃叔琳注，李詳補注：《增訂文心雕龍校注》卷七（北京市：中華書局，2000年），頁444-450。

19 陳滿銘：〈意、象互動論——以「一意多象」與「一象多意」為考察範圍〉，中山大學《文與哲》學報11期（2007年12月），頁435-480。

局部（含個別）的「意」（情、理）與「象」（事、景）之形成與表現；再從「意象」之組織來看，與「邏輯思維」有關，涉及意象（意與意、象與象、意與象、意象與意象）之排列組合。至於綜合思維所涉及的，乃是核心之「意」（情、理），即一篇之中心意旨——「主旨」與審美風貌——「風格」。由此看來，「形象思維」、「邏輯思維」與「綜合思維」三者，涵蓋了「辭章」的各主要內涵，而都離不開「意象」。如由「象→意」來說，涉及後天之「辭章研究」（閱讀），所凸顯的是逆向（上徹）之雙螺旋結構；如由「意→象」來看，涉及先天之「語文能力」（創作），所表現的是順向（下徹）之雙螺旋結構[20]。

它們的關係，可如下列「辭章（異（陽）⟷同（陰）」雙螺旋互動層次系統」圖，明白地加以呈現：

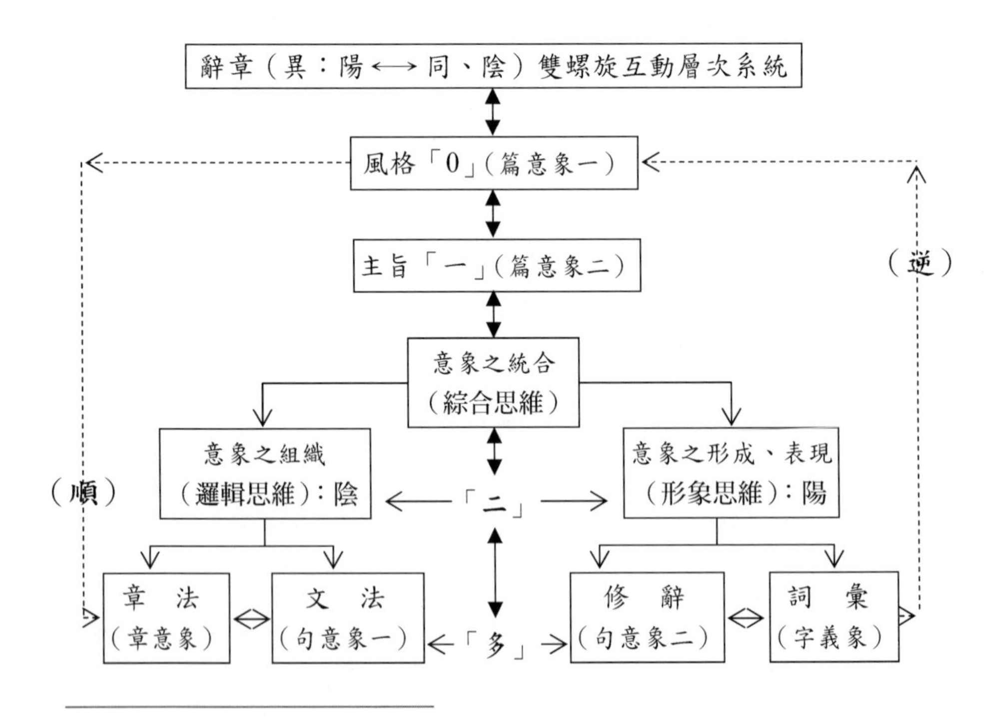

20 陳滿銘：〈辭章意象論〉，頁17-39。

因此，「辭章」是離不開「意象」的，而「創作⟷閱讀」可說順逆、上下疊合，亦即「直觀表現（客觀存在）」（順）與「模式探索（科學研究）」（逆）的螺旋疊合[21]，形成「辭章（異⟷同）互動雙螺旋層次系統」。

而它們的「異（陽）⟷同（陰）」互動的雙螺旋層次，首先從「大螺旋（同：陰）⟷小螺旋（異：陽）」系統來看，以一個作者一部作品多種主題中屬同一主題之三篇「辭章」所形成的三層為例：「一部作品、同一主題」中的「同一主題」為「異」、「一部作品」為「同」，「同一主題、三篇辭章」中的「三篇辭章」為「異」、「同一主題」為「同」，如下簡圖：

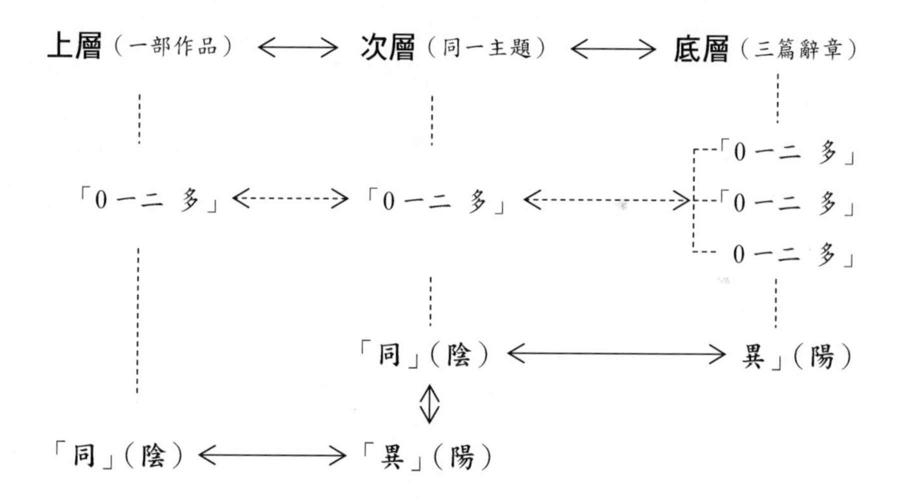

其次從一篇「辭章」的主要內涵所形成的系統來看，「篇、章」中的「章」為「異」、「篇」為「同」，「章、句」中的「句」為

21 陳滿銘：〈論辭章之無法與有法——以客觀存在與科學研究作對應考察〉，彰化師大《國文學誌》23期（2011年12月），頁29-63。

「異」、「章」為「同」，「句、字」中的「字」為「異」、「句」為「同」，如下簡圖：

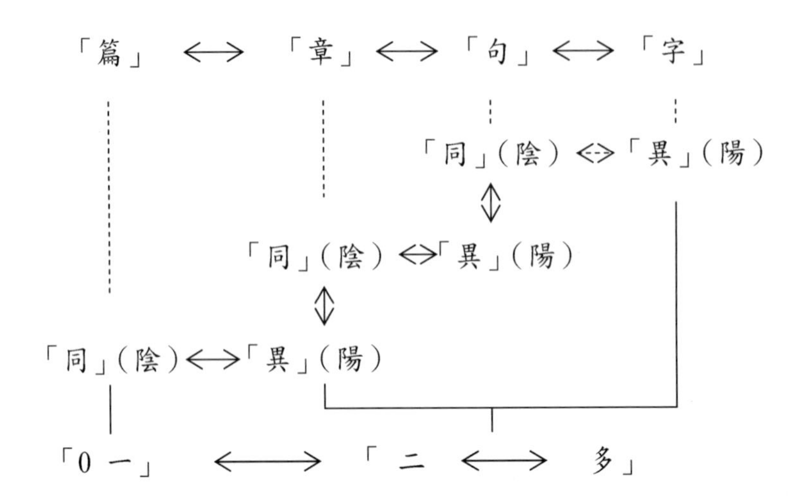

然後從「篇章」所形成的系統來看，「篇一（風格）、篇二（主旨）」中的「篇二（主旨）」為「異」、「篇一（風格）」為「同」，「篇二（主旨）、章」中的「章」為「異」、「篇二（主旨）」為「同」，如下簡圖：

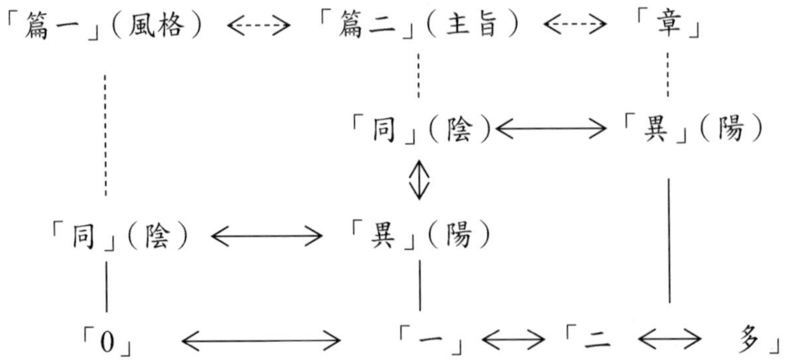

「篇一」（風格） ⟷ 「篇二」（主旨） ⟷ 「章」

「同」（陰）⟷「異」（陽）

「同」（陰） ⟷ 「異」（陽）

「0」 ⟷ 「一」⟷「二 ⟷ 多」

如此由「大螺旋」（同）層層下徹為「小螺旋」（異）、由「小螺旋」（異）層層上徹為「大螺旋」（同），是可形成「辭章」內涵，以呈現其「『異⟷同』互動雙螺旋層次」之龐大系統的。

第四節　「完形」系統的「異⟷同」雙螺旋互動

「完形」理論之核心觀點，是「異質（同形）同構」與「部分相加不等於整體」。它源自維臺默（Max Wertheimer, 1880-1943）的一個實驗，朱立元、張德興等認為：「格式塔心理學……的一個著名原則便是：各種現象都是格式塔現象，整體不等於部分之和。一九一二年，維臺默做過一個著名的似動現象的實驗。他受到玩具影器的啟發，企圖用似動現象來解釋看活動電影時的運動現象。這個實驗表明：在一定的條件下，靜止的各個部分卻能夠產生運動的整體效果。根據這個實驗，他首次提出了「部分相加不等於整體」的基本觀點，從而標誌了柏林格式塔心理學派的誕生。安海姆關於知覺的概念遵循了這一基本原則，強調了知覺的整體性。」[22] 這一實驗的「部分」是「靜」的、「整體」是「動」的，由「靜」而「動」產生了「整體」之效果，是有「螺旋」意涵在內的，也就是說，「部分」與「整體」之間，因「由靜而動」而產生螺旋作用，致「部分相加不等於整體」，藉此「強調了知覺的整體性」，而這種整體性，自然也涵蓋了「異質（同形）同構」中「心理場（力）」之整體與「物理場（力）」之部分的觀點。

以「異質（同形）同構」而言，格式塔心理學家認為：審美體驗

22 蔣孔陽、朱立元主編：《西方美學通史・第六卷》（上海市：上海文藝出版社，1999年），頁709。

就是對象的表現性及其力的結構（外在世界：象），與人的神經系統中相同的力的結構（內在世界：意）的同型契合。由於事物表現性的基礎在於力的結構，「所以一塊突兀的峭石、一株搖曳的垂柳、一抹燦爛的夕陽餘暉、一片飄零的落葉……都可以和人體具有同樣的表現性，在藝術家的眼裡也都具有和人體同樣的表現價值，有時甚至比人體還更有用。」[23] 基於此，格式塔學派的代表人魯道夫・安海姆（Rudolf Amheim）提出了「藝術品的力的結構與人類情感的結構是同構」之論點，以為推動我們自己情感活動起來的力，與那些作用於整個宇宙的普遍性的力，實際上是同一種力。他說：

> 我們自己心中生起的諸力，只不過是在遍宇宙之內同樣活動的諸力之個人的例子罷了。[24]

也就是說：現實世界存在之本質乃一種力，它統合著客觀存在之「物理力」與主觀世界的「心理力」，在審美過程中，這種力使人類知覺扮演中介的角色，將作品中之「物理力」與人類情感的「心理力」因「同構」而結合為一。

對此，李澤厚在〈審美與形式感〉一文中說：

> 不僅是物質材料（聲、色、形等等）與視聽感官的聯繫，而更重要的是它們與人的運動感官的聯繫。對象（客）與感受（主），物質世界和心靈世界實際都處在不斷的運動過程中，即使看來是靜的東西，其實也有動的因素……其中就有一種形

23 蔣孔陽、朱立元主編：《西方美學通史・第六卷》，頁714。

24 安海姆著，李長俊譯：《藝術與視知覺心理學》（臺北市：雄獅圖書公司，1982年），頁444。

式結構上巧妙的對應關係和感染作用……格式塔心理學家則把這種現象歸結為外在世界的力（物理）與內在世界的力（心理）在形式結構上的「同形同構」，或者說是「異質同構」，就是說質料雖異而形式結構相同，它們在大腦中所激起的電脈衝相同，所以才主客協調，物我同一，外在對象與內在情感合拍一致，從而在相映對的對稱、均衡、節奏、韻律、秩序、和諧……中，產生美感愉快。[25]

而歐陽周、顧建華、宋凡聖等在《美學新編》中也指出：

完形心理學美學依據「場」的概念去解釋「力」的樣式在審美知覺中的形成，並從中引申出了著名的「同形論」或稱為「異質同構」的理論。按照這種理論，他們認為外部事物、藝術樣式、人物的生理活動和心理活動，在結構形式方面，都是相同的，它們都是「力」的作用模式。在安海姆看來，自然物雖有不同的形狀，但都是「物理力作用之後留下的痕跡」。藝術作品雖有不同的形式，卻是運用內在力量對客觀現實進行再創造的過程。[26]

他們這把「意」與「象」之所以形成、互動、趨於統一，而產生美感的原因、過程與結果，都簡要地交代清楚了。

以「部分相加不等於整體」而言，涉及〈繫辭傳〉論及「言不盡

25 李澤厚：《李澤厚哲學美學文選》（臺北市：谷風出版社，1987年），頁503-504。

26 歐陽周、顧建華、宋凡聖等：《美學新編》（杭州市：浙江大學出版社，2001年），頁253。安海姆之「同形說」，參見蔣孔陽、朱立元主編：《西方美學通史》第六卷，頁715-717。

意」、「立象以盡意」的論題。〈繫辭上〉云：

> 子曰：「書不盡言，言不盡意。」然則，聖人之意，其不可見乎？子曰：「聖人立象以盡意，設卦以盡情偽，繫辭焉以盡其言，變而通之以盡利，鼓之舞之以盡神。

一般而言，語言在表達思想情感時，會存在著某種侷限性，此即「書不盡言，言不盡意」的意思，這可被視為已初步具有「部分相加不等於整體」的意涵。而對比於此，在〈繫辭傳〉中，卻特地提出了「象可盡意、辭可盡言」的論點。王弼《周易略例．明象》對此曾說明云：

> 夫象者，出意者也；言者，明象者也。盡意莫若象，盡象莫若言。言生於象，故可尋言以觀象；象生於意，故可尋象以觀意。意以象盡，象以言著[27]

由此可知，「情意」可透過「言語」、「形象」來表現，並且可以表現得很具體。而前者（情意）是目的、後者（言語、形象）為工具。陳望衡《中國古典美學史》釋此云：

> 王弼將「言」、「象」、「意」排了一個次序，認為「言」生於「象」、「象」生於「意」。所以，尋言是為了觀象，觀象是為了得意。言——象——意，這是一個系列，前者均是後者的工具，後者均為前者的目的。[28]

---

27 王弼：《周易略例．明象》，收入《易經集成》149（臺北市：成文出版社，1976年），頁21-22。

28 陳望衡：《中國古典美學史》（長沙市：湖南教育出版社，1998年），頁207。

他把「意」與「象」、「言」的前後關係，說得十分清楚。不過，他所謂的「言→象→意」，是就逆向一面來說的，如果從順向一面而言，則是「意→象→言」了。

此外，葉朗在《中國美學史大綱》裡，也從另一角度，將《易傳》所言之「象」與「意」，關涉到了「空白」、「補白」理論，闡釋得相當扼要而明白，他說：

> 「象」是具體的，切近的，顯露的，變化多端的，而「意」則是深遠的，幽隱的。〈繫辭傳〉的這段話接觸到了藝術形象，以「個別」表現「一般」，以「單純」表現「豐富」，以「有限」表現「無限」的特點。[29]

所謂的「個別」（象）與「一般」（意）、「單純」（象）與「豐富」（意）、「有限」（象）與「無限」（意），說的就是「象」永遠小於「意」、「意」永遠大於「象」之相互關係。而由此推演，當然「大意象」永遠大於「小意象」。這樣，凸顯了「意」、「大意象」（「整體」）＞「象」、「小意象」（「部分＋部分」）的原則。因此「部分相加」自然≠（＜）「整體」。

這種「異質（同形）同構」與「部分相加不等於整體」的關係，如以「0一二多」切入，則可用如下簡圖來表示：

（一）「異質（同形）同構」（心理場、物理場）：

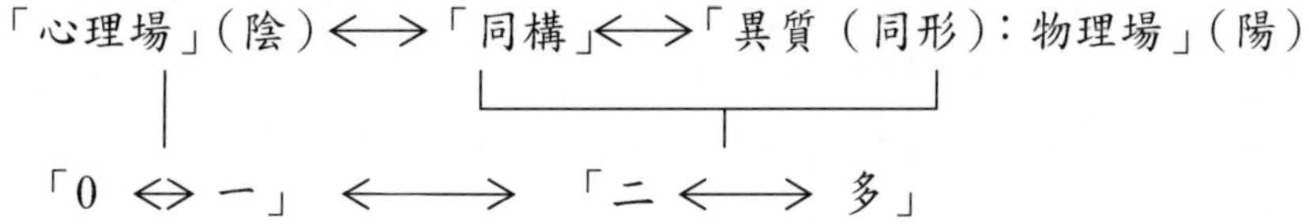

「心理場」（陰）⟷「同構」⟷「異質（同形）：物理場」（陽）

「0 ⟷ 一」 ⟷ 「二 ⟷ 多」

29 葉朗：《中國美學史大綱》（臺北市：滄浪出版社，1986年），頁26。

（二）「部分相加不等於整體」：

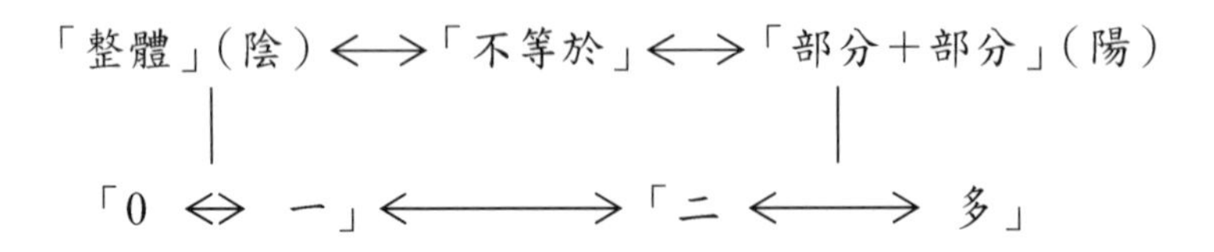

這兩者表面上看來是分開，其實是可加以統合的，亦即「異質（同形）同構」可以是「部分相加不等於整體」中的「部分」，也可以是一層「部分相加不等於整體」。依此，其雙螺旋層次系統可呈現如下簡圖：

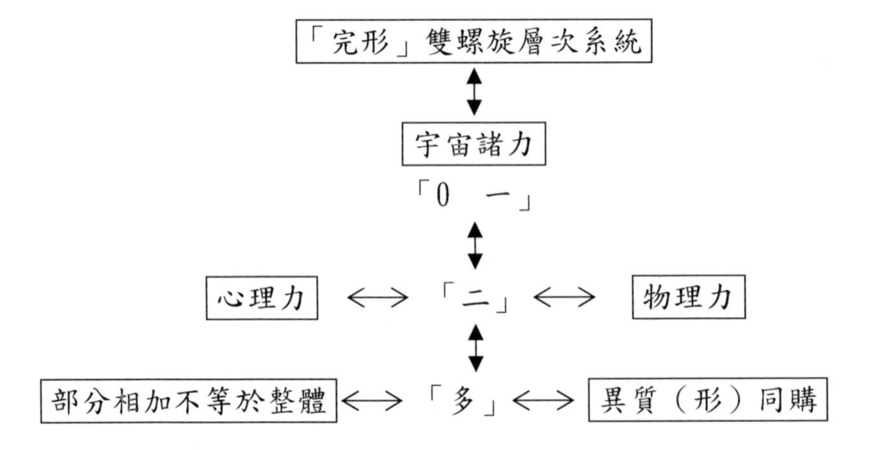

而它們的「異（陽）⟷同（陰）」互動雙螺旋層次，首先從「大螺旋（同）⟷小螺旋（異）」系統來看，就以「完形雙螺旋系統」而言，以三層為例：「次層、底層」中的「底層」為「異」、「次層」為「同」，「上層、次層」中的「次層」為「異」、「上層」為「同」；如下簡圖：

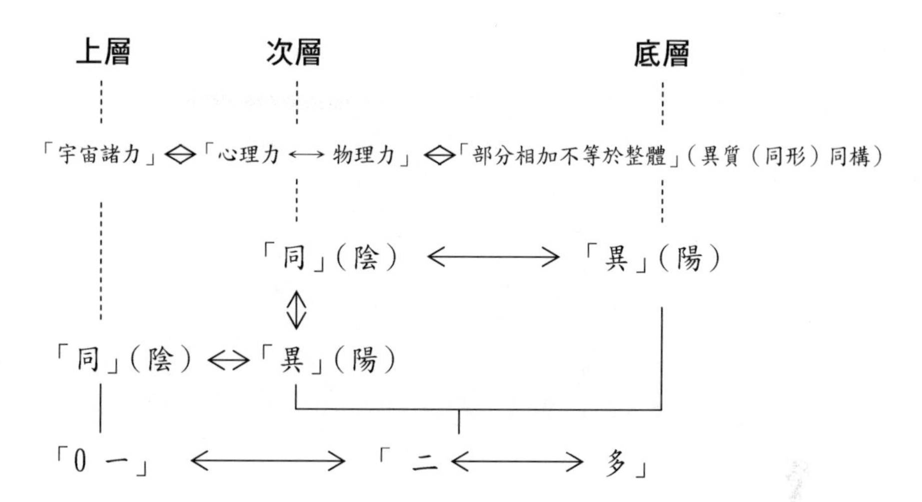

就「部分相加不等於整體」（含「異質（同形）同構」）而言，也以三層為例：「次層、底層」中的「底層」為「異」、「次層」為「同」，「上層、次層」中的「次層」為「異」、「上層」為「同」；如下簡圖：

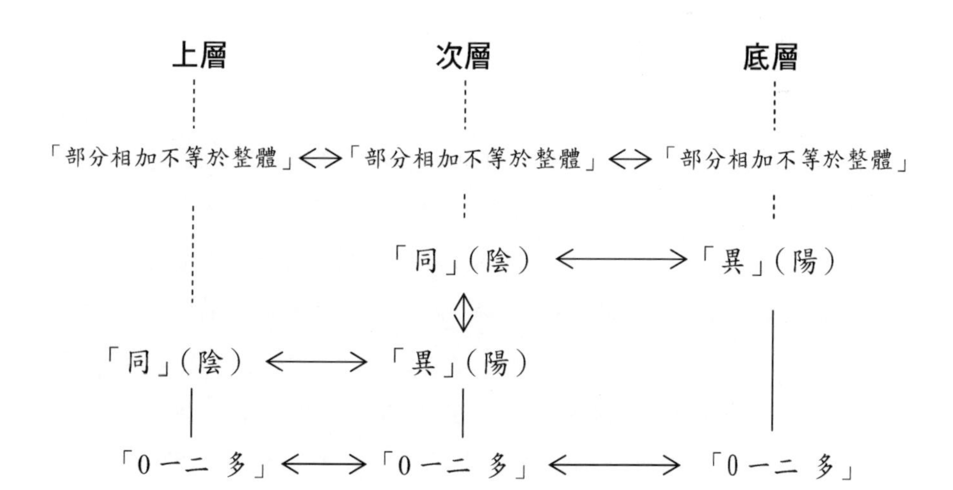

然後從單一結構來看，以「異質（同形）同構」而言，其中的「異質

（同形）」（物理場）為「異」、「同構」為「同」；「同構」對「心理場」而言，「同構」是「異」、「心理場」是「同」；如下簡圖：

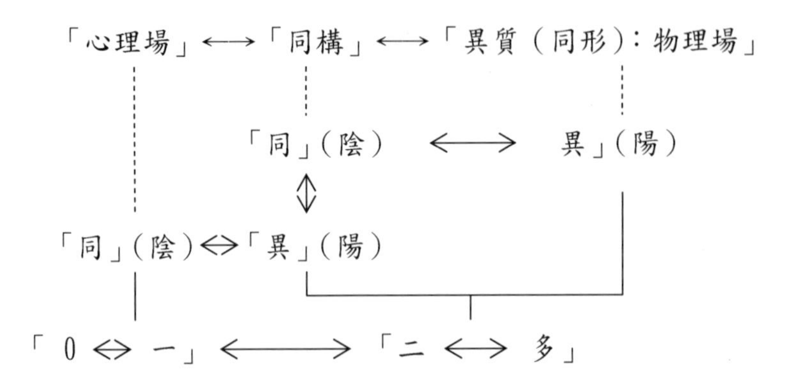

如此由「大螺旋」（同）層層下徹為「小螺旋」（異）、由「小螺旋」（異）層層上徹為「大螺旋」（同），是可形成「完形」理論之龐大系統，以呈現其「雙螺旋層次」的。

第五節　相關討論

「異（陽）⟷ 同（陰）」互動，關涉到「因（陰）⟷ 果（陽）」與「歸納（陽）⟷ 演繹（陰）」的雙螺旋層次邏輯。而這種「因（陰）⟷ 果（陽）」邏輯，在哲學上，雖只看成是範疇之一，卻與「諸範疇」息息相關。張立文在《中國哲學邏輯結構論》中說：

> 就彼此相聯繫的範疇而言，中國佛教哲學中的「因」這個範疇，它自身包含著兩個事物或現象的聯繫，這種特定的聯繫，各以對方的存在為自己存在的前提或條件。其內在衝突的伸展，使「因」作為一方與「果」作為另一方構成相對相關的聯

> 繫。範疇這種衝突性格，使自身或與諸範疇都處於相互聯繫、相互轉化之中，並在這種普遍的有機聯繫中，再現客觀世界的衝突及其發展的全進程。[30]

既然「因（陰）⟷果（陽）」這一範疇能產生「普遍的有機聯繫」而由「相互聯繫、相互轉化」形成「螺旋」，其重要性就可想而知。也就難怪在邏輯學中，會那樣受到普遍的重視，而視之為「律」了。對此，陳波在其《邏輯學是什麼》一書中強調說：

> 因果聯繫是世界萬物之間普遍聯繫的一個方面，也許是其中最重要的方面。一個（或一些）現象的產生會引起或影響到另一個（或一些）現象的產生。前者是後者的原因，後者就是前者的結果。科學的一個重要任務就是要把握事物之間的因果聯繫，以便掌握事物發生、發展的規律。[31]

可見「因（陰）⟷果（陽）」邏輯對「世界萬物之間普遍聯繫」的重要。而它雖然一度受到羅素（B. Russell, 1872-1970）偏執之影響，使研究沉寂了半個世紀；但到了二十世紀三〇年代後卻有了新的發展。如美國當代哲學家、計算機理論家勃克斯（A. W. Burks），就提出了「因果陳述邏輯」，任曉明、桂起權在《邏輯與知識創新》中介紹說：

> 作為一種證明或檢驗的邏輯，因果陳述邏輯在科學理論創新中能否起重要作用呢？答案是肯定的。第一，因果陳述邏輯對於

30 張立文：《中國哲學邏輯結構論》（北京市：中國社會科學出版社，2002年），頁11。
31 陳波：《邏輯學是什麼》（北京市：北京大學出版社，2002年），頁167。

> 解釋或預見事實有重要意義。就如同假說演繹法所起的作用一樣，因果陳述邏輯可以從理論命題推演出事實命題，或是解釋已知的事實，或是預見未知的事實。這種推演的基本步驟是以一個或多個普遍陳述，如定律、定理、公理、假說等作為理論前提，再加上某些初次條件的陳述，逐步推導出一個描述事實的命題來……。第二，因果陳述邏輯對於探求科學陳述之間的因果聯繫，進而對科學理論做出因果可能性的推斷有著重要作用。勃克斯所創建的這種邏輯對科學理論創新的貢獻在於：通過對科學推理的細緻分析，發現經典邏輯的實質蘊涵、嚴格蘊涵都不適於用來刻劃因果模態陳述的前後關係。於是，他提出了一種「因果蘊涵」，進而建立一個公理系統，為科學理論中因果聯繫的探索奠定了邏輯上的基礎。[32]

勃克斯這樣以「因果蘊涵」作為「因果陳述邏輯」的核心概念，而建立了一個「公理系統」，「從具有邏輯必然性的規律或理論陳述中推導出具有因果必然性的因果律陳述，進而推導出事實陳述。這種推導過程，不僅能解釋已知的事實，而且能預見未知的事實。」[33] 很明顯地，這樣在科學理論方面，是有相當普遍之創新功能的。

而它們的「異（陽）⟷ 同（陰）」互動雙螺旋層次，首先從「大螺旋（同：陰）⟷ 小螺旋（異：陽）」系統來看，以三層為例：「因 ⟷ 果」中的「底層」為「異」、「次層」為「同」，「上層、次層」中的「次層」為「異」、「上層」為「同」；若配合「0 一二多」，則可呈現如下簡圖：

---

32 黃順基、蘇越、黃展驥主編：《邏輯與知識創新》，頁329。

33 黃順基、蘇越、黃展驥主編：《邏輯與知識創新》，頁332。

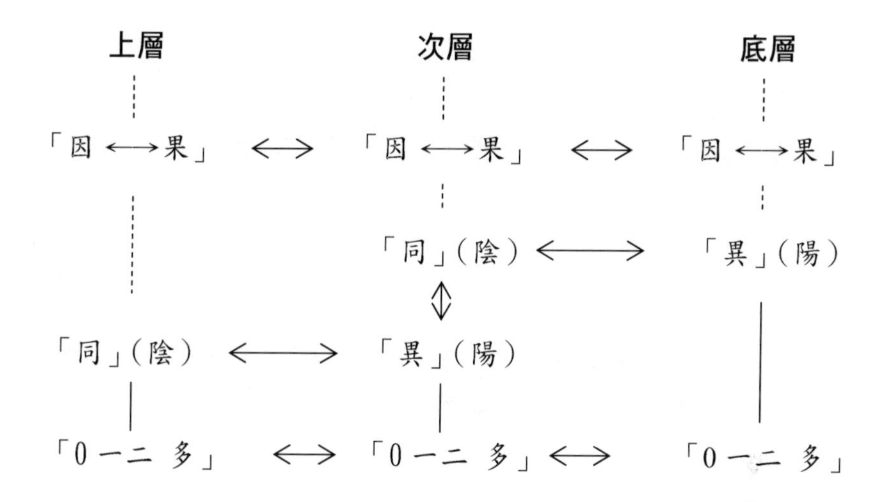

然後從單一結構來看，「果」為「異」、「因」為「同」，如下簡圖：

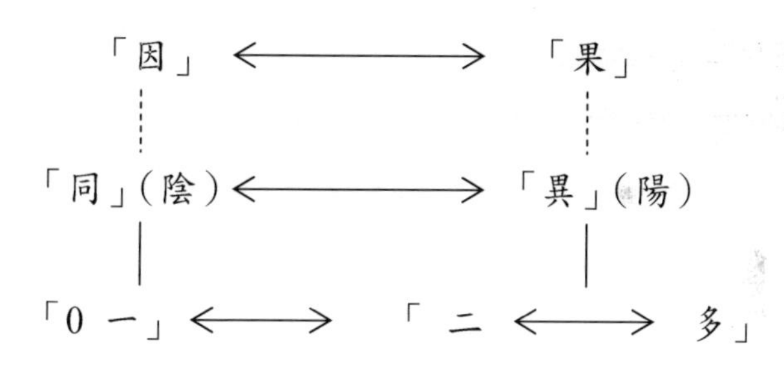

由於它具普遍性，從根本上看，顯然涉及了「求同面」之假設性「演繹」（偏重於「哲學」）與「求異面」之驗證性「歸納」（偏重於科學），而假設性之「演繹」所形成的是「先因後果」的螺旋層次、驗證性之「歸納」所形成的是「先果後因」的螺旋層次，正好使得哲學性的「假設」規律（一般）與科學性的「驗證」事實（特殊）可以發揮互相對應、貫通的功能。不過，就像《邏輯與知識創新》所說的「科學解釋中所用的普遍定律並不一定是因果性的，它可以是只是共時性的函數關係。……在這種函數關係中，很難說某個量是原因還是結果」，因此，它雖「在自然科學中廣泛應用的一種科學解釋」[34]，卻非完完全全可涵蓋一切的[35]。

而對於這種「演繹」與「歸納」的兩種思維邏輯，在黃順基、蘇越、黃展驥所主編的《邏輯與知識創新》一書中，曾針對「演繹」與「歸納」兩種邏輯作全面之探討，它指出：

> 科學邏輯主要包括：（1）演繹邏輯，它研究從「一般」到「特殊」的推理；（2）歸納邏輯，它研究從「特殊」到「一般」的歸納推理和「特殊」到「特殊」的類比推理。前面各編（案：共三編、九章）研究的重點是演繹邏輯在知識創新中的作用，本編（案：共四章）研究歸納邏輯，重點是整個科學邏輯在知識創新中的作用。[36]

而後面第五編共三章，則由此延伸以「其他思維形式」（含發散、收斂）作綜合討論，可見「演繹 ⟷ 歸納」邏輯「在知識創新中」的重大「作用」。但認為「演繹」重於「歸納」，它說：

---

34 黃順基、蘇越、黃展驥主編：《邏輯與知識創新》，頁365-366。

35 孟建安：「陳先生認為，所有的章法都是在不同的『二元對待』基礎上形成的，但它們之間卻會因為章法本身彼此有關聯和切入角度彼此有關涉而造成相互替代或重疊的情況。陳先生分別以『因果法』、『點染法』和劉禹錫的〈陋室銘〉等為例作了說明。比如在分析杜甫的〈曲江〉、李白的〈黃河樓送孟浩然之廣陵〉等作品後，得出結論說：『因果』章法的確帶有母性，能相當普遍地替代其他的章法。這樣，似乎只要『因果』這一章法即可，但實際上是行不通的。因為宇宙人生、萬物不可能僅僅只有『因果』一種關係，有些客體之間並不存在『因』與『果』的關係，此外也還有其他很多種關係。」見〈陳滿銘與漢語辭章章法學研究〉，《陳滿銘與辭章章法學》（臺北市：文津出版社，2007年），頁121-122。又，陳滿銘：〈論「因果」章法的母性〉，《國文天地》18卷7期（2002年12月），頁94-101。

36 黃順基、蘇越、黃展驥主編：《邏輯與知識創新》，頁321。

> 從演繹主義的方案中可以提煉出如下的科學探究或知識創新的模式：『從經驗背景→引出問題→提出假設⟷檢驗→問題的解決』。在這一探究模式中存在一種反饋機制，使得假設與它的檢驗之間能多次往復循環。……作為提出假設與檢驗假設這依往復過程前提背景信息或背景知識是不可忽視的。……古典歸納主義提出的『歸納程序』是：『觀察事實→累積數據資料→做出假設或經驗概括』。其實這一程式是似是而非的。因為對於科學假設的提出來說，盲目的觀察是不頂用的。[37]

並且引用愛因斯坦的話說：

> 適用於科學幼年時代的以「歸納法」為主的方法，正在讓位給探索性「演繹法」(《愛因斯坦文集》第一卷，頁362)。[38]

其實，如越過「古典」就「現在」來說，則「觀察」，除親身閱歷之外，還包括閱讀，以獲得各種資訊，化古今人經驗為自己經驗，而且與「記憶」產生互動，彭聃齡主編《普通心理學》：「記憶（memory）是在頭腦中積累和保存個體經驗的心理過程，運用信息加工的術語講，就是人腦對外界輸入的信息進行編碼、存儲和提取的過程。……記憶是一種積極、能動的活動。人對外界輸入的信息能主動地進行編碼，使其成為人腦可以接受的形式。現代心理學家認為，只有經過編碼的信息才能記住。」[39] 作為一種心理過程，「記憶」是在「觀察」之同時一個識記、再認和再現的過程，是人們運用知識經

37 黃順基、蘇越、黃展驥主編：《邏輯與知識創新》，頁375。

38 黃順基、蘇越、黃展驥主編：《邏輯與知識創新》，頁436。

39 彭聃齡主編：《普通心理學》（北京市：北京師範大學出版社，2001年），頁201、392。

驗進行思考、想像、解決問題、創造發明等一切智慧活動的前提。有了「觀察」、「記憶」，人們才能積累知識、豐富經驗；因此有「記憶」的「觀察」，是一點也不「盲目」的。況且既然強調「背景信息或背景知識」與「多次往復循環」，隱然在「演繹」中已將「歸納」納入，形成其「雙螺旋層次」的關係。

而且從「哲學（陰）⟷ 科學（陽）」的雙螺旋對應[40]來看，「演繹法」在西方傳統哲學中被廣泛地運用，而「歸納法」對於自然科學的發展也相當重要；兩種思維方式同時運用了人類心理上的理智與感官等兩種官能。對此，錢志純在解說歸納與演繹的定義時提到：

> 吾人用以求知的官能有二，即理智與感官，二者不可偏廢。理智沒有經驗與物件，則其推論沒有根據；同樣，經驗與物件，康德稱之為知識的塵粒，如果沒有理智來統一，則永遠不能成為科學。由是吾人用以推論的二方法，即演繹與歸納，實有互相輔助之效。演繹是由普通原則，推知局部事例；歸納是由局部事例，推知普遍原則之存在。[41]

理智的官能感知到「普遍原則」之存在，而感官所感知則為「局部事例」。歸納與演繹就是運用這兩種心理成為近代哲學與科學的重要法則。這樣來看待「演繹」（哲學性）與「歸納」（科學性），是比較合理的。

而它們的「異 ⟷ 同」互動雙螺旋層次，首先從「大螺旋（同）⟷ 小螺旋（異）」系統來看，以三層為例：「演繹 ⟷ 歸納」中的

---

40 陳滿銘：〈哲學「多二一（0）」與科學「DNA」雙螺旋的對應、貫通〉，《國文天地》30卷12期（2015年5月），頁116-125。

41 錢志純：《理則學》（臺北縣：輔仁大學出版社，1986年），頁128。

「底層」為「異」、「次層」為「同」，「上層、次層」中的「次層」為「異」、「上層」為「同」；若配合「（0）一⟷二⟷多」，則可呈現如下簡圖：

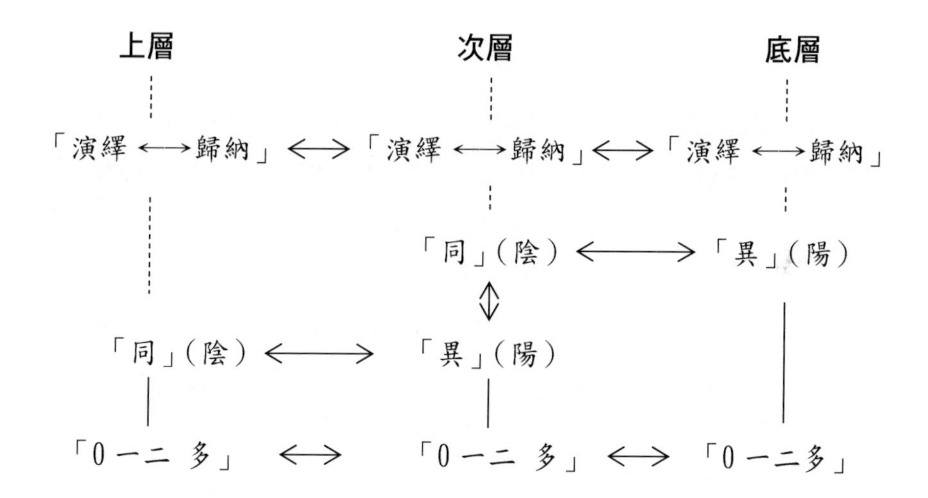

然後從單一結構來看，「歸納」為「異」、「演繹」為「同」，如下簡圖：

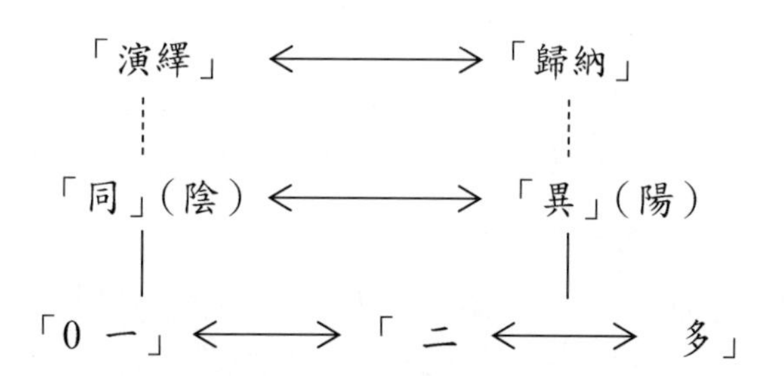

可見如此由「大螺旋」（同：演繹）層層下徹為「小螺旋」（異：歸納）、由「小螺旋」（異：歸納）層層上徹為「大螺旋」（同：演繹），是可形成其「陰⟷陽」雙螺旋互動之龐大系統的。

結語

綜上所述，可知宇宙人生的萬事萬物，都由「異（歸納：科學性）、同（演繹：哲學性）」的「陽←→陰」二元產生互動，形成各式各樣的「雙螺旋層次」，以呈現它「以同（陰）包異（陽）」（順向：徹下）、「以異（陽）顯同（陰）」（逆向：徹上）的龐大系統。而這種系統，是可層層由「0 一二多」作主軸加以貫穿，以凸顯整體「哲學←→科學」雙螺旋對應之「鍵軸性」的。

正由於這種由「異（歸納：科學性）、同（演繹：哲學性）」的「陽←→陰」二元產生互動所形成「雙螺旋層次系統」，反映的乃是宇宙人生萬事萬物「生滅轉化」之運動規律。而這「萬事萬物」，原本就是各種學術領域作「哲學」與「科學」的研究對象，所以要從事於此，便必須重視這種「雙螺旋互動系統」，一面上徹於「哲學」形成「方法論」或「方法論系統」[42]，一面下徹於「科學」在各種學術領域作層層研究，提出實證成果。

就以個人對「辭章章法學」的研究而言，其理論體系的建構，可大分為「微觀」、「中觀」與「宏觀」三層來概括。早在四十年多年前，為了講授「國文教材教法」這門課程之需要，不得不從「微觀」層從一篇篇作品廣泛地去深挖各種「章法」或「章法結構」；而由於「章法」或「章法結構」所研討的乃「篇章內容材料的邏輯關係」，必然涉及由「章」而「篇」的完整結構系統，因此對後來「四大規律」與「四大族系」或「比較章法」作「中觀」層的認定，並以「方法論原則」及其「螺旋系統」作「宏觀」層的建構，就有直接關聯。

---

42 陳滿銘：〈論章法結構之方法論系統——歸本於《周易》與《老子》作考察〉，臺灣師大《國文學報》46期（2009年12月），頁61-94。

這種建構，以最基本方法而言，它們形成「異（歸納：科學）⟷同（演繹：哲學）」的「陽⟷陰」雙螺旋互動關係，可用如下簡圖來表示：

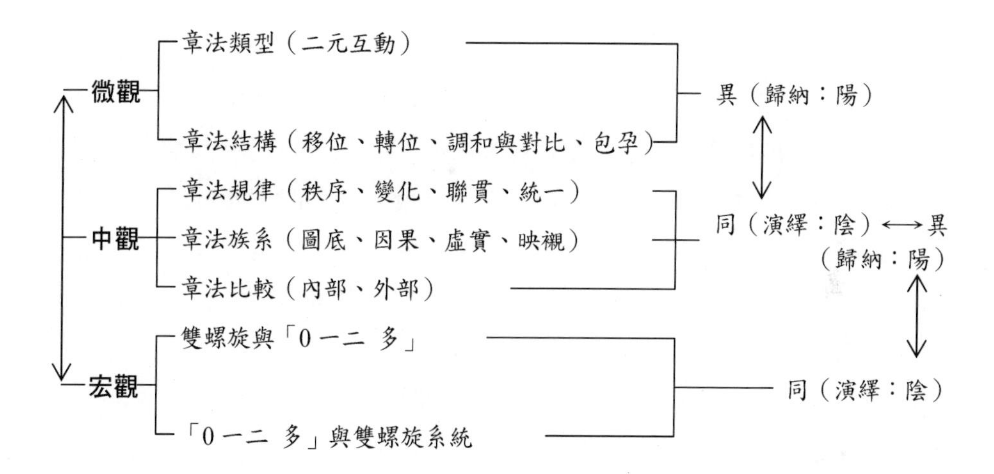

其中「章法規律」與「章法結構」，「章法族系」、「章法比較」與「章法類型」互相照應，而「雙螺旋」、「0 一二多」螺旋結構又與「章法結構」、「章法規律」互相照應；彼此環環相扣，形成一個完整的「同（演繹：哲學性）⟷異（歸納：科學性）」的「陰⟷陽」「雙螺旋互動」體系[43]。

對此，辭章學大家鄭頤壽說：「篇章辭章學的『三觀』理論建構了科學的、體系嚴密的學科理論大廈，是『篇章辭章學』藝術之所以能夠成『學』的最主要依據。分清這『三觀』、『大廈』的建構就有了層次性、邏輯性；抓住這『三觀』，就抓住了學科體系的『綱』和

43 陳滿銘：〈論辭章章法學三觀體系之建構〉，中山大學《文與哲》學報23期（2013年12月），頁333-388。又，陳滿銘：《辭章章法學體系建構叢書》十冊（臺北市：萬卷樓圖書公司，2014年）。

『目』。我們用『三觀』理論所作的概括、評價，應該基本上描寫了篇章辭章學的理論體系。……是從具體的『方法』到概括的『規律』，……從一個個的『章法』入手，一個、兩個、十個、三十幾個、四十幾個……『集樹成林』（微觀）之後，又由博返約，把它們分別類聚於秩序律、變化律、聯貫律、統一律之中，有總有分，形成四個章法的『族系』（中觀）。這就把章法條理化、系統化了。……（又）從分別的『章法』、『規律』到統領『全軍』的理論框架『（0）一、二、多（「多、二、一（0）」）』（宏觀）。這是認識的又一個飛躍、昇華，它加強了學科的哲學性、科學性。」[44] 修辭學家孟建安也指出：「陳先生認為：天下的學問不外是在探究萬事萬物之『異』、『同』而已，而『異』、『同』本身又形成『二元對待』的螺旋關係。也就是說，『求異』多少，既可以徹上『求同』多少；同理，『求同』多少，既可以徹下『求異』多少。這樣循環不已，就拓展了學問的領域和成果。陳先生把這種道理運用到章法的研究上，認為『求同』與『求異』看似不同，實際上是兩相對應而成為一體的。」[45] 而語言學大家王希杰在評論臺灣「章法學的方法論原則」時則說：「有一篇論文，題目叫做〈談詞章的兩種基本作法：歸納與演繹〉（《中等教育》27 卷 3、4 期〔1976 年 6 月〕），『歸納法』和『演繹法』其實也就是章法學的基本方法。滿銘教授的章法學的成功，是『歸納法』的成功，這近四十種章法規則是從大量的文章中『歸納』出來的，一律具有巨大的解釋力，覆蓋面很強。同時也是『演繹法』的成功的運用，例如《章法學綜論》中的變化律的十五種結構，很明顯是邏輯『演繹』出來的，當然也是得到許多文章的驗證的。……陳滿銘教授和他

---

44 鄭頤壽：〈陳滿銘創建篇章辭章學——代序〉，見《陳滿銘與辭章章法學》，頁（7）-（12）。

45 孟建安：〈陳滿銘與漢語辭章章法學研究〉，頁121-122。

的弟子並不滿足於單純地『歸納法則』，他們力圖建立統率這些比較具體的法則的更高的原則（案：即演繹法則）。……這符合『科學』的最簡單性原則，而且也是變化無窮的；這其實就是《周易》的方法論原則（案：即「哲學」）。」[46] 可見章法學之研究，從頭到尾都未脫離過「異（歸納：科學性）⟷同（演繹：哲學性）」的「陽⟷陰」互動「雙螺旋層次系統」。

由此推擴開來，這種「異（歸納：科學性）⟷同（演繹：哲學性）」的「陽⟷陰」互動「雙螺旋層次系統」，除辭章章法學之外，對「跨界研究」在「知識創新」上來說，是同樣適用、同樣重要的。

46 王希杰：〈陳滿銘教授和章法學〉，《畢節學院學報》總96期（2008年2月），頁4。

第四章
「包孕（合：陰）⟷包孕（分：陽）」雙螺旋互動

「陰陽包孕」，大體可分「陰陽不分」（陰）與「分陰分陽」（陽）兩層。以「陰陽不分」而言，指「無極、道（無）」、「太極、一（有之始）」之初始階段；以「分陰分陽」來看，指「兩儀……、二……」的後續階段。而兩者不斷地起動「雙螺旋」之互動作用，使得宇宙創生、轉化的過程，產生層層「邏輯層次」，以形成層層「0一（陰陽不分）二多（分陰分陽）」之雙螺旋邏輯系統。由此可見「陰陽包孕」在「0 一二多」雙螺旋邏輯系統中所造成「層次」的重要作用；而這種作用，在知識創新上來說，是不可或缺的。

「陰陽包孕」的作用，在於使宇宙人生萬事萬物創生、轉化的運動不斷產生「邏輯層次」，以形成其「以大包小」的層層「雙螺旋邏輯系統」[1]。而這種作用，關涉知識創新，無論上徹至哲學或下徹於科學各層面，都是無所不在的。本文即著眼於此，先歸本於哲學層面，引用《周易》與《老子》之相關論述，探討「陰陽包孕與 0 一二多雙螺旋邏輯系統之形成」；再落於科學層面，舉「篇章」與

1 陳滿銘：〈章法包孕式結構論──以「多」、「二」、「一（0）」螺旋結構切入作考察〉，《江南大學學報．人文社會科學版》5卷4期（2006年8月），頁85-90。又，陳滿銘：〈論螺旋邏輯學的創立──以哲學螺旋與科學螺旋為鍵軸探討其體系之建構〉，《國文天地．學術論壇》31卷1期（2015年6月），頁116-136。

「DNA」為實例，驗證「陰陽包孕互動雙螺旋邏輯系統」，以見「陰陽包孕」所產生之邏輯層次作用，在形成「0 一二多」雙螺旋邏輯系統中的重要性於一斑。

第一節　陰陽包孕與「0 一二多」雙螺旋邏輯系統之形成

宇宙人生萬事萬物之創生、轉化在雙螺旋邏輯的動態過程中，是少不了「包孕」之作用的。它使創生、轉化的運動產生「邏輯層次」，以形成層層的雙螺旋邏輯系統。而它與陰陽有關，開始時是「陰陽不分」，後來則分陰分陽而產生雙螺旋互動。所謂「陰陽不分」，是就「無極、道（無）」、「太極、一（有之始）」的起始階段而言；所謂「分陰分陽」，是指「兩儀……、二……」的後續階段來說。對此，陳立驤說：

> 「無極」與「太極」係同一實存「本體」（「氣體」或「宇宙總體的存在與流行」）的不同稱謂，它們都是陰陽二氣未分前的統一體，兩者指涉著本體的不同面向或階段性發展，它們是「一體兩面」與「同指異名」的。惟雖如此，但「無極」卻是比「太極」更具有「本體宇宙論」上的優先性的。[2]

而周欣也認為：

> 朱熹高度肯定周敦頤對「太極」的標示，正因為周敦頤標示

2　陳立驤：〈周敦頤《太極圖說》「無極」與「太極」關係之研究〉，《鵝湖》33卷1期（2007年7月），頁42-52。

> 「太極」的著眼處在於陰陽二氣的統合，而統合便必然有其構型，「理」正成為這個構型的內在依據。……朱熹又指出：「周子恐人於太極之外更尋太極，故以無極言之。既謂之無極，則不可以有底道理強搜尋也。」也就是說，「無極」為理解「太極即理」所指陳的天地萬物之理的一個方便，具有無形無象的特性，即「無聲無臭」。因此，「無極即是無形，太極即是有理。」相對於「無極」來說，無極是形上，太極是形下；相對於「陰陽」來說，太極是形上，陰陽是形下。[3]

可見「陰陽包孕」，是由統合而析分，由析分而產生「陰陽二元」之雙螺旋互動作用的。而對此「陰陽二元」之雙螺旋互動，在《周易》與《老子》兩部經典裡都可見到相關的論述。

以《周易》而言，在其六十四卦中，除「乾」、「坤」兩卦，一為陽之元，一為陰之元外，其他的六十二卦，全是陰陽互相互動、含融而統一的。《周易．繫辭下》說：

> 陽卦多陰，陰卦多陽。其故何也？陽卦奇，陰卦偶。

清焦循注云：

> 陽卦之中多陰，則陰卦之中多陽。兩相孚合捊多益寡之義也。如〈萃〉陽卦也，而有四陰，是陰多於陽，則以〈大畜〉孚之。〈大有〉陰卦也，而有五陽，是陽多於陰，則以〈比〉孚

3 周欣：〈《太極圖說解》的理學思想述略——兼論朱熹與周敦頤的思想淵源〉，《湖南農業大學學報．社會科學版》14卷5期（2013年10月），頁76-81。

> 之。設陽卦多陽，則陰卦必多陰，以旁通之；如〈姤〉與〈復〉、〈遯〉與〈臨〉是也。聖人之辭，每舉一隅而已。……奇偶指五，奇在五則為陽卦，宜變通於陰；偶在五則為陰卦，宜進為陽。[4]

可見《周易》六十四卦，有陽卦與陰卦之分，而要分辨陽卦與陰卦，照焦循的意思，是要看「奇在五」或「偶在五」來決定，意即每卦以第五爻分陰陽，如是陽爻則為陽卦，如為陰爻則是陰卦。用這種分法，《周易》六十四卦剛好陰陽個半，屬於陽卦的是：

乾（下乾上乾）	屯（下震上坎）	需（下乾上坎）	訟（下坎上乾）
比（下坤上坎）	小畜（下乾上巽）	履（下兌上乾）	否（下坤上乾）
同人（下離上乾）	隨（下震上兌）	觀（下坤上巽）	无妄（下震上乾）
大過（下巽上兌）	習（下坎上坎）	咸（下艮上兌）	遯（下艮上乾）
家人（下離上巽）	蹇（下艮上坎）	益（下震上巽）	夬（下乾上兌）
姤（下巽上乾）	萃（下坤上兌）	困（下坎上兌）	井（下巽上坎）
革（下離上兌）	漸（下艮上巽）	巽（下巽上巽）	兌（下兌上兌）
渙（下坎上巽）	節（下兌上坎）	中孚（下兌上巽）	既濟（下離上坎）

在此三十二卦中，除〈乾〉卦是「全陽」外，屬「多陰」而形成「陽中陰」的包孕式結構的，有六卦，即：

〈屯〉、〈比〉、〈觀〉、〈習〉、〈蹇〉、〈萃〉。

4　陳居淵：《易章句導讀》（濟南市：齊魯書社，2002年12月一版一刷），頁209。

屬「多陽」而形成「陽中陽」的包孕式結構的，有十五卦，即：

〈需〉、〈訟〉、〈小畜〉、〈履〉、〈同人〉、〈无妄〉、〈大過〉、〈遯〉、〈家人〉、〈夬〉、〈姤〉、〈革〉、〈巽〉、〈兌〉、〈中孚〉。

屬「陰陽多寡相當」而形成「並列」關係的包孕式結構的，有十卦，即：

〈否〉、〈隨〉、〈咸〉、〈益〉、〈困〉、〈井〉、〈漸〉、〈渙〉、〈節〉、〈既濟〉。

據此，可依序用下圖來表示三種不同的包孕式結構：

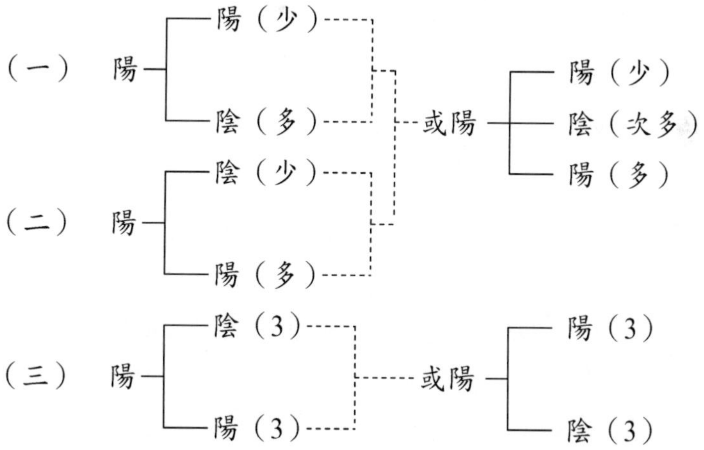

（一）陽—陽（少）／陰（多）
（二）陽—陰（少）／陽（多）
（一）（二）或陽—陽（少）／陰（次多）／陽（多）

（三）陽—陰（3）／陽（3）
或陽—陽（3）／陰（3）

其中（一）、（二）兩種，除與（三）一樣各可形成「移位」結構外，又可合而形成「轉位」結構。屬於陰卦的是：

坤（坤下坤上）	蒙（下坎上艮）	師（下坎上坤）	泰（下乾上坤）
大有（下乾上離）	謙（下艮上坤）	豫（下坤上震）	蠱（下巽上艮）
臨（下兌上坤）	噬嗑（下震上離）	賁（下離上艮）	剝（下坤上艮）
復（下震上坤）	大畜（下乾上艮）	頤（下震上艮）	離（下離上離）
恆（下巽上震）	大壯（下乾上震）	晉（下坤上離）	明夷（下離上坤）
睽（下兌上離）	解（下坎上震）	損（下兌上艮）	升（下巽上坤）
鼎（下巽上離）	震（下震上震）	艮（下艮上艮）	歸妹（下兌上震）
豐（下離上震）	旅（下艮上離）	小過（下艮上震）	未濟（下坎上離）

在此三十二卦中，除〈坤〉卦是「全陰」外，屬「多陰」而形成「陰中陰」的包孕式結構的，有十五卦，即：

〈蒙〉、〈師〉、〈謙〉、〈豫〉、〈臨〉、〈剝〉、〈復〉、〈頤〉、〈晉〉、〈明夷〉、〈解〉、〈升〉、〈震〉、〈艮〉、〈小過〉。

屬「多陽」而形成「陰中陽」的包孕式結構的，有六卦，即：

〈大有〉、〈大畜〉、〈離〉、〈大壯〉、〈睽〉、〈鼎〉。

屬「陰陽多寡相當」而形成「並列」關係的包孕式結構的，有十卦，即：

〈泰〉、〈蠱〉、〈噬嗑〉、〈賁〉、〈恆〉、〈損〉、〈歸妹〉、〈豐〉、〈旅〉、〈未濟〉。

據此，可依序用下圖來表示三種不同的包孕式結構：

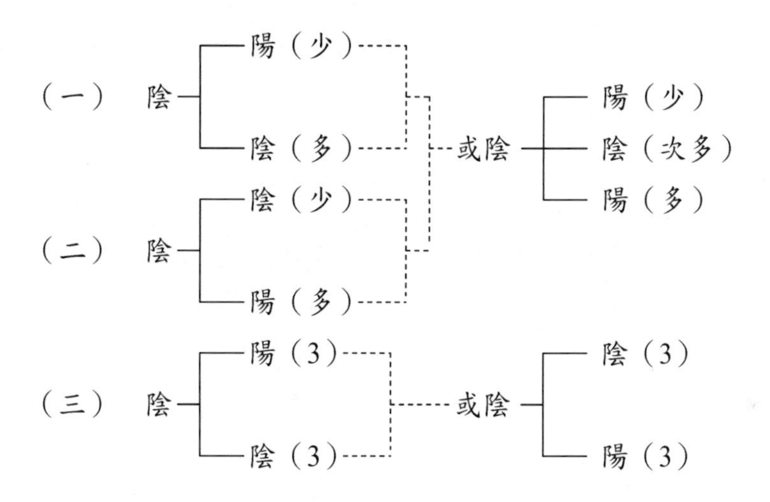

其中（一）、（二）兩種，除與（三）一樣各可形成「移位」結構外，又可合而形成「轉位」，可以包孕「陽」，形成「陰／陽」的關係。

以《老子》而言，其四十二章所謂「萬物負陰而抱陽，沖氣以為和」，就直接指出「陰」可以包孕「陽」，即「陰／陽」，第一章的「玄之又玄」，就是這種結構。而五十八章說：「禍兮福之所倚，福兮禍知所伏」，所謂「禍」是「陽」、「福」是「陰」，就形成了「陽／陰」（上徹）與「陰／陽」（下徹）的兩種包孕結構。又第一章說：「無，名天地之始；有，名萬物之母」、十六章說：「致虛極，守靜篤，萬物並作，吾以觀復。夫物芸芸，各復歸其根」，如此由「無」而「有」，又由「有」而「無」，則形成「陰／陽／陰」或「陽／陰／陽」的合上徹與下徹之兩種包孕結構。而這種合上徹與下徹之三層包孕結構，可見於第二十五章：

故道大，天大，地大，王亦大。域中有四大，而王居一焉。王法地，地法天，天法道，道法自然。

對此內容，張默生認為「四大事顯然有差等的，也好像各有各的範圍的」[5]，並以圖表是如下：

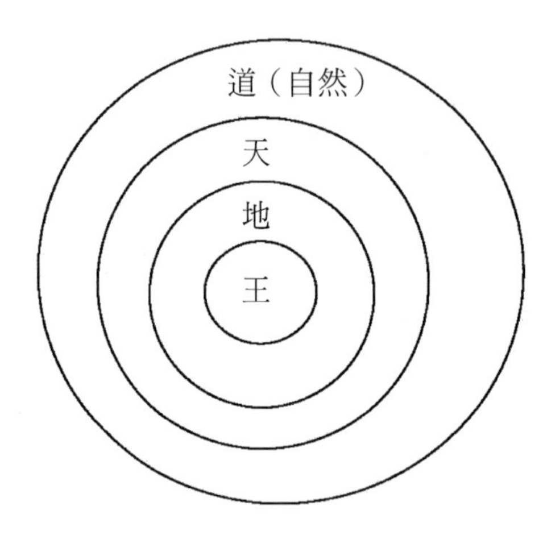

所謂「差等」、「範圍」，就是「包孕」形成的。茲將此「道」、「天」、「地」、「王」的「陰陽」與「包孕」的螺旋關係表示如下圖：

5 張默生：《老子章句新解》（臺北市：樂天出版社，1972年10月再版），頁30-32。

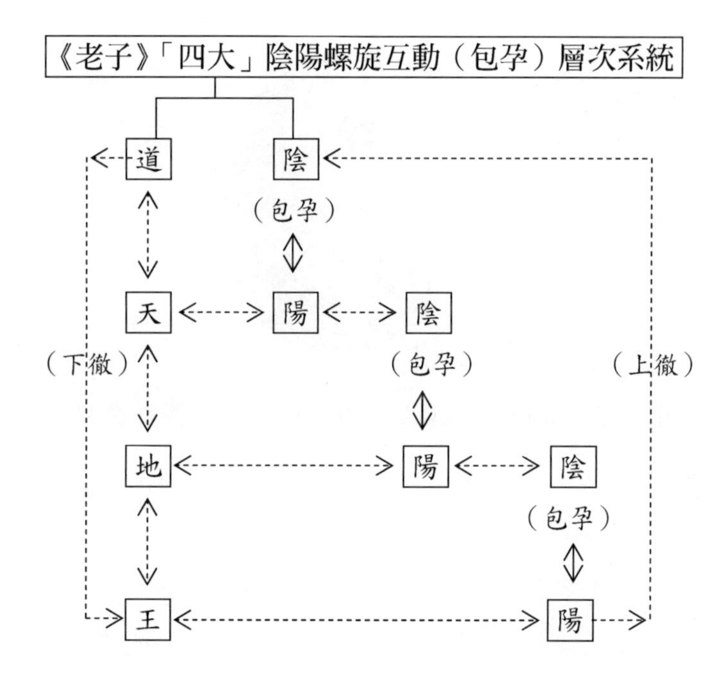

這種「陰陽」之「包孕」雙螺旋互動，如經由上徹、下徹，擴及全面，則可形成層層包孕之「0 一二多」雙螺旋邏輯系統。不過，其中「0 一」，顯然由「0」包孕「一」，以帶動「二」（陰陽）來包孕「多」，雖不屬於「陰陽二元」包孕互動此一層面，卻是它能產生包孕作用之動力根源。

如單以其中「一（太極）」之「陰陽包孕」互動而言，則可用「太極圖」[6] 表示如下：

---

6 太極涉陰陽包孕，見於《太極圖》，對此，李玉山〈《周易》與東方文明〉（2005-2-25）：「1988年在北京召開的『二維強關聯電子系統國際討論會』上，中國著名畫家吳作人為此次會議製作了《太極圖》會標。他是應諾貝爾物理獎獲得者李政道的要求繪製的。吳作人在談到這幅畫的創作思想時說：『以往對於《太極圖》雖有多樣的理解，但多半認為它是個封閉的、固定的、渾然寂寞的整體。而我想要表現的，卻是在無限空間中旋轉運動而又相互作用、聯繫的體系，它更能表達博大深邃的宇宙的變化和無比深奧的大自然現象。』李政道博士對這一《太極圖》會標非常欣賞。

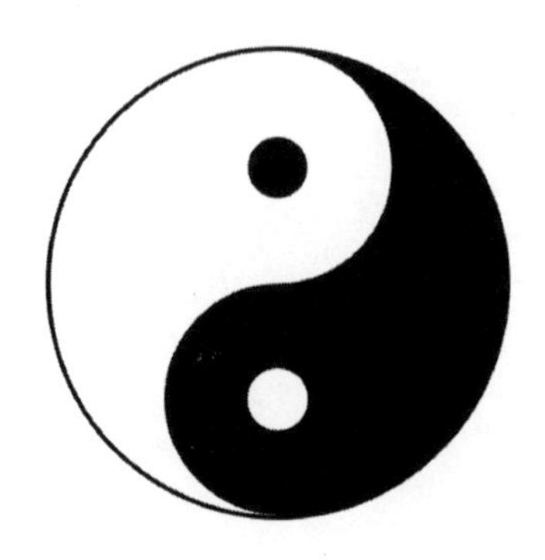

取材自 https://zh.wikipedia.org/wiki（**維基百科**）

而「0 一二多」，反映的是宇宙萬物創生、轉化的動態雙螺旋邏輯系統，是在「無形」（無極、道）剛剛形成「有形」（太極、一）即「0 一」時，就先由「陰陽二元」互動開始推動，再經「移位（秩序）」或「轉位（變化）[7]、對比與調和（聯貫）[8]」的轉化過程，然後

他說：『您的大作已獲國內外科學家的最高評價。如太極、兩儀，畫中包含的抽象理念，已經超過了物理上的基礎理論。而其形象動盪，更深深地表達了從宇宙星雲至電子、質子……一切之形成。結合古今，融匯萬象，實創作之結晶』（以上摘至徐道一《周易科學觀》頁145）」，引自：四川省社會科學院資訊網路中心：http://www.sciencetimes.com.cn/col36/col73/artic。又，歌詠明論：〈李政道對《易經》的推崇〉（2012-02-26）：「2004年，李政道為了說明自己成果的爭論，出版了《宇稱不守恒發現之爭論解謎》。該書的封面上，按李政道的創意設計，特地選擇用中心的《太極圖》，表達因 θ 和 τ 粒子的不同衰變結果而提示出來的宇稱不守恒。無獨有偶。1947年丹麥國王破格授予諾貝爾獎得主波爾（Neils Bohr）榮譽勛章時，按照慣例，勳章上應該鐫刻受獎人的族徽。波爾在設計自己的族徽時，特意選用了中國的《陰陽魚太極圖》，並刻上一句名言「對立即互補」。因為《太極圖》完全地表現了他最為得意的互補原理：當微觀粒子表現為『波』時，就用『波』來描述，當其表現為『粒子』時，就用『粒子』來描述，二者「互補」。這與《易經》陰陽共存的思想是非常吻合的！東西方的兩大科學巨匠，用如出一轍的行為表現了對中國古老《易經》的極大推崇。」引自：http://blog.sina.com.cn/s/blog_85ed05d60100v0gl.html。

7 陳滿銘：〈章法的「移位」、「轉位」結構論〉，臺灣師大《師大學報．人文與社會類》49卷2期（2004年10月），頁1-22。

由在「包孕」徹下、徹上的整合下，終於統一，而形成「0 一二多」之「雙螺旋邏輯系統」的。

如以古代聖賢之探討而言，則他們是先由「有象」（現象界）以探知「無象」（本體界），逐漸形成「多⟷二⟷一（0）」的逆向（上徹）雙螺旋邏輯結構；再由「無象」（本體界）以解釋「有象」（現象界），逐漸形成「（0）一⟷二⟷多」的順向（下徹）雙螺旋邏輯結構的。就這樣一順一逆、一上一下，往復探求、驗證，久而久之，使「（0）一→二→多」（順向：下徹）與「多→二→一（0）」（逆向：上徹）產生「互動、循環、往復而提升」的作用，而形成「0 一二多」（含順、逆雙向[9]）的「雙螺旋邏輯系統」。這可從《周易》、《老子》的相關論述中獲得證明。《周易・繫辭上》云：

> 是故易有太極，是生兩儀，兩儀生四象，四象生八卦。

據此，其順向歷程顯然就可用「一⟷二⟷多」的雙螺旋邏輯結構來呈現，其中「一」指「太極」，「二」指「兩儀（陰陽）」，「多」指「四象生八卦（萬物）」（含人事）。如果對應於〈序卦傳〉由天而人、由人而天，亦即「既濟」而「未濟」之的循環來看，則此「一⟷二⟷多」，就可以緊密地和逆向歷程之「多⟷二⟷一」接軌，形成其「一二多」雙螺旋邏輯結構。

這種雙螺旋邏輯系統，在《老子》一書中，不但可以找到，而且

---

8 對比與調和之作用在於聯貫，而聯貫為層次邏輯（章法）四大規律之一。見陳滿銘：〈論辭章章法的四大律〉，《國文天地》17卷4期（2001年9月），頁101-107。又，陳滿銘：〈論章法四大律之方法論原則──以多二一（0）螺旋結構作系統探討〉，臺灣師大《中國學術年刊》33期春季號（2011年3月），頁87-118。

9 為簡便起見，在下文裡不再作「含順逆雙向」之輔助說明。

更完整，如：

> 道生一，一生二，二生三，三生萬物。萬物負陰而抱陽，沖氣以為和。（四十二章）

在此，老子的「一」該等同於《易傳》之「太極」、「二」該等同於《易傳》之「兩儀」（陰陽），因此所呈現的，和《周易》一樣，是「一 ⟷ 二 ⟷ 多」（順向）與「多 ⟷ 二 ⟷ 一」（逆向）之原始雙螺旋邏輯結構。不過，值得一提的是：老子的「道」可以說是「无」，卻不等於實際之「無」（實零），而是「恍惚」的「无」（虛零），以指在「一」之前的「虛理」[10]。這種「虛理」，如勉強以「數」來表示，則可以是「（0）」。這樣，順、逆向的結構，就可調整為「（0）一 → 二 → 多」（順向）與「多 ⟷ 二 ⟷ 一（0）」（逆向），融成「0 一二多」雙螺旋邏輯系統，以補《周易》（含《易傳》）之不足，這就使得宇宙萬物創生、轉化的順、逆向動態歷程，更趨於完整而周延了[11]。

而這種「雙螺旋邏輯」，由「層次結構」而「系統」，可用如下簡圖加以呈現：

10 唐君毅：《中國哲學原論．導論篇》（香港：人生出版社，1966年3月出版），頁350-351。

11 陳滿銘：〈論「多二一（0）」的螺旋結構——以《周易》與《老子》為考察重心〉，《師大學報．人文與社會類》48卷1期（2003年7月），頁1-20。

（一）「陰陽包孕」所形成的單一「0 一二多」雙螺旋邏輯結構圖：

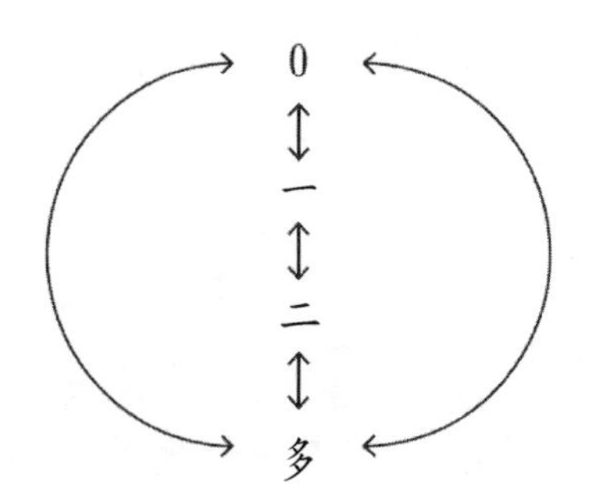

（二）「陰陽包孕」與單一「0 一二多」對應的雙螺旋邏輯結構圖：

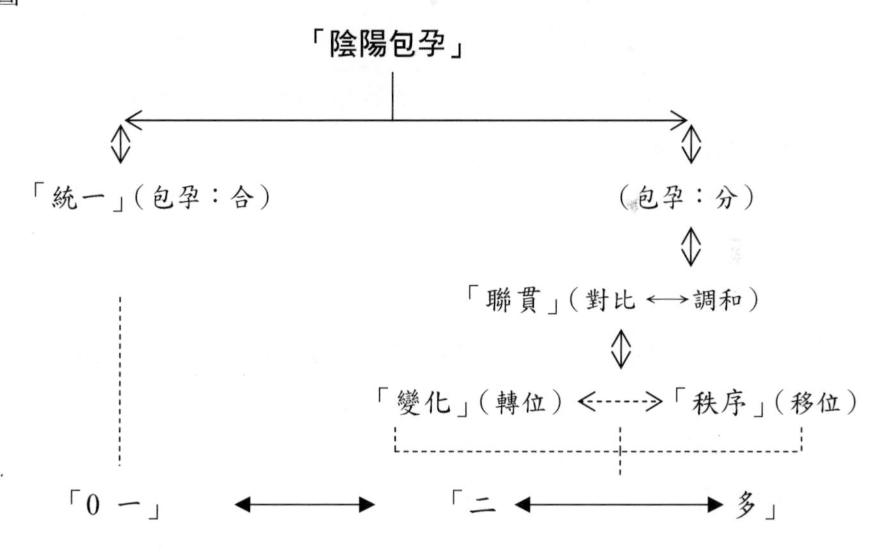

（三）層層「陰陽包孕」所形成的「0 一二多」雙螺旋邏輯系統圖：

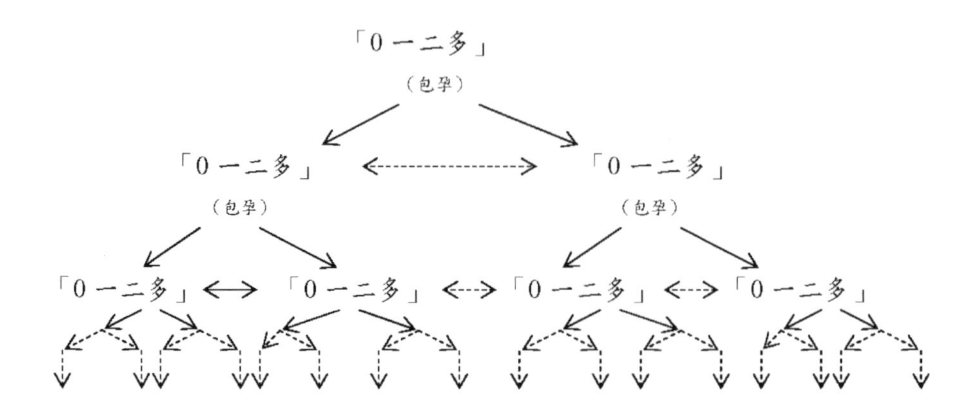

而此「雙螺旋邏輯系統」中每一層的的內容或意象，雖可以萬變、億變，但每一層都以「陰陽二元」之互動為「二」，「秩序（移位）、變化（轉位），聯貫（對比、調和）」為「多」，「統一（包孕）」為「一（0）」，亦即由「0」包孕「一」，由「一」包孕「二」，由「二」包孕「多」，呈現不變之雙螺旋邏輯結構；而由此層層「包孕」，便形成「以大包小」之龐大系統。

由此可見「陰陽包孕（合 ⟷ 分）」可徹上、徹下，是形成龐大的雙螺旋邏輯系統所不可缺少的，其重要性可知。

第二節 陰陽包孕互動雙螺旋邏輯系統之驗證實例

在此，試舉「篇章」與「DNA」為實例，以驗證「陰陽包孕互動雙螺旋邏輯系統」：

（一）以「篇章」而言，其邏輯結構，只有靠「移位」或「轉位」作橫向的拓展是不夠的，必須藉「包孕」作縱向的推深，形成層級，以組織成為完整系統。就在這種包孕式結構中，有兩種基本類型：陰柔屬性：「陰／『陰、陽』」、陽剛屬性：「陽／『陰、陽』」的結構類型。一般說來，任何篇章邏輯結構系統都會出現這兩種類型。

不過，由於「轉位」比較複雜，並非都會出現於每一辭章，所以篇章的邏輯結構系統，可單由「移位」（橫向）與「包孕」（縱向）所組成，也可由「移位」（橫向）、「轉位」（橫向）與「包孕」（橫向）所組成。這種情況不僅是「章」如此，就是「篇」也這樣[12]。

底下就舉蘇軾〈浣溪沙〉組詞五首為例，進行觀察。它有總題序云：「徐門石潭謝雨，道上作五首。潭在城東二十里，常與泗水增減，清濁相應。」知此全是為徐門石潭謝雨而寫，都作於宋元豐元年（1078），東坡知徐州時。

其第一首為：

> 照日深紅暖見魚，連村綠暗晚藏烏。黃童白叟聚睢盱。　麋鹿逢人雖未慣，猿猱聞鼓不須呼。歸來說與采桑姑。

此詞寫藉潭邊村野風光，以襯托作者與村民的歡樂情緒。乃採「先景後事」（上層）的移位性「篇結構」包孕「先低後高」（次層）、「並列（一、二、三、四）」（底層）兩層的移位性「章結構」寫成。首先就「景」（上層），由「水」（石潭）寫到陸上（次層）的「烏」、「人」（黃童、叟）、「麋鹿」和「猿猱」（底層）；再就「事」（上層），寫村人謝神歸來和采桑姑閒話的情形；呈現出農村的一片生機。

附其邏輯結構系統表如下：

12 陳滿銘：〈邏輯結構的篇、章系統〉，《國文天地》30卷2期（2014年7月），頁80-88。

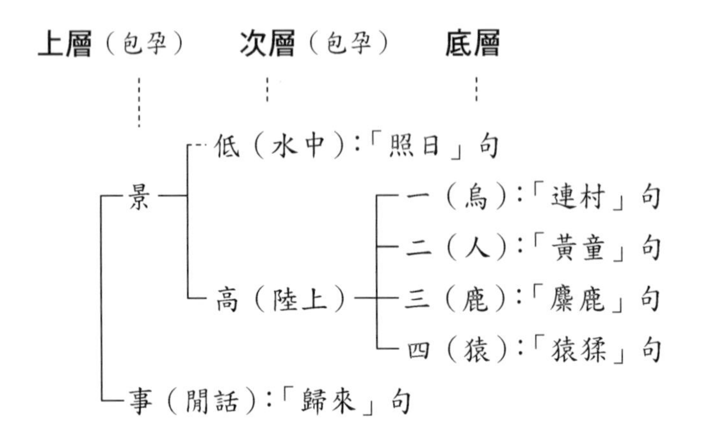

此詞篇章之「陰陽二元」互動，如依據其陰陽流動[13]並對它的剛柔成分加以量化[14]，則其「0 一二多」雙螺旋邏輯系統，可簡單呈現如

13 篇章結構有關章法類型之陰陽、剛柔之判定是有準則的。陳望衡：「剛柔也與許多成組相對立的事物性質相連屬，如動靜、進退、貴賤、高低……剛為動、為進、為貴、為高；柔為靜、為退、為賤、為低。」見《中國古典美學史》（長沙市：湖南教育出版社，1998年8月一版一刷），頁184。另參見陳滿銘：〈章法風格中剛柔成分之量化〉，《國文天地》19卷6期（2003年11月），頁86-93；陳滿銘：〈論章法結構系統——以其陰陽變化作輔助觀察〉，高雄師大《國文學報》17期（2013年1月），頁1-30。

14 有關剛柔成分量化之理論及公式，最早見於陳滿銘：〈章法風格中剛柔成分之量化〉，同上注；最近見於陳滿銘：〈試論篇章風格中剛柔成分之量化——以稼軒「豪壯沉鬱」詞為例作探討〉，彰化師大《國文學誌》25期（2012年12月），頁61-102。又，林大礎、鄭娟榕：「從我國傳統辭章理論，直至當代的辭章學、風格學、文學、美學等，對『風格』的品鑑，歷來都是靠人們主觀上的感知、體悟來作出評判。這雖然會有一定的共通準則，但是也難免因人而異，以致出現見仁見智甚至相互牴牾的觀點；而對於學識尚淺的『青青子衿』，這更是一大難題。陳教授歷經幾十年的教學與科研的實踐，對此有更深的感觸。他經過幾十年的多方探索與苦思冥想，終於從其他學科理論中受到啟迪而觸類旁通，於是大膽地試用定量分析法來研究章法風格。陳教授已經初步成功地運用『量化』的方法來分析辭章風格，這本身就是一種歷史性的突破。這一嘗試性的創舉，不僅確證了『章法風格』的客觀性、可行性、實用性和科學性，也解決了辭章實踐中的一些難題。」見〈開闢漢語辭章學的新領域——陳滿銘教授創建辭章章法學評介〉，仇小屏、陳佳君等編：《陳滿銘與辭章章下圖：

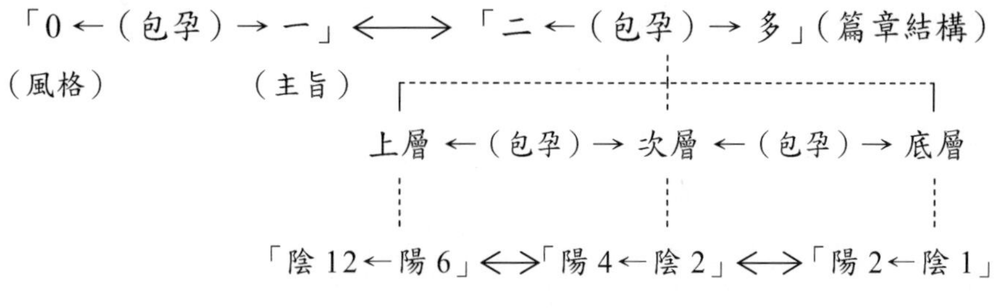

「0 ←（包孕）→ 一」⟷「二 ←（包孕）→ 多」（篇章結構）
（風格）　　（主旨）
上層 ←（包孕）→ 次層 ←（包孕）→ 底層
「陰 12←陽 6」⟷「陽 4←陰 2」⟷「陽 2←陰 1」

就其剛柔成分之量化來看，底層為「陰 1⟷陽 2」，次層為「陰 2⟷陽 4」，上層為「陰 12⟷陽 6」，總結為「陰 15⟷陽 12」；換成百分比是「陰 56%、陽 44%」。此詞就這樣以「偏柔」（柔中寓剛）之風格包孕著「作者與村民喜樂」之主旨與其篇章結構，呈現了它「陰⟷陽」互動之篇章「0 一二多」雙螺旋邏輯系統。

其第二首為：

> 旋抹紅妝看使君，三三五五棘籬門。相排踏破蒨羅裙。　老幼扶攜收麥社，烏鳶翔舞賽神村。道逢醉叟臥黃昏。

此詞寫村途所見歡樂景觀，採「由先而後」（上層）的移位性「篇結構」包孕「先點後染」、「先底後圖」（次層）與「先因後果」（底層）的移位性「章結構」寫成。

法學》（臺北市：文津出版社，2007年12月），頁164-168。又指出：「嘗試對辭章作品進行定量分析，並用定性分析的結果來驗證其定量分析的結果的正確性。這是陳先生的又一大膽而空前的突破，對辭章章法學的發展，必將具有十分重要而特殊的意義。」見〈當代漢語辭章學的三個時期及其主要標誌〉上、下，《國文天地》20卷3、4期（2004年8、9月），頁99-104、102-109。

它先在上片，用「先點後染」（次層）的「章結構」，寫「賽神」前村婦為爭看「使君」（作者自稱）而擠在籬門、踏破羅裙的景象。後在下片，用「先底後圖」（次層）包孕「先因後果」（底層）的「章結構」，先以「老幼」二句，寫因收成而「賽神」之熱鬧景象（底）；後以結句，寫「賽神」後老叟醉臥道旁的景象（圖）。這些景象組合在一起，便洋溢著濃濃的泥土氣息。

附其邏輯結構系統表如下：

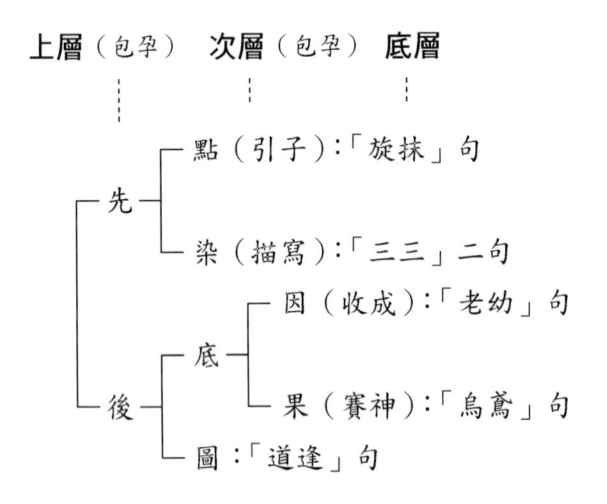

此詞篇章之「陰陽二元」互動，如依據其陰陽流動並量化它的剛柔成分，則其「0 一二多」雙螺旋邏輯系統，可簡單呈現如下圖：

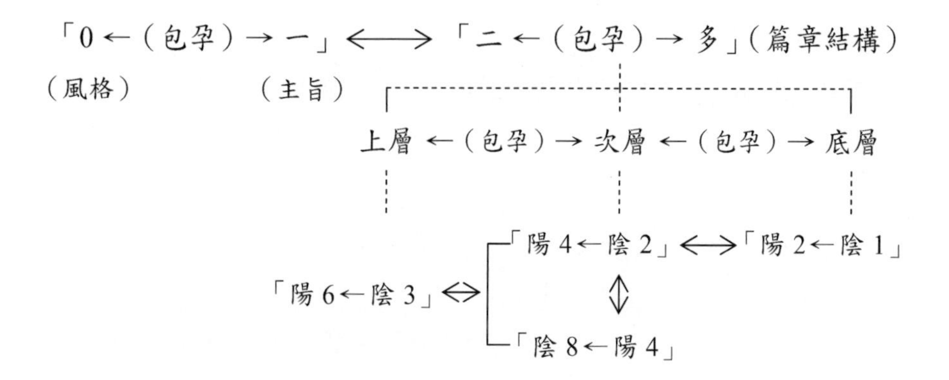

就其剛柔成分之量化來看，底層為「陰 1⟷陽 2」，次層為「陰 10⟷陽 8」，上層為「陰 3⟷陽 6」，總結為「陰 14⟷陽 16」；換成百分比是「陰 47%、陽 53%」。此詞就這樣以「剛柔互濟」之風格包孕著「以沿途所見之景襯出歡樂之情」主旨與其篇章結構，呈現了它「陰⟷陽」互動之篇章「0一二多」雙螺旋邏輯系統。

其第三首為：

> 麻葉層層𦸂葉光，誰家煮繭一村香。隔籬嬌語絡絲娘。　垂白杖藜擡醉眼，捋青擣麨輭飢腸。問言豆葉幾時黃。

此詞寫村民衣食無憂景象，採「並列（景一、景二）」（上層）的移位性「篇結構」包孕「先外後內」、「先實後虛」（次層）與「先嗅覺後聽覺」（底層）的移位性「章結構」寫成。

其上片用以寫「景一」，由村外（麻葉）寫到村內（煮繭），採知覺變換（視、嗅、聽）法寫村民「衣」無憂的情景。下片用以寫「景二」，由青麥寫到新豆，採時間的「先實後虛」（次層）寫村民「食」無憂的情景。就這樣，襯托出了作者之喜悅心情。

附其邏輯結構系統表如下：

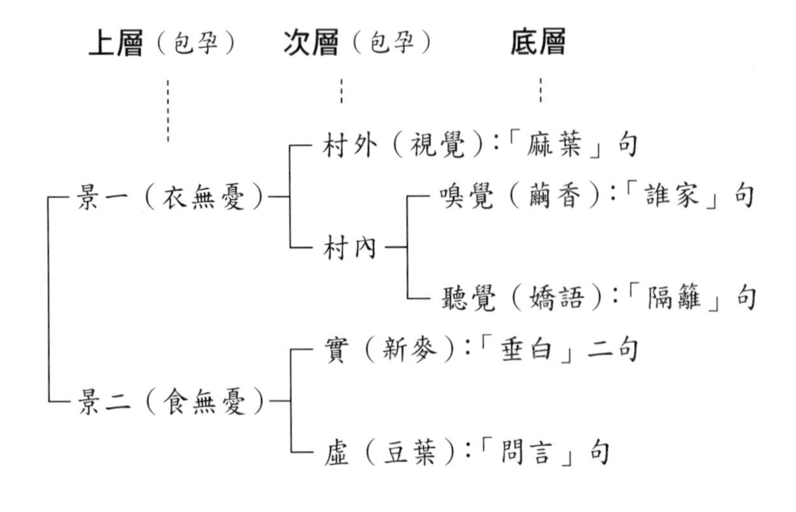

此詞篇章之「陰陽二元」互動，如依據其陰陽流動並量化它的剛柔成分，則其「0一二多」雙螺旋邏輯系統，可簡單呈現如下圖：

「0←（包孕）→一」⟷「二←（包孕）→多」（篇章結構）
（風格）　（主旨）
上層←（包孕）→次層←（包孕）→底層
「陰8←陽4」⟷「陽2←陰1」
「陽6←陰3」⟺
⇕
「陰8←陽4」

就其剛柔成分之量化來看，底層為「陰 1⟷陽 2」，次層為「陰16⟷陽 8」，上層為「陰 3⟷陽 6」，總結為「陰 20⟷陽 16」；換成百分比是「陰 56%、陽 44%」。此詞就這樣以「偏柔」（柔中寓剛）之風格包孕著「村民衣食無憂」之主旨與其篇章結構，呈現了它「陰⟷陽」互動之篇章「0一二多」雙螺旋邏輯系統。

其第四首為：

> 簌簌衣巾落棗花，村南村北響繅車。牛衣古柳賣黃瓜。　酒困路長惟欲睡，日高人渴漫思茶。敲門試問野人家。

此詞藉初夏在途中之所見（景）所為（事），寫作者的盎然情趣，採「先景後事」（上層）的移位性「篇結構」包孕「視、聽、視」、「先因後果」（次層）與「並列（一、二）」（底層）轉位性或移位性的「章結構」寫成。

它在上片寫「景」，先用視覺寫「棗花」之落，再用聽覺寫「繅車」之響，然後再用視覺寫「賣瓜」之老人；將衣食無憂之意隱藏在內，寫得極為清新而生動。到了下片，則用以敘「事」，敘自己由於「欲睡」（並列一：底層）、「思茶」（並列二：底層）而「試問人家」的情事，由此上徹，形成「先因後果」（次層）之「章結構」，將「自身內在的感受」與「野趣橫生的形象」[15] 描繪得淋漓盡致。

附其邏輯結構系統表如下：

---

15 朱靖華評析、葉嘉瑩主編：《蘇軾詞新釋輯評》（北京市：中國書店，2007年1月一版一刷），頁444。

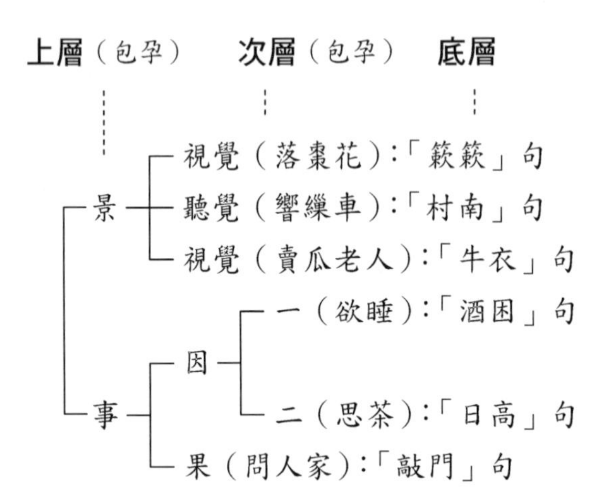

此詞篇章之「陰陽二元」互動，如依據其陰陽流動並量化它的剛柔成分，則其「0 一二多」雙螺旋邏輯系統，可簡單呈現如下圖：

「0 ←（包孕）→ 一」⟷「二 ←（包孕）→ 多」（篇章結構）
（風格）（主旨）
上層 ←（包孕）→ 次層 ←（包孕）→ 底層
「陽 16 ← 陰 8 ← 陽 4」
「陽 12 ← 陰 6」⟺
「陽 4 ← 陰 2」⟺「陽 2 ← 陰 1」

就其剛柔成分之量化來看，底層為「陰 1 ⟷ 陽 2」，次層為「陰 10 ⟷ 陽 24」，上層為「陰 12 ⟷ 陽 6」，總結為「陰 23 ⟷ 陽 32」；換成百分比是「陰 42%、陽 58%」。此詞就這樣以「偏剛」（剛中寓柔）之風格包孕著「作者初夏面對村景村事的盎然情趣」與其篇章結構，呈現了它「陰 ⟷ 陽」互動之篇章「0 一二多」雙螺旋邏輯系統。

其第五首為：

> 軟草平莎過雨新，輕沙走馬路無塵。何時收拾耦耕身。 日暖桑麻光似潑，風來蒿艾氣如薰。使君元是此中人。

這是這套組詞的最後一首，藉村道上雨後景物之美好，抒發喜悅之餘的隱退情思，採「實、虛、實」（上層）的轉位性「篇結構」包孕「先遠後近」、「先空後時」（次層）與「先視後嗅」（底層）的移位性「章結構」寫成。

它一開篇就由「實」空間切入，以「軟草」二句，特別著眼於「道旁」（遠）的莎草與道中的輕沙，寫走在「道上」（近）所見道旁雨後的清新景象，預為下句敘隱逸之思鋪路。接著由「實」轉「虛」，將時間推向未來，以「何時」句，即景抒情，抒發了隱退的強烈意願。繼而以「日暖」二句，又回到「實」空間，特別著眼於「桑麻」的光澤（視覺）與「蒿艾」的香氣（嗅覺），應起寫走在道上所見雨後的另一清新景象，以強化隱逸之思；最後以結句，主要著眼於「實」時間，寫此時所以會有強烈的隱退意願，是由於自己原本就來自於田野的緣故。

這樣用「實（空）、虛（時）、實（空、時）」（上層）的「篇結構」來組合材料，將隱逸之旨表達得極為明白。就在兩個「實」（空）的部分裡，則採「遠、近、遠」（次層）的「章結構」來呈現。先在上片，就「遠、近」，藉路中之所見（實），以引發感觸（虛）；在下片，就「遠」，藉路旁之所見（實），以引發感觸（虛）；使人強烈地感受到農村蓬勃之生氣，而作者因來自農村，歸隱田園的念頭也因而帶了出來。

附其邏輯結構系統表如下：

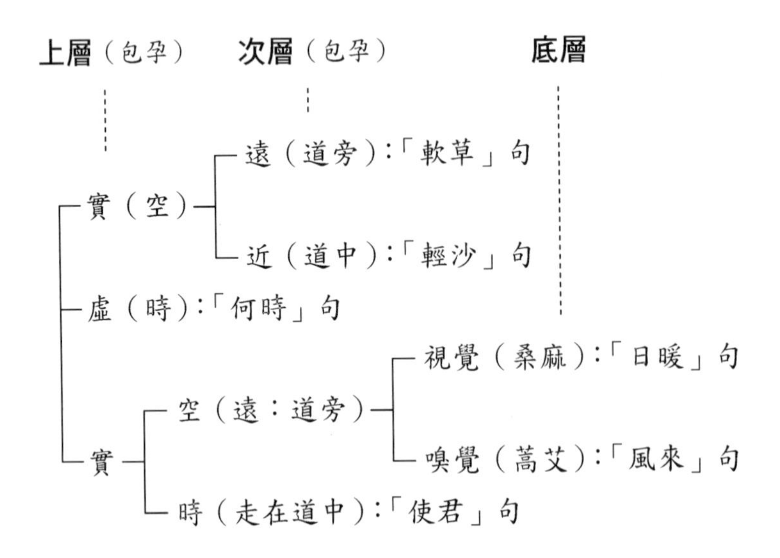

此詞篇章之「陰陽二元」互動，如依據其陰陽流動並量化它的剛柔成分，則其「0一二多」雙螺旋邏輯系統，可簡單呈現如下圖：

「0←（包孕）→一」⟷「二←（包孕）→多」（篇章結構）
（風格）　（主旨）
上層←（包孕）→次層←（包孕）→底層
「陽24←陰12←陽6」⟺「陰8←陽4」⇕「陰8←陽4」⟺「陰4←陽2」

就其剛柔成分之量化來看，底層為「陰 4⟷陽 2」，次層為「陰 16⟷陽 8」，上層為「陰 12⟷陽 30」，總結為「陰 32⟷陽 40」；換成百分比是「陰 44%、陽 56%」。此詞就這樣以「偏剛」（剛中寓柔）之風格包孕了「抒發喜悅之餘的隱退情思」的主旨與其篇章結構，呈現了它「陰 ⟷ 陽」互動之篇章「0 一二多」雙螺旋邏輯系統。

如將這一組詞視作完整之一篇，則無論寫景或敘事，都可聚焦於村民之「衣食無憂」加以統一，以寫村民喜樂與作者（使君）歡慰之情。其中第一首主要藉「采桑姑」以凸顯「衣無憂」，第二首主要藉「賽神」與「醉叟」以凸顯「食無憂」，第三首主要藉「麻葉」、「繭香」、「醉眼」、「豆葉」以凸顯「衣食皆無憂」，第四首主要藉「落棗花」、「響繅車」、「賣黃瓜」以凸顯「衣食皆無憂」，第五首主要藉「桑麻」、「氣如薰」呼應前四首以凸顯「衣食皆無憂」作結。據此，可用下圖表示其組詞之邏輯結構系統：

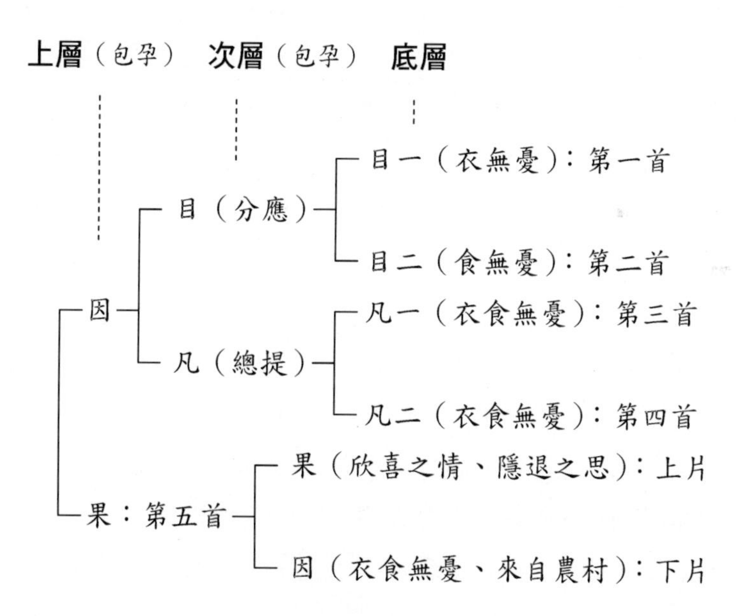

此一組詞（視為一首詞）篇章之「陰陽二元」互動，如依據其陰陽流動並量化它的剛柔成分，則其「0 一二多」雙螺旋邏輯系統，可簡單呈現如下圖：

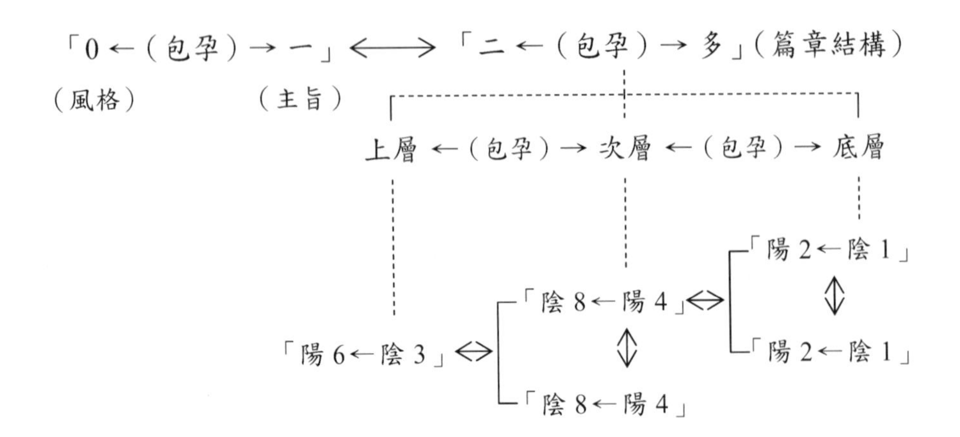

就其剛柔成分之量化來看，底層為「陰 2 ⟷ 陽 4」，次層為「陰 16 ⟷ 陽 8」，上層為「陰 3 ⟷ 陽 6」，總結為「陰 21 ⟷ 陽 18」；換成百分比是「陰 54%、陽 46%」。此一組詞就這樣以非常接近「剛柔互濟」之風格包孕了「農村生活的清新與喜樂」與其篇章結構，呈現了它「陰 ⟷ 陽」互動之篇章「0 一二多」雙螺旋邏輯系統。

統合起來看此一組詞，是在農村雨後清新、恬靜的初夏風光為背景下，抒寫作者與村民一起「賽神」、「謝雨」的熱鬧、喜樂情事，十分多樣化，是在詞壇上極少見到的。龍沐勛認為：「數闋寫農村生活，為詞壇別開生面。」[16] 而傅經順也讚美說：「這組詞文風樸實，格調清新，不取香豔字眼，不用華麗詞藻，不採生僻典故，以生動活潑的語言，爽朗明快的調子來歌詠農村新鮮淳樸、生機盎然的景象。這些藝術特色，對後來辛棄疾的農家詞，曾產生過重大影響。」[17] 可見蘇軾這幾首農家詞所受到的重視。它們寫的是同樣的主題，而所呈現之風格，雖然有的偏於「偏柔」（偏於樸實、清新），有的偏於「偏

16 龍沐勛：《東坡樂府講疏》卷一（臺北市：廣文書局，1972年9月初版），頁86。
17 傅經順：〈太守與民同樂圖〉，《閱讀和欣賞》，收入葉嘉瑩主編：《蘇軾詞新釋輯評》，頁437。

剛」（偏於活潑、爽朗明快、生機盎然），有的則是「剛柔互濟」，都有其特色，但如從整體來看，則像將組詞五首當一首作品來分析的結果一樣，可以說是「剛柔互濟」，而這種「剛柔互濟」之審美風貌，在美學中是受到極高之推崇的[18]。

（二）以「DNA」而言，是在一九五三年正式發現的。張夢然（2013）在〈DNA 雙螺旋結構發表 60 周年：一頁紙改變人類〉〈DNA 雙螺旋結構發表 60 周年：一頁紙改變人類〉一文中有如下附圖：

一頁紙改變人類的例子不多見。[19]

而王淑鶯（2013）在〈DNA 雙股螺旋結構——跨領域之美麗結晶〉一文中指出：

西元 20 世紀初期，當科學家們在爭論生命的遺傳本質（基

18 陳望衡：《中國古典美學史》，頁186-187。

19 《科技日報．2013年04月25日》，引自：http://news.sciencenet.cn/htmlnews/2013/4/277233.shtm。

> 因）是 DNA 或蛋白質時，也是量子力學大放光彩的年代。……1953 年 4 月 25 日，來自英國劍橋卡文迪西實驗室的華生（James Watson）和克里克（Francis Crick）共同在國際知名期刊《自然》發表了完整的 DNA 雙股螺旋結構模型。……多諾霍（J. Donohue）提出 A-T 和 G-C 配對是靠氫鍵維繫的。最重要也最具爭議的是，華生和克里克從魏爾金手上看見了由富蘭克林（Rosalind Franklin）所拍攝的一張極為清晰的 DNA X 光繞射圖，讓他們推論 DNA 是由兩條走向相反單鏈所組成的雙螺旋。而從化學的角度來看，為了能夠符合 A-T 和 G-C 的氫鍵鍵結，唯有鹼基朝內，醣－磷酸骨架在外，且兩條單鏈走向相反才能形成穩定的分子。綜合這些資料，華生和克里克構築完整的三維 DNA 分子模型並發表結果在期刊上，之後與魏爾金在 1962 年獲得諾貝爾生物醫學獎的榮耀，也成功引領生物學邁向更深入的分子生物學研究領域。[20]

可見 DNA 雙螺旋結構的發現及其普適性，是值得大家歌頌並重視的。

對此偉大發現，約翰．格里賓（John Gribbin）著、方玉珍等譯（2001）《雙螺旋探密——量子物理學與生命》也以為：

> 生命分子是雙螺旋這一發現為分子生物學揭開了新的一頁，而不是標誌著它的結束。但在我們以雙螺旋發現為基礎去進一步理解世界之前，如果能有實驗證明雙螺旋複製的本質，那麼關於雙螺旋的故事就會更加完美了。

---

20 王淑鶯：〈DNA雙股螺旋結構——跨領域之美麗結晶〉，《成大校刊》24期（2013年2月），頁48-49。

並附 DNA 分子的雙螺旋結構圖 [21]

其一、DNA 四鹼（碱）基雙雙配對圖：

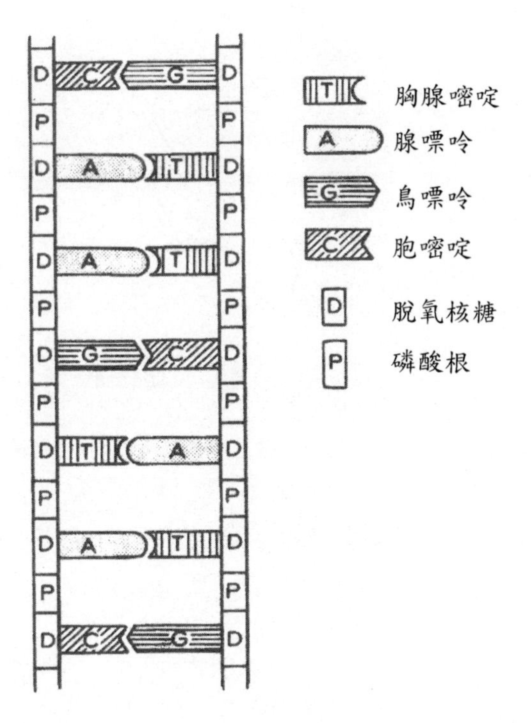

碱基之間的準確配對使兩條互補 DNA 鏈連接在一起，如該簡圖所示。因為 A 只與 T 配對，G 只與 C 配對，所以一條鏈上的碱基順序就決定了另外一條鏈上的碱基順序

21 約翰·格里賓著，方玉珍等譯：《雙螺旋探密——量子物理學與生命》（上海市：上海科技教育出版社，2001年7月版），頁221-225。

-和之間的氫鍵就像兩相插頭和三相插頭

其二、部分 DNA 雙螺旋近視圖：

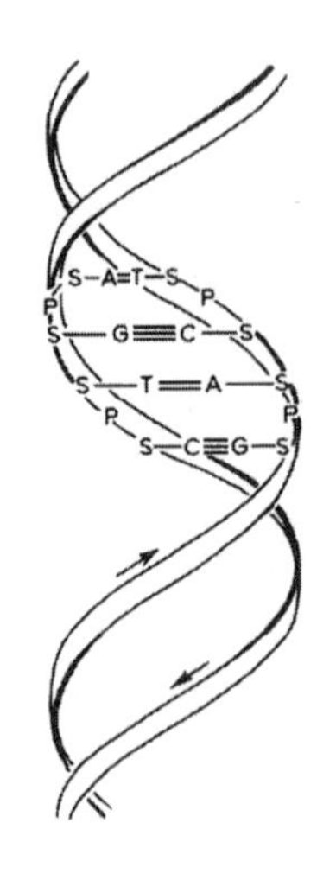

部分 DNA 雙螺旋近觀圖

其三、DNA「A ⟷ T」、「G ⟷ C」配對「氫鍵」圖：

腺嘌呤　　胸腺嘧啶

鳥嘌呤　　胞嘧啶

A-T 和 G-C 之間的氫鍵就像兩相插頭和三相插頭可以準確地插入不同的插座一樣。

對此，張大慶、韓啟德說明如下：

> DNA 雙螺旋結構的模型有 4 個重要特點：① DNA 分子是由兩條成對的鏈，以雙螺旋方式按一定空間距離相互平行盤繞；DNA 分子中的兩條相對的平行鏈從頭至尾都嚴格遵守鹼基配對原則。②兩條長鏈的方向是相反的。③腺嘌呤（A）與胸腺嘧啶（T）以兩個氫鍵聯結配對，胞嘧啶（C）與鳥嘌呤（G）以三個氫鍵聯結配對。比如，一條鏈上的鹼基排列順序是TCGACTGA，那麼，另一條鏈上的鹼基排列順序一定是AGCTGACT。這就意味著，DNA 中一條鏈的鹼基順序一旦確定，那麼另一條鏈的鹼基順序也就確定了。④ DNA 雙螺旋結構對鹼基順序不存在任何限制。[22]

依據以上三附圖並說明，試將鹼（碱）基雙雙配對 DNA，用梯形配合「（0）一二多」呈現，可形成下圖：

22 張大慶、韓啟德：〈超越雙螺旋——DNA對科學與社會文化的影響〉，北京大學《醫學與哲學》，2003年7月，頁1-6。

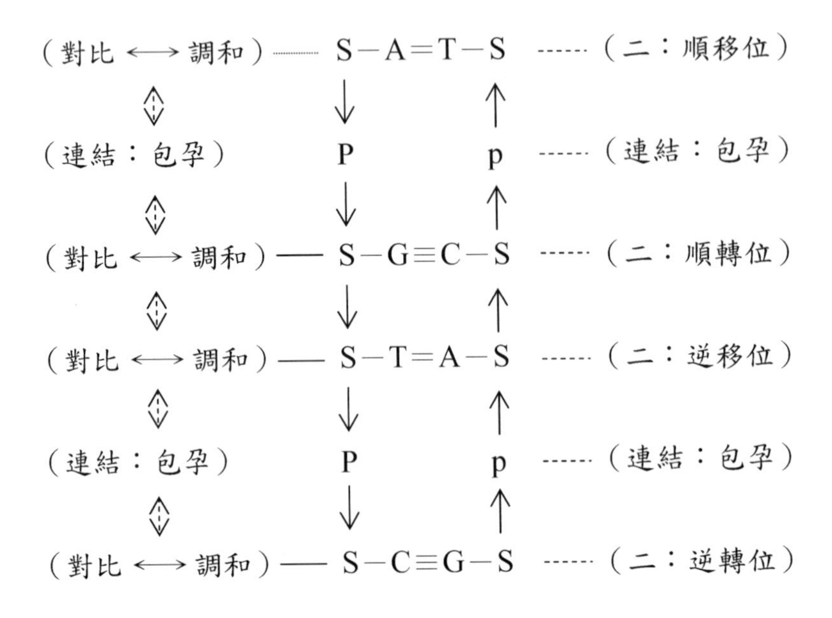

其中「A（Adenine：腺嘌呤）⟷ T（Thymine：胸腺嘧啶）」、「G（Guanine：鳥嘌呤）⟷ C（Cytosine：胞嘧啶）」為鹼基 4 密碼（雙雙形成「陰陽互動」)；「S」表示端點：「P」(磷酸根）表示連結（形成層次：涉及包孕與「對比 ⟷ 調和」)；「＝」表示兩組（對）＝＝「氫鍵」，力度較弱（涉及「移位」)、「≡」表示三組（對)「氫鍵」，力度較強（涉及「轉位」)。由此層層以「對比 ⟷ 調和」下徹、上徹並加以「包孕」(陰陽合、分）所形成部分「DNA」的「0 一二多」雙螺旋邏輯結構，如下簡表：

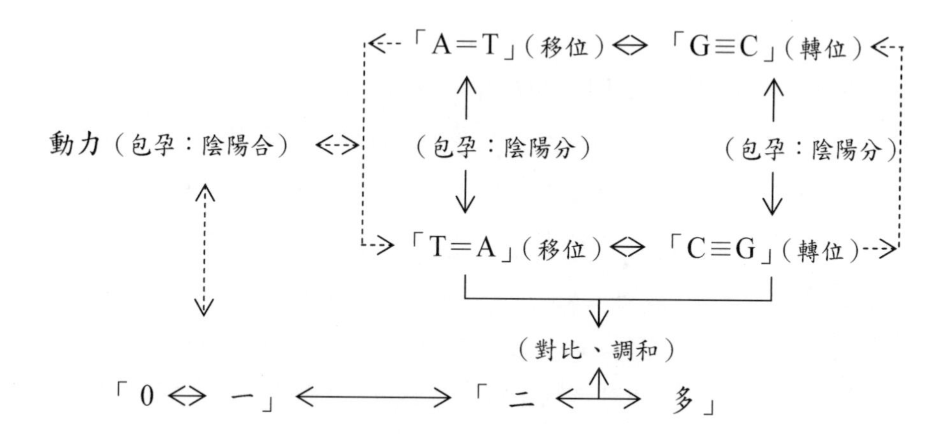

對這種「雙螺旋結構」，歐陽周、顧建華、宋凡聖（2001）編著的《美學新編》也從美學角度解釋說：

> 從微觀看，由於近代物理學與生物學、化學、數學、醫學等的相互交叉和滲透，對分子、原子和各種基本粒子的研究更加深入，並取得一系列的成果。……特別要指出的是，「DNA」分子的雙螺旋結構模式，體現了自然美的規律：兩條互補的細長的核苷酸鏈，彼此以一定的空間距離，在同一軸上互相盤旋起來，很像一個扭曲起來的梯子。由於每條核苷酸鏈的內側是扁平的盤狀鹼基，當兩個相連的互補鹼基 A 連著 P（應是 T），G 連著 C 時，宛若一級一級的梯子橫檔，排列整齊而美觀，十分奇妙。[23]

這樣，對應於「0 一二多」雙螺旋邏輯結構來看，所謂「兩條互補的細長的核苷酸鏈兩條互補的細長的核苷酸鏈……宛若一級一級的梯子

23 歐陽周、顧建華、宋凡聖編著：《美學新編》（杭州市：浙江大學出版社，2001年5月一版九刷），頁303。

橫檔」，該是由「二」（分陰分陽）產生作用的整個歷程與結果，而形成「多」；所謂「當兩個相連的互補碱基 A 連著 T，G 連著 C」，該是「二」（一陰一陽）；而「DNA」本身的質性與動力，則該為「陰陽不分」的「一 ⟷ 0」。至於所謂「兩條互補的細長的核苷酸鏈，彼此以一定的空間距離，在同一軸上互相盤旋起來」，該是一順一逆、一陰一陽的雙螺旋邏輯結構。如果這種解釋合理，那麼，從極「微觀」（小到最小）到極「宏觀」（大到最大），都可由一順一逆的「0 一二多」雙螺旋邏輯結構加以層層組織，形成「不同層次的大螺旋套小螺旋的衍生運動」[24]，以反映自然創生、轉化的運動規律[25]。

可見人文與科技雖然各自「求異」，而各有不同之內容，但所謂「萬變不離其宗」，在「求同」上，卻有「殊途同歸」的結果。如此，則「0 一二多」雙螺旋邏輯系統的「原始性」、「普遍性」與其中層層「陰陽包孕（含合、分）」的作用，就值得大家共同重視了。

結語

綜上所述，可知「陰陽包孕」，是可分「陰陽不分」與「分陰分陽」兩層的。以「陰陽不分」來看，指「無極、道（無）」、「太極、一（有之始）」的「0 一」初始階段；以「分陰分陽」而言，指「兩儀……、二……」之「二多」後續階段。由於它的作用，能通貫「0 一二多」，使得宇宙人生萬事萬物創生、轉化的運動，不斷產生「層次」，以形成其「以大包小」的層層「雙螺旋邏輯系統」；尤其它涉及

24 佚名：〈太極陰陽與螺旋運動〉，《華夏中醫網》，引自：http://www.epochtimes.com/b5/6/9/14/n1453677.htm。

25 陳滿銘：〈論螺旋邏輯學的創立——以哲學螺旋與科學螺旋為鍵軸探討其體系之建構〉。

《太極圖》，影響極為深遠，因此是必須給予應有的關注的。

而且這種系統，既然龐大到無所不在，當然可上徹至哲學尋出根源，也可下徹於科學各層面加以驗證。正因如此，本文在哲學層面，引用了《周易》與《老子》之相關論述加以探討，而在科學層面，也舉了「篇章」與「DNA」為實例進行驗證，呈現了兩相對應、貫通的「鍵軸」所在[26]，雖所謂「以個別表現一般，以單純表現豐富，以有限表現無限」[27]，但無論怎麼說，相關的研究還是有待大力地加強、擴展、充實，所以切盼有更多的學者，能從更多領域與角度參與研究，得出更多更好的成果，以充分凸顯「陰陽包孕」所產生之層次作用，在「0 一二多」雙螺旋邏輯系統中的關鍵地位，而普遍受到重視並予應用，以持續創造新知識。

---

26 陳滿銘：〈哲學螺旋與科學螺旋的對應、貫通——以「多二一（0）」與「DNA」雙螺旋結構為重心作探討〉，《南京曉庄學院學報》4期（2015年7月），頁19-22。

27 葉朗：《中國美學史大綱》（臺北市：滄浪出版社，1986年9月初版），頁26。

第五章
「意（陰）⟷象（陽）」雙螺旋互動

「意（陰）」與「象（陽）」兩者，能由互動而形成「一意多象」與「一象多意」之兩大類型。本章即著眼於此，不但探討相關理論，以見其哲學意涵或心理基礎；且突出「一意（陰）多象（陽）」與「一象（陽）多意（陰）」兩種類型為範圍，針對其辭章表現，依序舉「離別意象」與「梅花意象」為例，略作說明；並進而試以「虛實與映襯」、「多樣與統一」兩層面為之作美學詮釋，以見「意（陰）⟷象（陽）」雙螺旋互動之密切關係及其藝術效果。

所謂的「意象」，乃由「意（陰）」與「象（陽）」互動而形成。它有廣義與狹義之別，廣義者指全篇，屬於整體，可以析分為「意」與「象」；狹義者指個別，屬於局部，往往合「意（陰）」與「象（陽）」為一來稱呼。而整體是局部的總括、局部是整體的條分，所以兩者關係密切。不過，必須一提的是，狹義之「意象」，亦即個別之「意象」，雖往往合「意（陰）」與「象（陽）」為一來稱呼，卻大都用其偏義，譬如草木或桃花的意象，用的是偏於「意象」之「意（陰）」，因為草木或桃花都偏於「象（陽）」；如「桃花」的意象之一為愛情，而愛情是「意（陰）」；而團圓或流浪的意象，則用的是偏於「意象」之「象（陽）」，因為團圓或流浪，都偏於「意（陰）」；如「流浪」的意象之一為浮雲，而浮雲是「象（陽）」。因此前者往往是「一象（陽）⟷多意（陰）」，後者則為「一意（陰）⟷多象（陽）」。而它們無論是偏於「意（陰）」或偏於「象（陽）」，通常都通稱為「意象」[1]。本章即著眼於此，先探討這種「意（陰）」與「象（陽）」互動之相關理論，再以「一象（陽）⟷多意（陰）」與「一意（陰）⟷多象（陽）」兩種類型為範圍，依序舉「離別意象」與「梅花意象」為例，針對其辭章表現略作說明，然後試作美學詮釋，以見「意（陰）⟷象（陽）」雙螺旋互動之密切關係與藝術效果。

第一節　「意（陰）⟷象（陽）」雙螺旋互動之相關理論

茲分「意（陰）⟷象（陽）」與「多（陽）⟷一（陰）」兩層面加以探討：

1　陳滿銘：〈論章法結構與意象系統——以「多」、「二」、「一（0）」螺旋結構切入作考察〉，無錫《江南大學學報．人文社會科學版》4卷4期（2005年8月），頁70-77。

（一）「意（陰）⟷象（陽）」層面

「意象」乃合「意（陰）」與「象（陽）」而成。由於它有哲學層面之基礎，所以運用在辭章層面上便能切合無間。

從哲學層面來看，意、象與心、物之合一是有關的，但因它牽扯甚廣，而爭議也多，所以在此略而不論，只直接落到「意（陰）」與「象（陽）」來說。而論述「象」與「意」最精要的，要推《易傳》。其〈繫辭上〉云：

> 聖人有以見天下之賾，而擬諸其形容，象其物宜，是故謂之象。

而〈繫辭下〉又云：

> 《易》者，象也。象也者，像也。……是故吉凶生而悔吝著也。

對此，孔穎達在《周易正義》卷八中解釋道：

> 《易》卦者，寫萬物之形象，故《易》者，象也。象也者，像也，謂卦為萬物象者，法象萬物，猶若乾卦之象法像於天也。[2]

可見在此，「象」是指近取諸身、遠取諸物而得來的卦象，可藉以表示人事之吉凶悔吝。廣義地說，即藉具體形象來表達抽象事理，以達到象徵（或譬喻）的作用。因此陳望衡說：

> 《周易》的「觀物取象」以及「象者，像也」，其實並不通向

2　孔穎達：《周易正義》卷八（臺北市：廣文書局，1972年1月），頁77。

> 模仿，而是通向象徵。這一點，對中國藝術的品格影響是極為深遠的。[3]

而所謂「象徵」，就其表出而言，就是一種符號，所以馮友蘭說：

> 〈繫辭傳〉說：「易者，象也。」又說：「聖人有以見天下之賾，而擬諸其形容，象其物宜，是故謂之象。」照這個說法，「象」是模擬客觀事物的複雜（賾）情況的。又說「象也者，象此者也」；象就是客觀世界的形象。但是這個模擬和形象並不是如照相那樣下來，如畫像那樣畫下來，它是一種符號，以符號表示事物的「道」或「理」。六十四卦和三百八十四爻都是這樣的符號。[4]

所謂「以符號表示事物的『道』或『理』」，和葉朗在《中國美學史大綱》所說的：〈繫辭傳〉認為整個《易經》都是「象」，都是以形象來表明義理，[5] 其道理是相通的。

而在文學理論中最早以合成詞的方式標舉出「意象」這一藝術概念的，是劉勰《文心雕龍．神思》：

> 是以陶鈞文思，貴在虛靜，疏瀹五藏，澡雪精神；積學以儲寶，酌理以富才，研閱以窮照，馴致以繹辭；然後使玄解之

---

3 陳望衡：《中國古典美學史》（長沙市：湖南教育出版社，1998年8月一版一刷），頁202。

4 馮友蘭：《馮友蘭選集》上卷（北京市：北京大學出版社，2000年7月一版一刷），頁394。

5 葉朗：《中國美學史大綱》（臺北市：滄浪出版社，1986年9月），頁66。

> 宰，尋聲律而定墨；燭照之匠，窺意象而運斤。此蓋馭文之首術，謀篇之大端。[6]

在此，劉勰指出作家須使內心虛靜，才能醞釀文思、經營意象，而產生美感。張紅雨在《寫作美學》中說：

> 人們之所以有了美感，是因為情緒產生了波動。這種波動與事物的形態常常是統一起來的，美感總是附著在一定的事物上。[7]

他又進一步地指出：事物之所以可以成為激情物，是因為它觸動人們的美感情緒，而使美感情緒產生波動，所以我們對事物形態的摹擬，實際上是對美感情緒波動狀態的摹擬，是雕琢美感情緒的必要手段。因此，所謂靜態、動態的摹擬，也並不是對無生命的事物純粹作外形，或停留在事物動的表面現象上作摹狀，而是要挖掘出它更本質、更形象的內容，來寄託和流洩美感的波動。[8]

他所說的「情緒波動」，即主體之「意」；而「事物形態」之「更本質、更形象的內容」，則為客體之「象」。對這種意與象之關係，格式塔心理學家用「同形同構」或「異質同構」來解釋。他們認為：審美體驗就是對象的表現性及其力的結構（外在世界：象），與人的神經系統中相同的力的結構（內在世界：意）的同型契合。由於事物表現性的基礎在於力的結構，「所以一塊突兀的峭石、一株搖曳的垂柳、一抹燦爛的夕陽餘暉、一片飄零的落葉……都可以和人體具有同

---

6 劉勰著，黃叔琳注：《增訂文心雕龍校注》卷六（北京市：中華書局，2000年8月一版一刷），頁369。

7 張紅雨：《寫作美學》（高雄市：麗文文化出版社，1996年10月初版），頁311。

8 張紅雨：《寫作美學》，頁311-314。

樣的表現性，在藝術家的眼裡也都具有和人體同樣的表現價值，有時甚至比人體還更有用。」[9] 基於此，魯道夫・安海姆（Rudolf Amheim）提出了「藝術品的力的結構與人類情感的結構是同構」之論點，以為推動我們自己情感活動起來的力，與那些作用於整個宇宙的普遍性的力，實際上是同一種力。他說：「我們自己心中生起的諸力，只不過是在遍宇宙之內同樣活動的諸力之個人的例子罷了」[10] 也就是說：現實世界存在之本質乃一種力，它統合著客觀存在之「物理力」與主觀世界的「心理力」，在審美過程中，這種力使人類知覺扮演中介的角色，將作品中之「物理力」與人類情感的「心理力」因「同構」而結合為一。對此，李澤厚在〈審美與形式感〉一文中說：

> 不僅是物質材料（聲、色、形等等）與視聽感官的聯繫，而更重要的是它們與人的運動感官的聯繫。對象（客）與感受（主），物質世界和心靈世界實際都處在不斷的運動過程中，即使看來是靜的東西，其實也有動的因素……其中就有一種形式結構上巧妙的對應關係和感染作用……格式塔心理學家則把這種現象歸結為外在世界的力（物理）與內在世界的力（心理）在形式結構上的「同形同構」，或者說是「異質同構」，就是說質料雖異而形式結構相同，它們在大腦中所激起的電脈衝相同，所以才主客協調，物我同一，外在對象與內在情感合拍一致，從而在相映對的對稱、均衡、節奏、韻律、秩序、和

9 蔣孔陽、朱立元主編：《西洋美學通史》第六卷（上海市：上海文藝出版社，1999年11月第一版），頁714。

10 安海姆著，李長俊譯：《藝術與視知覺心理學》（臺北市：雄獅圖書公司，1982年9月再版），頁444。

> 諧……中，產生美感愉快。[11]

而歐陽周、顧建華、宋凡聖等在《美學新編》中也指出：

> 完形心理學美學依據「場」的概念去解釋「力」的樣式在審美知覺中的形成，並從中引申出了著名的「同形論」或稱為「異質同構」的理論。按照這種理論，他們認為外部事物、藝術樣式、人物的生理活動和心理活動，在結構形式方面，都是相同的，它們都是「力」的作用模式。在安海姆看來，自然物雖有不同的形狀，但都是「物理力作用之後留下的痕跡」。藝術作品雖有不同的形式，卻是運用內在力量對客觀現實進行再創造的過程。所以，「書法一般被看著是心理力的活的圖解」。總之，世界上的一切事物，其基本結構最後都可歸結為「力的圖式」。正是在這種「異質同構」的作用下，人們才在外部事物和藝術作品中，直接感受到某種「活力」、「生命」、「運動」和「動態平衡」等性質。……所以，事物的形體結構和運動本身就包含著情感的表現，具有審美的意義。[12]

他們用「同構」之作用，將「意（陰）⟷象（陽）」雙螺旋互動之所以形成、趨於統一，而產生美感的原因、過程與結果，都簡要地交代清楚了。

---

11 李澤厚：《李澤厚哲學美學文選》（臺北市：谷風出版社，1987年5月初版），頁503-504。

12 歐陽周、顧建華、宋凡聖等：《美學新編》（杭州市：浙江大學出版社，2001年5月一版九刷），頁253。安海姆之「同形論」或「同形說」，參見蔣孔陽、朱立元主編：《西方美學通史》第六卷，頁715-717。

(二)「多⟷一」層面

「多」與「一」互動的觀念，在中國起源甚早，但其形成是漸進的。而它的雛形，在《周易》與《老子》之前，見於古籍的雖多，如《尚書．洪範》的五行說「認知事物簡單的多樣性」和《管子．地水》「水作為世界多樣性統一」[13] 的說法就是；發展到了春秋時，史伯與晏嬰終於體認出「和」與「同」的兩個範疇。在具象之外，加入了抽象思維，提煉出「和」的觀點，「作為對事物的多樣性、多元性衝突融合的體認」[14]，即「多」(多樣)，而「同」，就是「一」(統一)；顯然所形成的是「多而一」的結構。

這種觀點影響極深遠，就先以《老子》而言，它是用「无、有、无」的結構[15] 來組織其思想的，而其思想又以「道」作為重心，來統合「有」與「无」。所謂「无」，即「道常无名、樸」(三十二章)之意，指無形無象；所謂「有」，是「樸散則為器」(二十八章)之意，指有形有象。他認為宇宙人生是由「樸」(无)而「散為器」(有)，又由「器」(有)而「復歸於樸」(无)的一個歷程。如單就其「由无而有」的這一面而言，則老子主要有如下之看法：

> 道可道，非常道；名可名，非常名。无，名天地之始；有，名萬物之母。(一章)

---

13 張立文：《中國哲學邏輯結構論》(北京市：中國社會科學出版社，2002年1月一版一刷)，頁110-114。

14 張立文：《中國哲學邏輯結構論》，頁22-23。

15 此即「(0)一、二、三(多)⟷三(多)、二、一(0)」的結構，如就「有」的部分而言，可造成「一、二、多」與「多、二、一」之循環，而成為螺旋結構。參見陳滿銘：〈論「多」、「二」、「一(0)」的螺旋結構──以《周易》與《老子》為考察重心〉，臺灣師大《師大學報．人文與社會類》48卷1期(2003年7月)，頁1-20。

> 道之為物，惟恍惟惚。惚兮恍兮，其中有象。恍兮惚兮，其中有物。窈兮冥兮，其中又精。其精甚真，其中有信。（二十一章）
> 有物混成，先天地生，寂兮寞兮，獨立不改，周行而不殆，可以為天下母，吾不知其名，字之曰道，強為之名曰大。大曰逝，逝曰遠，遠曰反。（二十五章）
> 大道氾兮，其可左右，萬物恃之而生而不辭，功成不名有，衣養萬物而不為主。（三十四章）
> 道常无為，而无不為。（三十七章）
> 天地萬物生於有，有生於无。（四十章）
> 道生一，一生二，二生三，三生萬物。萬物負陰而抱陽，沖氣以為和。（四十二章）

從上引各章裡，不難看出老子這種由「无（無）」而「有」的主張。所謂「道可道非常道」、「道之為物，惟恍惟惚」、「道生一，一生二，二生三，三生萬物」、「有生於无」、「有物混成，先天地生，……可以為天下母」等，都是就「由无（無）而有」的順向過程來說的。而這個「道」，乃「創生宇宙萬物的一種基本動力」，如就本末整體而言，是「无」（無）與「有」的統一體；如單就「本」（根源）而言，則因為它「不可得聞見」（《韓非子・解老》），「所以老子用一個『無（无）』字來作為他所說的「道」的特性」[16]。而「由无（無）而有」，所說的就是「由一而多」之宇宙萬物創生的過程，所以宗白華說：

> 道的作用是自然的動力、母力，非人為的，非有目的及意志

16 徐復觀：《中國人性論史・先秦篇》（臺北市：臺灣商務印書館，1978年10月四版），頁329。

> 的。「萬物生於有，有生於无」這個素樸混沌一團的道體，運轉不已，化分而成萬有。故曰：「大道氾兮，其可左右。」（三十四章）「周行而不殆。」（二十五章）「反者道之動。」（四十章）「樸，則散為器。聖人用之，則為官長。」（廿八章）道體化分而成萬有的過程是由一而多，由无形而有形。[17]

而徐復觀也說：

> 宇宙萬物創生的過程，乃表明道由無形無質以落向有形有質的過程。但道是全，是一。道的創生，應當是由全而分，由一而多的過程。[18]

可見宇宙萬物之創生，是可用這種「一而多」的邏輯結構加以概括的。而這種「一而多」的邏輯結構，在《易傳》裡也可以找到，它主要見於〈彖傳〉與〈繫辭傳〉：

> 大哉乾元，萬物資始，乃統天。雲行雨施，品物流行。大明終始，六位時成，時乘六龍以御天。乾道變化，各正性命。保合大和，乃利貞。首出庶物，萬國咸寧。（〈乾彖〉）
> 至哉坤元，萬物資生，乃順承天。坤厚載物，德合无疆。含弘光大，品物咸亨。牝馬地類，行地无疆，柔順利貞，君子攸行。先迷失道，後順得常。西南得朋，乃與類行。東北喪朋，乃終有慶。安貞之吉，應地无疆。（〈坤彖〉）

---

17 林同華主編：《宗白華全集》2（合肥市：安徽教育出版社，1996年9月一版二刷），頁810。

18 徐復觀：《中國人性論史・先秦篇》，頁337。

乾知大始，坤作成物。（〈繫辭上〉）

一陰一陽之謂道，繼之者善也，成之者性也。……生生之謂易，成象之謂乾，效法之謂坤。（同上）

是故易有太極，是生兩儀，兩儀生四象，四象生八卦。（同上）

乾坤其易之縕邪！乾坤成列而易立其中矣。（同上）

天地絪縕，萬物化醇；男女構精，萬物化生。（〈繫辭下〉）

乾坤其易之門邪！乾，陽物也；坤，陰物也。（同上）

先看〈彖傳〉，據知萬物之所以生、所以成的首要依據，有兩種：即乾元與坤元。由於「元」乃「氣之始」[19]，因此對應於「乾，陽物也；坤，陰物也」的說法，可知「乾元」，指陽氣之始，是「一種剛健的創生功能」；「坤元」，指陰氣之始，為「一種柔順的含容功能」，而萬物就在這兩種功能之作用下生成、變化[20]。如此先由「乾元」創生，再由「坤元」含容，萬物就不斷地盡其本性而實現、完成自我，以趨於和諧之境界，所呈現的就是「一（元）、二（乾、坤）、多（萬物）」的過程。

再看〈繫辭傳〉，所謂「乾知大始，坤作成物」、「天地絪縕，萬物化醇」、「生生之謂易，成象之謂乾，效法之謂坤」與「繼之者善也，成之者性也」等，與〈彖傳〉之說是明顯相呼應的。而值得格外注意的是，「一陰一陽之謂道」、「生生之謂易」、「是故易有太極，是生兩儀，兩儀生四象，四象生八卦」、「乾坤其易之縕也」、「乾坤其易之門也」等這些話。在這些話裡，《易傳》的作者用「易」、「道」或「太極」來統括「陰」（坤）與「陽」（乾），作為萬物生生不已的根

19 李鼎祚：《周易集解》卷一（臺北市：世界書局，1963年5月初版），頁4。

20 戴璉璋：《易傳之形成及其思想》（臺北市：文津出版社，1989年6月臺灣初版），頁93。

源。而此根源，就其「生生」這一含意來說，即「易」，所以說「生生之謂易」；就其「初始」這一象數而言，是「太極」，所以《說文解字》於「一」篆下說「惟初太極，道立於一，造分天地，化成萬物」[21]；就其「陰陽」這一原理來說，就是「道」，所以說「一陰一陽之謂道」。分開來說是如此，若合起來看，則三者可融而為一。關於此點，馮友蘭分「宇宙」與「象數」加以說明云：

> 《易傳》中講的話有兩套：一套是講宇宙及其中的具體事物，另一套是講易》自身的抽象的象數系統。〈繫辭傳・上〉說：「易有太極，是生兩儀，兩儀生四象，四象生八卦。」這個說法後來雖然成為新儒家的形上學、宇宙論的基礎，然而它說的並不是實際宇宙，而是《易》象的系統。可是照《易傳》的說法：「易與天地準」(同上)，這些象和公式在宇宙中都有其準確的對應物。所以這兩套講法實際上可以互換。「一陰一陽之謂道」這句話固然是講的宇宙，可是它可以與「易有太極，是生兩儀」這句話互換。「道」等於「太極」，「陰」、「陽」相當於「兩儀」。《繫辭傳・下》說：「天地之大德曰生。」《繫辭傳・上》說：「生生之謂易。」這又是兩套說法。前者指宇宙，後者指易。可是兩者又是同時可以互換的。[22]

他從實（宇宙）虛（象數）之對應來解釋，很能凸顯《周易》這本書

---

21 黃慶萱：「太極，是原始，也是無窮。從數方面來講，原始的數是一，所以《說文解字》於「一」篆下云：『惟初太極，道立於一，造分天地，化成萬物。』可見太極既為初為一；及其化成萬物，又可至於無窮。」見《周易縱橫談》(臺北市：東大圖書公司，1995年3月初版)，頁33-34。

22 馮友蘭：《馮友蘭選集》上卷，頁286。

的特色。這樣，其歷程就可用「一、二、多」的結構來呈現，其中「一」指「太極」、「道」、「易」，「二」指「陰陽」、「乾坤」（天地），「多」指「萬物」；這和〈彖傳〉之說，是互相疊合的。這種結構如果隱去其中之「二」，就是「一而多」，與《老子》之說是可互相對應的[23]。

如此「多（陽）」與「一（陰）」彼此互動所形成之螺旋結構，恰恰可以解釋「意（陰）與「象」（陽）雙螺旋互動之作用，而「一意（陰）多象（陽）」與「象（陽）多意（陰）」之理論基礎也就建立在這裡。

第二節　「意（陰）⟷象（陽）」雙螺旋互動的辭章表現

大體而論，辭章內容的主要成分，不外情、理與事、物（景）。其中情與理為「意（陰）」，屬核心成分；事與物（景）乃「象（陽）」，為外圍成分。而此情、理與事、物（景）之辭章內容成分，就其情、理而言，是「意（陰）」；就其事、物（景）而言，是「象（陽）」。它們的關係可藉王國維「一切景語皆情語」[24]一語加以擴充，那就是：

---

23 《老子》對宇宙萬物創生之過程，完整地說，呈現的是「（0）一、二、多」的邏輯結構，在此只聚焦於其中「一、多」加以說明而已。參見陳滿銘：〈論「多」、「二」、「一（0）」的螺旋結構——以《周易》與《老子》為考察重心〉。

24 王國維：《人間詞話刪稿》，《詞話叢編》五（臺北市：新文豐出版公司，1988年2月臺一版），頁4257。

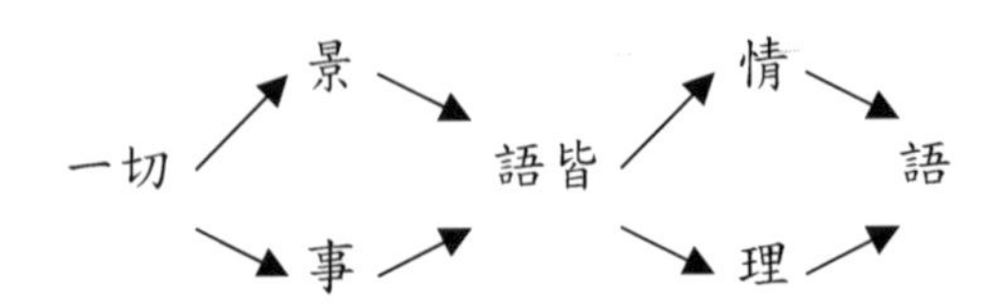

也就是說，作者用「景」(物)、「事」──「象（陽）」來寫，是手段，而藉以充分凸顯「情」與「理」──「意（陰)」，才是目的[25]。可見「意（陰）」與「象（陽）」雖然「異質」，可經由「同構」而產生雙螺旋互動，但無論所形成的是「一意（陰）多象（陽）」還是還是「一象（陽）多意（陰)」，都一樣以「意（陰）」為「主」、「象（陽)」為「從」。茲就「一意（陰）多象（陽）」與「一象（陽）多意（陰)」分舉例說明如下：

（一）「一意（陰）多象（陽）」

由「一意（陰）多象（陽）」所形成的辭章之「意（陰）」有多種，諸凡發生在天地宇宙之間的事物都可以引起人的理性與感性之反應，形成「理」或「情」──「意（陰)」，如取捨、公私、出入、聚散、得失、送往、迎來、仕隱、成敗、弔古、傷今、閒居、出遊、感時、雪恥、修身、齊家、治國、平天下，甚至孝、悌、敬、信、慈……等就是。作者從中提煉出某種主題（「理」或「情」──「意（陰)」）以確立一篇主旨，即可選擇材料（「景」〔物〕、「事」──「象（陽)」），進行實際之寫作。因囿於篇幅，在此特別鎖定「離別」意象，分「個別」與「整篇」，舉例說明，以見一斑。

首先從個別來看，與離別之「意（陰）」可以與之形成「同構」

---

25 陳滿銘：《文章結構分析──以中學國文課文為例》（臺北市：萬卷樓圖書公司，1999年5月初版），頁331。

的「象（陽）」者，有很多種，常見者為柳（楊花、柳絮、堤柳）、水（綠水、春水、江水）、草（春草、碧草、芳草、衰草）、花（桃花、梅花、落花）、鳥（黃鸝、子規、鷓鴣、燕、雁）、月（明月、鉤月、簾月）、雲（浮雲、雲霞、片雲）、黃昏（夕陽、日暮、落日）、秋（秋空、秋色、秋風）、酒（沉醉、酒醒、樽前、一杯酒）與離別之地（長亭、謝亭、勞勞亭、灞陵亭、南浦）……等，不一而足。茲概述如下：

以「柳」為例，它主要源於《詩經・采薇》：「昔我往矣，楊柳依依」的詩句與漢代長安灞橋折柳贈別的習俗；而「柳」、「留」又諧音；所以「柳（象：陽）」與「離情（意：陰）」就形成「同構」了[26]。如鄭谷有〈淮上與友人別〉詩云：

揚子江頭楊柳春，楊花愁煞渡江人。

又如柳永有詠「秋別」的〈雨霖鈴〉詞云：

今宵酒醒何處？楊柳岸曉風殘月。

以「水」為例，它主要是靠其「綿延不斷」與「不可復返」之視覺印象（象：陽），而與「離情」（意：陰）形成「同構」的[27]。如李白〈渡荊門送別〉詩云：

---

26 閃名琴：〈淺論中國古代詩詞中的柳意象〉，安陽《安陽師範學院學報》2006年4期，頁70-71。

27 王立：《心靈的圖景——文學意象的主題研究》（上海市：學林出版社，1992年2月一版一刷），頁199-200。

仍憐故鄉水，萬里送行舟。

又如溫庭筠寫「懷人」之情的〈夢江南〉詞云：

過盡千帆皆不是，斜暉脈脈水悠悠。

以「草」為例，它主要源於《楚辭・招隱士》：「王孫游兮不歸，春草生兮萋萋」的句子，使「草」（象：陽）與「離情」（意：陰）形成「構」而連繫在一起。如白居易〈賦得古原草送別〉詩云：

遠芳侵古道，晴翠接荒城。又送王孫去，萋萋滿別情。

又如李煜〈清平樂〉詞云：

離恨恰如春草，更行更遠還生。

以「花」為例，它主要由於其易衰易落（象：陽）往往會引生人「聚散匆匆」、「好景不常」的感觸（意：陰），因此形成了「構」而連繫在一起。如李商隱〈落花〉詩云：

高閣客竟去，小園花亂飛。

又如李清照〈一剪梅〉詞云：

花自飄零水自流，一種相思，兩處閑愁。

以「鳥」為例，它主要是藉著「自由」、回歸」之原型（象：陽），而與「離別之情」、「流浪之感」（意：陰）形成「同構」的[28]。如杜甫〈春望〉詩云：

感時花濺淚，恨別鳥驚心。

又如李白〈菩薩蠻〉詞云：

玉階空佇立，宿鳥歸飛急。何處是歸程，長亭連短亭。

以「月」為例，它主要是以其「柔和溫馨的審美特徵」、「超越空間的感情慰藉」、「圓缺變化的心理期待」與「離情」產生「同構」的[29]。如李白〈靜夜思〉詩云：

舉頭望明月，低頭思故鄉。

又如牛希濟〈生查子〉詞云：

殘月臉邊明，別淚臨清曉。

經由上述，已足以見出「一意（陰）多象（陽）」之普遍性。

其次從整篇來看，一篇作品往往有著「一意（陰）多象（陽）」

---

28 劉向斌、屈紅香：〈古代詩賦飛鳥意象探源〉，榆林《榆林學院學報》14卷2期（2004年6月），頁77-82。

29 莊超穎：〈古代離別詩中月亮意象的社會心理內涵〉，福州《福州大學學報．哲學社會科學版》，2003年2期，頁74-77。

的表現。如杜審言〈和晉陵陸丞早春游望〉詩：

> 獨有宦遊人，偏驚物候新。雲霞出海曙，海柳渡江春。淑氣催黃鳥，晴光轉綠蘋。忽聞歌古調，歸思欲霑巾。

此詩採「先凡（總括）後目（條分）」的篇結構寫成，「凡（總括）」的部分為起聯，首句為引子，用以帶出次句，分「偏驚」（特別地會觸動情思）與「物候新」兩軌來統攝屬「目」的三聯。其中「偏驚」統括尾聯，「物候新」統括頷、頸兩聯。而頷、頸兩聯是用以具寫春來「物候新」之景（陽）的。作者在此，依次以「雲霞」、「梅柳」、「黃鳥」、「蘋」等寫「物」，以「曙」、「春」、「淑氣」、「晴光」等寫「候」，以「出海」、「渡江」、「催」、「轉綠」等寫「新」，使「物候新」由抽象化為具體，產生更大的觸發力，以加強尾聯「歸思」（即歸恨，意：陰）這種一篇主旨的感染力量。這首詩能產生強烈的感染力量，深究起來，與所選取的「物」，即「景」（象：陽）實有極為密切的關係，因為「雲霞」、「梅柳」、「黃鳥」和「蘋」，都和作者所要抒發的「歸恨（離情）」（意：陰）有關：

首以「雲霞」來說，由於它們經常是飄浮空中、動止不定的，所以辭章家便在「動止不定」之「同構」下，常用「雲」或「霞」來象徵遊子、行客（），以襯寫「離情」（意：陰）。用「雲」的，如杜甫〈夢李白〉詩說：

> 浮雲終日行，遊子久不至。

又如韋應物〈淮上喜會梁州故人〉詩說：

浮雲一別後，流水十年間。

用「霞」的，如賀知章〈綠潭〉篇說：

綠水殘霞催席散，畫樓明月待人歸。

又如錢起〈送屈突司馬充安西書記〉詩說：

海月低雲旆，江霞入錦車。

次以「梅柳」來說，其中「柳」，已見上述，十分常見。而「梅」（象：陽）則由於南北朝時范曄與陸凱的故事，也和「離情（意：陰）」結了「同構」之緣。據《荊州記》的記載，陸凱在江南，有一次遇到來自京師的信差，便折下一株梅花托他帶給在長安的范曄，並贈詩說：

折梅逢驛使，寄與隴頭人。江南無所有，聊贈一枝春。[30]

從此，「梅（象：陽）」便被辭章家用來寫相思之情（意：陰），如宋之問〈題大庾嶺北驛〉詩說：

明朝望鄉處，應見隴頭梅。

---

30 王慧：〈零落成泥碾作塵，只有香如故——宋代詩詞中的梅花意象解讀〉，開封《開封教育學院學報》26卷2期（2006年6月），頁12-14。

又如韓偓〈亂後春日途經野塘〉詩說：

> 世亂他鄉見落梅，野塘晴暖獨徘徊。

此類例子，真是俯拾皆是。

再以「黃鳥」來說，誰都曉得與金昌緒的〈春怨〉詩有關，這首詩是這樣寫的：

> 打起黃鶯兒，莫叫枝上啼。啼時驚妾夢，不得到遼西。

有了這首詩作「同構」之媒介，黃鶯（即黃鳥）和牠的啼聲（象：陽）便全蘊含著「離情」（意：陰）了。如高適〈送前衛縣李寀縣尉〉詩說：

> 黃鳥翩翩楊柳垂，春風送客使人悲。

又如白居易〈三月二十八日贈周判官〉詩說：

> 柳絮送人鶯勸酒，去年今日別東都。

所謂的「黃鳥翩翩」、「鶯勸酒」（象：陽），不是將離情（意：陰）更推深了一層嗎？

末以「蘋」來說，它本是水生蕨類植物的一種，夏秋之間有花，色白，故又稱「白蘋」。由於俗以為是萍的一種，即大萍，所以和萍一樣，也常被用以喻指飄泊（象：陽），形成「同構」，以抒寫「離情」（意：陰）。如劉長卿〈餞別王十一南遊〉詩說：

誰見汀洲上，相思愁白蘋。

又張籍〈湘江曲〉說：

送人發，送人歸，白蘋茫茫鷓鴣飛。

這裡所謂的「白蘋」（象：陽），無疑地是特別用以寫「離情」（意：陰）的。

由此看來，杜審言在諸多初春景物中所以選「雲、霞」、「梅、柳」、「黃鳥」與「蘋」等，是有意藉著「同構」之作用，用這些「象（陽）」以襯托「意（陰）——離情（歸思）」的，這樣「非常緜密」[31] 地用「一意（陰）多象（陽）」來經營，自然就增強了它的感染力了。

（二）一象（陽）多意（陰）

可取為辭章之「象」，包羅甚廣，凡是存於天地宇宙之間的實物或東西都包含在內。以較大的物類而言，如天（空）、地、人、日、月、星、山（陸）、水（川、江、河）、雲、風、雨、雷、電、煙、嵐、花、草、竹、木（樹）、泉、石、鳥、獸、蟲、魚、室、亭、珠、玉、朝、夕、晝、夜、酒、餚……等就是；以個別的對象而言，如桃、杏、梅、柳、菊、蘭、蓮、茶、麥、梨、棗、鶴、雁、鶯、鷗、鷺、鶗鴂、鷓鴣、杜鵑、蟬、蛙、鱸、蚊、蟻、馬、猿、笛、笙、琴、瑟、琵琶、船、旗、轎……等就是。這些所形成的「象

31 喻守真：《唐詩三百首詳析》（臺北市：臺灣中華書局，1996年4月臺二三版五刷），頁132。

（陽）」，藉由「同構」作用，與「意（陰）」連結，便可進行實際之寫作。因限於篇幅，在此特別鎖定「梅花」意象，分「個別」與「整篇」，舉例說明，以見其梗概。

首先從個別來看，梅花是中國的傳統名花，由於它與霜雪相伴、苦寒為友，具凌霜傲雪、堅貞不屈之風骨，因此以其「自然特質」而言，便經由「同構」作媒介，而有玉潔冰清、淡泊閑雅、幽獨孤傲、堅毅頑強的意象；又由於南朝宋人陸凱作〈贈范曄〉詩云：「折梅逢驛使，寄與隴頭人；江南無所有，聊贈一枝春」，將友情（意：陰）與梅花（象：陽）產生「同構」連結在一起，從此「梅花」有了「文化積澱」，而與離別之情（友情、鄉情、親情、男女之情）結了不解之緣。茲從中抽出幾種意象，概述如下：

以「堅貞」（意：陰）為例，它主要藉由梅花堅忍、貞潔之「自然特質」（象：陽）而形成「同構」的。如王安石〈梅花〉詩云：

> 牆角樹枝梅，凌寒獨自開。遙知不是雪，為有暗香來。

在此「梅」是作者「堅貞」人格之化身。又如陸游題作「詠梅」之〈卜算子〉詞云：

> 驛外斷橋邊，寂寞開無主。已是黃昏獨自愁，更著風和雨。
> 無意苦爭春，一任群芳妒。零落成泥碾作塵，只有香如故。

這又何嘗不象徵著作者的人格呢？

以「清雅」（意：陰）為例，它主要由其「清高閑雅」之「自然特質」（象：陽）而形成「同構」的。如盧梅坡〈雪梅〉詩云：

> 有梅無雪不精神，有雪無梅俗了人。日暮詩成天又雪，與梅并作十分春。

意境十分清雅。又如李清照詠「梅」之〈漁家傲〉詞云：

> 雪裡已知春信至，寒梅點綴瓊枝膩。香臉半開嬌旖旎，當庭際、玉人浴出妝洗。

這樣以「梅」比作「清雅」之美人，將作者「清高閑雅」之意趣傾注其中。

以「隱逸」（意：陰）為例，它主要由其「幽獨孤傲」、「遺世獨立」之「自然特質」（象：陽）而形成「同構」的。如張道洽〈瓶梅〉詩云：

> 寒水一瓶春數枝，清香不減小溪時。橫斜竹底無人識，莫與微雲淡月知。

很清晰地傳遞出一種「隱逸」精神。又如鄭域詠「梅」之〈昭君怨〉詞云：

> 冷落竹籬茅舍，富貴玉堂瓊樹。兩地不同栽，一般開。

簡單幾句就道出了梅花「清靜自守、傲視富貴」的性格。

以「離思」（意：陰）為例，它主要由陸凱「折梅贈范曄」以表「離情」（象：陽）之典故，形成「文化積澱」而產生「同構」的[32]。

---

32 王慧：〈零落成泥碾作塵，只有香如故——宋代詩詞中的梅花意象解讀〉。

如陸游〈客舍對梅〉詩云：

> 還憐客路龍山下，未折一枝先斷腸。

這表達了思鄉之苦。又如歐陽脩〈踏莎行〉詞云：

> 候館梅殘，溪橋柳細。草薰風暖搖征轡。離愁漸遠漸無窮，迢迢不斷如春水。

依序以「梅」、「柳」、「草」、「水」（象：陽）來寫「離愁」（意：陰），「離愁」自然綿連不斷。

經由上述，已可看出「一象（陽）多意（陰）」之梗概。

其次從整篇來看，一篇作品雖以「一意（陰）多象（陽）」為常態，但詠物之作，卻往往涉及主旨之顯與隱，而形成「一象（陽）多意（陰）」的現象。如姜夔的〈暗香〉、〈疏影〉詞：

> 舊時月色。算幾番照我，梅邊吹笛。喚起玉人，不管清寒與攀摘。何遜而今漸老，都忘卻、春風詞筆。但怪得、竹外疏花，香冷入瑤席。　江國、正寂寂。歎寄與路遙，夜雪初積。翠尊易泣，紅萼無言耿相憶。長記曾攜手處，千樹壓、西湖寒碧。又片片、吹盡也，幾時見得。（〈暗香〉）

> 苔枝綴玉。有翠禽小小，枝上同宿。客裡相逢，籬角黃昏，無言自倚修竹。昭君不慣胡沙遠，但暗憶、江南江北。想佩環、月夜歸來，化作此花幽獨。　猶記深宮舊事，那人正睡裡，

飛近蛾綠。莫似春風，不管盈盈，早與安排金屋。還教一片隨波去，又卻怨、玉龍哀曲。等恁時、重覓幽香，已入小窗橫幅。(〈疏影〉)

這兩首詞作於光宗紹熙二年（1991），有題序云：「辛亥之冬，余載雪詣石湖。止既月，授簡索句，且徵新聲，作此兩曲。石湖把玩不已。使二妓肄習之，音節諧婉，乃曰〈暗香〉、〈疏影〉。」皆用於詠梅花，由其題序看來，這兩首詞「不妨稱之為『連環體』，兩環相連，似合似分，以其合者觀之為一，以其分者觀之為二」[33]。

上一闋詞是詠紅梅之作。起首五句，初就梅花之盛（陽），寫當年梅邊吹笛、喚人攀摘的雅事。「何遜」四句，再就梅花之衰（陰），寫如今人老花盡、無笛無詩的境況。「江國」六句，承「何遜」四句，仍就梅花之衰（陰），反用陸凱贈范曄（折梅逢驛使，寄與隴頭人；江南無所有，聊贈一枝春）的詩意，寫路遙雪深、無從寄梅的惆悵。「長記」兩句，承篇首五句，又就梅花之盛（陽），藉當年攜遊西湖孤山所見梅紅與水碧相映成趣的景致，以抒發無限懷舊之情。結尾兩句，末就梅花之衰（陰），寫梅花落盡、舊歡難再的悲哀，回應「何遜」十句作結。

作者這樣以「一盛（陽）一衰（陰）」、「一昔（陰）一今（陽）」作成強烈對比，以形成「同構」加以敘寫，將自己滿懷的今昔之感、懷舊之情，表達得極為宛轉回環，有著無盡的韻味。潘善祺以為此詞「雖為憶友，然贈梅、觀梅、落梅，始終貫穿全詞，環繞本題」，並說：「此詞由昔而今，又由今而昔，憶盛嘆衰，樂聚哀散。回環往

33 王雙啟評析，見唐圭璋、繆鉞、葉嘉瑩等：《唐宋詞鑑賞辭典》下（上海市：上海辭書出版社，1999年1月一版十五刷），頁1754。

復，如蛟龍盤舞，曲盡情意，確是大家手筆。」[34] 幾句話就指出了本詞的特色與成就。

下一闋詞為詠白梅之作。起首三句，以小小的「翠禽」作陪襯（賓），寫梅花的「幽獨」形貌（主）。「客裡」三句，採擬人的手法，取杜甫〈佳人〉（天寒翠袖薄，日暮倚修竹）詩意，寫梅花的「幽獨」境況。「昭君」四句，依序用王建〈塞上詠梅〉（天山路旁一株梅，年年花發黃雲下；昭君已沒漢使回，前後征人誰繫馬）詩與杜甫〈詠懷古跡〉（群山萬壑赴荊門，生長明妃尚有村；一去紫臺連朔漠，獨留青塚向黃昏。畫圖省識春風面，環珮空歸月夜魂；千載琵琶作胡語，分明怨恨曲中論）詩的意思，進一層地從梅花「幽獨」的形神上設想，將梅花擬作昭君，使「幽獨」的梅花含蘊昭君歸魂的無盡怨恨。換頭三句，用南朝壽陽公主的故事，寫「幽獨」梅花的飄落。「莫似春風」七句，寫「幽獨」梅花的歸宿；在這裡，作者先以「莫似」三句，用漢武、阿嬌的故事，寫梅花委於塵土的一種歸宿；再以「還教」二句，用「玉龍哀笛」襯托怨情，寫梅花隨波逐流的另一種歸宿；然後以結尾兩句，化實為虛，寫梅花空入「橫幅」的末一種歸宿。

通觀此詞，由梅花的形神寫到它的飄落、歸宿（象：陽），而一貫之以「幽獨」（意：陰），形成「同構」，使作者的幽獨懷抱流貫於字裡行間，其鎔鑄之妙，可說無與倫比。唐圭璋說：「『昭君』兩句，用王建〈詠梅〉詩意，抒寄懷二帝之情。」[35]以為此詞與「二帝蒙塵」有關，是有相當道理的。

由此看來，這兩首詠梅的作品，前一首抒寫的主要是懷舊之情，

---

34 潘善祺評析，陳邦炎主編：《詞林觀止》上（上海市：上海古籍出版社，1994年4月一版一刷），頁589-590。

35 唐圭璋：《唐宋詞簡釋》（臺北市：木鐸出版社，1982年3月初版），頁194。

卻蘊含了身世之感；而後一首則主要抒發了「幽獨」情懷，卻潛藏了隱逸之思、身世之感與家國之悲。所謂「一象（陽）多意（陰）」，其意象內涵是十分豐富的。

第三節　「意（陰）與象（陽）」雙螺旋互動之美學詮釋

「意」（陰）與「象」（陽）之互動，關涉到「虛實」與「對稱」；「一」（陰）與「多」（陽）的互動，關涉到「多樣」與「統一」。而「虛實」與「對稱」、「多樣」與「統一」，是有其「美感效果」的。試分述如下：

（一）虛實與映襯

「意」（陰）與「象」（陽）是「一虛（陰）一實（陽）」的關係，而「虛」與「實」又自成「二元對待」。從形式上看，無論「一意多象」之「以虛化實」或「一象多意」之「以實化虛」，都可以產生美感。曾祖蔭指出這種「虛實」的一種美學特徵說：

> 就藝術反映生活的特點來看，如果說現實景物是「實」，通過景物所體現的思想感情是「虛」，那末，化實為虛就是要化景物為情思，這在我國詩詞中表現得尤為突出。……化虛為實突出地表現為將心境物化。把看不見、摸不著的思想感情、心理變化等，用具體的或直觀的感性形態表現出來，也就是說，要變無形為有形。從這個意義上說，具體的或直觀的物象為實，無形的思想感情、心理變化等為虛。化虛為實就是把無形的思

想、情趣、心理等轉化為具體生動的藝術形象。[36]

如此透過「同構」，將「心境物化」、「物境心化」，確實可以解釋「意（虛）」與「象（實）」互動的藝術特色。也正因為它們能由互動而結合，便成為中國美學一條重要的原則，概括了中國藝術的美學特點。葉太平即認為：

藝術形象必須「虛實結合」，才能真實地反映有生命的世界。如果沒有物象之外的虛空，藝術品就失去了生命。[37]

而這種「轉化」或「結合」，如對應於生理、心理來說，則建立在「兩兩（陰⟷陽）相對」之基礎上。對此，宗白華便說：

有謂節奏為生理、心理的根本感覺，因人之生理，均兩兩相對，故於對稱形體，最易感人。[38]

而「兩兩（陰⟷陽）相對」形成藝術，即兩兩「映襯」或「襯托」之意。董小玉說：

襯托，原係中國繪畫的一種技法，它是只用墨或淡彩在物象的外廓進行渲染，使其明顯、凸出。這種技法運用於文學創作，則是指從側面著意描繪或烘托，用一種事物襯托另一種事物，

---

36 曾祖蔭：《中國古代文藝美學範疇》（臺北市：文津出版社，1987年8月初版），頁167-172。

37 葉太平：《中國文學的精神世界》（臺北市：正中書局，1994年12月臺初版），頁290。

38 《宗白華全集》1，頁506。

> 使所要表現的主體在互相映照下，更加生動、鮮明。襯托之所以成為文學創作中一種重要的表現手法，是由於生活中多種事物都是互為襯托而存在的，作為真實地表現生活的文學，也就不能孤立地進行描寫，而必然要在襯托中加以表現。[39]

既然「生活中多種事物都是互為襯托而存在」，而「襯托」的主客雙方，所呈現的就是「二元對待」（陰⟷陽）的現象。這種現象，形成「調和」的，相當於襯托中的「對稱」；而形成「對比」的，則相當於襯托中的「對立」。

以「對稱」而言，陳望道在《美學概論》中論述「美的形式」時，列有「對稱與均衡」一項：

> 對稱（symmetry）是與幾何學上所說的對稱指稱同一的事實。都是將一條線（這一條線實際並不存在，也可假定其如此），為軸作中心，其左右或上下所列方向各異，形象相同的狀態。……所謂均衡（balance）雖與它（按：指對稱的形式）極類似，就比它活潑得多；……均衡是左右的形體不必相同，而左右形體的分量卻是相等的一種形式。[40]

這種「美的形式」運用在辭章時，則不必如幾何學那麼嚴密，只要達到均衡的狀態即可。因此落到「意（陰）」與「象（陽）」之虛實來說，則一樣可凸顯出其對稱（均衡）美。

---

39 董小玉：《文學創作與審美心理》（成都市：四川教育出版社，1992年12月一版一刷），頁338。

40 陳望道：《美學概論》（臺北市：文鏡文化事業公司，1984年重排出版），頁43-45。

以「對立」而言，張少康說：

> 任何藝術作品的內部都包含著許多矛盾因素的對立統一。例如我國古代文藝理論中所說的形與神、假與真、一與萬、虛與實、情與理、情與景、意與勢、文與質、通與變等等。每一件藝術品，每一個藝術形象，都是這一組組矛盾關係的統一，是它們的綜合產物。[41]

而邱明正也表示：

> 這種既對立又統一的原則體現了矛盾著的雙方相互對立、相互排斥，又在一定條件下相互轉化，相互統一的矛盾運動法則，是宇宙萬物對立統一的普遍規律、共同法則在審美心理上的反映。[42]

可見「意（陰）」與「象（陽）」所形成的是「虛實」二元，它形成「映襯」，無論為「對稱」或「對立」，均可趨向一種和諧統一的狀態，而獲得「相生相成」之美感效果。

（二）多樣與統一

「多樣」是「統一」的下徹基礎，「統一」是「多樣」的上徹歸趨；兩者互動就形成「一（陰）而多（陽）」或「多（陽）而一（陰）」的變化。所謂「一而多」，是就順向來說的，若著眼於逆向，

41 張少康：《中國古代文學創作論》（臺北市：文史哲出版社，1991年6月初版），頁173。
42 邱明正：《審美心理學》（上海市：復旦大學出版社，1993年4月一版一刷），頁95。

就是「多而一」了。這逆向之「多而一」，從西洋美學來看，就是「多樣的統一」。對此，陳望道從「形式原理」加以解釋說：

> 所謂形式原理，就是繁多的統一。我們對於美的形式，雖不一定其如此如彼，只是四分五裂雜亂無章，總覺得是與審美的心情不合的。所以第一，「統一」實為對象所不可不具的一個要質。而且它所統一的又該不止是簡單的一二個要素。如止是一二個要素，則統一固易成就，卻頗不免使人覺得單調。所以第二，繁多又為對象所不可不具的一個要質。我們覺得美的對象最好一面有著鮮明的統一，同時構成它的要素又是異常的繁多。卻又不是甚麼統一與否定了統一的繁多相並列，而是統一即現在繁多的要素之中的。如此，則所謂有機的統一就成立。能夠「統一為繁多的統一，而繁多又為統一的分化」。既沒有統一的流弊的單調板滯，也沒有繁多的流弊的厭煩與雜亂。所以古來所公認的形式原理，就是所謂繁多的統一（Unity in Variety），或譯為多樣的統一，亦稱變化的統一。[43]

所謂「統一為繁多的統一，而繁多又為統一的分化」，將「多（陽）」與「一（陰）」不可分的關係，說得很明白。對此，楊辛、甘霖也認為：

> 多樣統一，這是形式美法則的高級形式，也叫和諧。從單純齊一、對稱均衡到多樣統一，類似「一生二、二生三、三生萬物」。多樣統一體現了生活、自然界中對立統一的規律，整個

43 陳望道：《美學概論》，頁77-78。

> 宇宙就是一個多樣統一的和諧的整體。「多樣」體現了各個事物的個性的千差萬別。「統一」體現了各個事物的共性的整體聯繫。[44]

由事物之「個性」與「共性」來觀察「多（陽）」與「一（陰）」，很能凸顯兩者「一而二、二而一」的關係。而歐陽周、顧建華、宋凡聖等在其《美學新編》裡，又加以闡釋說：

> 所謂統一，是指各個部分在形式上的某些共同特徵以及它們之間的某種關聯、呼應、襯托、協調的關係，也就是說，各個部分都要服從整體的要求，為整體的和諧、一致服務。有多樣而無統一，就會使人感到支離破碎、雜亂無章、缺乏整體感；有統一而無多樣，又會使人感到刻板、單調和乏味，美感也難以持久。而在多樣與統一中，同中有異，異中求同，寓「多」於「一」，「一」中見「多」，雜而不越，違而不犯；既不為「一」而排斥「多」，也不為「多」而捨棄「一」；而是把兩個對立方面有機結合起來，這樣從多樣中求統一，從統一中見多樣，追求「不齊之齊」、「無秩序之秩序」，就能造成高度的形式美。……多樣與統一，一般表現為兩種基本型態：一是對比，二是調和。……無論對比還是調和，其本身都要要求在統一中有變化，在變化中求統一，把兩者巧妙地結合在一起，就能顯示出多樣與統一的美來。[45]

44 楊辛、甘霖：《美學原理》（北京市：北京大學出版社，1989年2月一版四刷），頁161。

45 歐陽周、顧建華、宋凡聖等：《美學新編》，頁80-81。

可見「一（陰）」與「多（陽）」能形成「二元對待（互動）」，有機地結合在一起。也就是說，「一（陰）」之美，需要奠基在「多（陽）」之上；而「多（陽）」之美也必須仰仗「一（陰）」來統合。兩者之雙螺旋互動，是極其密切的。

這樣看來，無論是如上所述之「一意（陰）多象（陽）」，如「離情」（一）之於「柳」、「水」、「月」、「草」、「離別之地」……等（多：陽），或「一象（陽）多意（陰）」，如「梅花」（一）之於「堅貞」、「清雅」、「隱逸」、「離情」、「身世之感」、「家國之思」……等（多：陽），都可以因「同構」，經由「虛實二元對待（對稱、對立）」、「統一（陰）中見多樣（陽）」，而融成一體，以產生感染力，獲致美感效果。

結語

綜上所述，可知「意（陰）」與「象（陽）」之雙螺旋互動，可形成「一意（陰）多象（陽）」與「一象（陽）多意（陰）」的不同類型。而它們雖然是虛、實「異質」，卻可因「同構」的作用，造成互動，使「心理場」（意：陰）與「物理場」（象：陽）產生「電脈衝」，將兩者融鑄一體，成為藝術作品。而這種「意（陰）」與「象（陽）」之雙螺旋互動，不但可在哲學與心理學上，理出它的根本原理；也可在辭章上，透過「一意（陰）多象（陽）」與「一象（陽）多意（陰）」之表現加以檢驗；甚且可在美學上尋得其歸趨。如此「一以貫之」，希望或多或少有助於對「意（陰）⟷象（陽）」雙螺旋互動作更進一層之研究。

第六章
「形象（陽）⟷邏輯（陰）」雙螺旋互動

人類的思維雖有多種，但一般而言，最核心的只有三種：形象（陽）、邏輯（陰）與綜合（陰陽合）思維，以運轉意象，發揮創造力。其中形象（陽）與邏輯（陰）思維是起點、過程，而綜合（陰陽合）思維才是目的。如落到「篇章結構」來說，形象思維（陽）涉及篇章的內容材料，屬於「縱向」；邏輯思維（陰）涉及篇章的章法組織，屬於「橫向」，乃縱、橫互動，推動綜合思維（陰陽合），以凸顯一篇主旨與風格。由於這些問題，與思維（意象）系統與「多二一（0）」螺旋結構密切相關，因此由此切入加以探討，可以看出「形象（陽）、邏輯（陰）」思維在篇章結構上作雙螺旋互動之理論及其應用梗概。

人的思維，離不開「形象（陽）」與「邏輯（陰）」，乃融成「綜合思維（陰陽合）」，藉以轉化「意象」，進行創造的兩大基本動力。落於辭章的「篇章結構」來說，即由此「形象（陽）」與「邏輯（陰）」思維兩者產生一縱一橫的雙螺旋互動作用而形成，以組合轉化之「意象」，並由此融合成「綜合思維（陰陽合）」，以凸顯辭章作品的中心意旨（主旨）與風格。為此，本文特先將其相關理論，由「思維（意象）系統」與「0 一二多」雙螺旋結構切入[1]，略作探討，再分「形象（邏輯）」（陰）與「邏輯（形象）」（陽）兩類，依序酌舉數例予以說明，然後略作綜合探討，以見「形象（陽）」、「邏輯（陰）」兩思維之雙螺旋互動與「篇章結構」不可分割的緊密關係。

第一節 「思維（意象）系統」與「0 一二多」螺旋結構

茲分「形象、邏輯思維與思維（意象）系統」、「0 一二多雙螺旋結構之形成」與「意象（思維）系統與多二一（0）雙螺旋結構之互動」三層略作探討：

（一）形象（陽）、邏輯（陰）與思維（意象）系統

一般說來，「思維（意象）系統」，直接與人類基本能力的開展息息相關；通常，這種基本能力可概分為三個層級來加以認識：即「一般能力」（含思維力、觀察力、記憶力、聯想力、想像力）、「特殊能力」（含各學科，以辭章學科而言，含確立風格、決定主題〔主旨〕、選取材料、運用詞彙、修飾語辭、構詞組句、運材佈局等）、「綜合能

---

1 陳滿銘：〈意象「多二一（0）」螺旋結構論——以哲學、文學、美學作對應考察〉，《濟南大學學報．社會科學版》17卷3期（2007年5月），頁47-53。

力」（含創造力）等[2]。這種能力雖分為三層，但其重心始終落在轉化「意象」（舊 →新）的「思維力」上，經由「形象」（陽）、「邏輯（陰）」與「綜合」（陰陽合）等三種思維力之作用下，結合「聯想力」與「想像力」的主客觀開展，進而融貫各種、各層「能力」，以表現「創造力」[3]。

必須強調的是：基本能力之重心在「一般能力」，而「一般能力」的核心又在「思維」，藉以轉化「意象」（舊 →新）。因此，「思維力」可視為各種能力之母。而所謂的「一般能力」，正如彭聃齡主編《普通心理學》所言：「指在不同種類的活動中表現出來的能力。」[4] 也就是說，不只是辭章學科在寫作、閱讀時所必須具備，就是從事其他學科的學習或活動時也一樣需要，因此是相當基礎而廣泛的能力，其中包括思維力、觀察力、記憶力、聯想力、想像力等，而由此衍生出「特殊能力」與「綜合能力」，形成創造性之思維以轉化「意象」，建立為一個思維（意象）大系統。

首先看思維力，周元主編《小學語文教育學》說道：「思維靠語言來組織。我們進行思考時，必須借助於單詞、短語和句子。因為思維的基本形式——概念，是用語言中的詞來標誌的，判斷過程和推理過程也是憑藉語句來進行的；也正是因為人憑藉語言進行思維，才使思維具有間接性和概括性。」[5] 因為人類具有思維能力，所以不會只

2 仇小屏：《限制式寫作之理論與應用》（臺北市：萬卷樓圖書公司，2005年10月初版），頁12-46。

3 陳滿銘：〈論意象與聯想力、想像力之互動——以「多二一（0）」螺旋結構切入作考察〉，《浙江師範大學學報．社會科學版》31卷2期（2006年4月），頁47-54。

4 彭聃齡主編：《普通心理學》（北京市：北京師範大學出版社，2003年1月初版十五刷），頁392。

5 周元主編：《小學語文教育學》（上海市：華東師範大學出版社，1992年10月一版一刷），頁26。

侷限於某個時空的直接感官接觸；而且思維力的鍛鍊與語言能力的進展，可說是密切相關，是可以互動、循環、提昇的。周元主編《小學語文教育學》又說道：「語言是思維的直接現實。我們理解語言時，要經歷從語文形式到思想內容，又從思想內容到語文形式的思維；言語表達時則相反，要經過從內容到形式，又從形式到內容的思維過程。在這反覆的過程中，需要進行分析綜合、抽象概括、判斷推理，需要形象思維和邏輯思維的交替進行。」[6] 正因為語言與思維有著密切的關係，所以在語文教學的全過程中，都應有意識地進行思維訓練。思維力強，表現出來就是抽象、概括的能力強，亦即「求異」與「求同」的能力強，彭聃齡主編《普通心理學》甚至認為抽象概括力是一般能力的核心[7]。如此在「意象」的轉化上就有決定性的影響。

其次看觀察力，彭聃齡《普通心理學》說：「外部感覺接受外部世界的刺激並反映它們的屬性，這類感覺稱外部感覺。如視覺、聽覺、嗅覺、味覺、皮膚感覺等。……內部感覺接受機體內部的刺激並反映它們的屬性（機體自身的運動與狀態），這種感覺叫內部感覺，如運動覺、平衡覺、內臟感覺等。」[8] 觀察力就是運用視、聽、嗅、味、觸五種外部知覺，以及內部知覺，來獲取外在世界和機體內部訊息的能力。對於辭章學科而言，良好的觀察力對於寫作來說是相當重要的，因為正如周元《小學語文教育學》所言：觀察是獲得說寫素材的重要途徑，也是準確生動地表達的前提[9]。如此在「意象」的轉化上當然是不可少的。

又其次看記憶力，彭聃齡主編《普通心理學》：「記憶（memory）

6　周元主編：《小學語文教育學》，頁26。

7　彭聃齡主編：《普通心理學》，頁392。

8　彭聃齡主編：《普通心理學》，頁76。

9　周元主編：《小學語文教育學》，頁23。

是在頭腦中積累和保存個體經驗的心理過程，運用信息加工的術語講，就是人腦對外界輸入的信息進行編碼、存儲和提取的過程。……記憶是一種積極、能動的活動。人對外界輸入的信息能主動地進行編碼，使其成為人腦可以接受的形式。現代心理學家認為，只有經過編碼的信息才能記住。」[10] 作為一種心理過程，記憶是一個識記、再認和再現的過程，是人們運用知識經驗進行思考、想像、解決問題、創造發明等一切智慧活動的前提。有了記憶，人們才能積累知識、豐富經驗；沒有記憶，一切心理現象的發展都是不可能的，我們的教育或教學也無法進行。可見這在「意象」的轉化上也是不可少的

再其次看聯想力，童慶炳《中國古代心理詩學與美學》說道：「聯想是人的一種心理機制，主要指人的頭腦中表象的聯繫，即其中一個或一些表象一旦在意識中呈現，就會引起另一些相關的表象。」[11] 譬如我們看到月曆已撕到二月，就會想到冬去春來，由冬去春來又自然會想到萬物復甦，由萬物復甦又想到春景的美麗……等等。這種由一種事物想到另一種事物的能力就是聯想力，邱明正《審美心理學》將此聯想又分成接近聯想、相似聯想、對比聯想、關係聯想等類[12]。由此看來，這在「意象」的轉化上是十分重要的

接著看想像力，彭聃齡主編《普通心理學》說道：「想像（imagination）是對頭腦中已有的表象進行加工改造，形成新形象的過程。」[13]其加工改造的過程有三：回憶、重組或變造。因此想像力的豐沛植基於兩個重要因素上：其一為由記憶之再現使腦中所儲存表

10 彭聃齡主編：《普通心理學》，頁201。

11 童慶炳：《中國古代心理詩學與美學》（臺北市：萬卷樓圖書公司，1994年8月初版），頁133。

12 邱明正：《審美心理學》（上海市：復旦大學出版社，1993年4月一版一刷），頁179。

13 彭聃齡主編：《普通心理學》，頁248。

象趨於豐富，其一為重組和變造的能力；也因為想像力是如此運作的，因此想像所得就會具有形象性和新穎性，這就是想像力迷人的地方。舉例來說，哈利波特童書系列中出現的「咆哮信」，就是將「信」和「生氣咆哮」先經過回憶，再重組起來，於是產生了新的表象——咆哮信；至於童話中常出現的可怕巨人，則往往是將某些特點加以誇大（譬如粗硬的皮膚、洪亮的聲音、巨大的眼睛等），這就是經過想像力變造的結果；不過更多的情況是在想像的過程中兼有回憶、重組與變造的特點。如此在「意象」的轉化上也是至關緊要的。

至於由此衍生而出的「特殊能力」，如落到辭章學科來說，則它直承「思維力」（含「聯想力」與「想像力」）而開展，分由「形象思維（陽）」、「邏輯思維（陰）」與「綜合思維（陰陽合）」形成運用「意象」（含狹義、廣義）、「詞彙」、「修辭」、「文（語）法」、「章法」與確立「主旨」（綱領）、「風格」等各種特殊能力。

而所謂的「綜合能力」，指的是統合「一般能力」、「特殊能力」所形成的整體能力。這種能力，如就「思維（意象）系統」而言，即「創造力」。彭聃齡主編《普通心理學》指出：「創造力（creative ability）是指產生新的思想和新的產品的能力。」因為一個人的創造力通常是透過進行創造活動、產生創造產品而表現出來，因此根據產品來判定是否具有創造力是合理的。所以，就寫作活動而言，構思新的人物形象、尋找不同的表達方式，「由意而象」地創造完整之新作品，就是一種創造力的整體展現；這呈現的是創作活動的過程。而換就閱讀活動來說，透過作品中之各種材料、各種表現手法，「由象而意」地凸出主旨、風格，以欣賞作者之創造力的，則是一種再創造之完整過程。如此在「意象」的轉化上，可說是最大、最高的目標。

上述能力，是以「思維力」為其重心，而形成雙螺旋層次系統的。其中的「觀察力」是為「思維力」而服務，「記憶力」乃用以記憶「觀察」以「思維」之所得，「聯想力」是「思維力」的初步表現，而「想像力」則是「思維力」的更進一步呈顯，以主導「形象（陽）」、「邏輯（陰）」與「綜合（陰陽合）」三種思維。其中作比較偏於主觀聯想、想像的，屬「形象思維（陽）」[14]；作比較偏於客觀聯想、想像的，屬「邏輯思維（陰）」[15]；而兩者形成「二元」，是兩相互動而存在的[16]。至於合「形象」、「邏輯」兩種思維為一的，則為「綜合思維（陰陽合）」，用於進一步表現「綜合力」，以發揮「創造力」來轉化「意象」。因此，它們本末、先後或因果的雙螺旋關係，而形成一個系統，可用下圖來表示：

14 胡有清：「所謂形象思維，指的是以客觀事物的形象信息為基礎，經過分解、轉化、組合等演化過程，創造出新的形象。這是一種始終不捨棄事物的具體型態及形象，並以其為基本形式的思維方式。……」見《文藝學論綱》（南京市：南京大學出版社，2002年7月初版六刷），頁160。

15 邏輯思維又稱抽象思維。胡有清：「抽象思維側重於對客觀事物本質屬性的理解和認識。思維主體儘管也有自己的個性特徵，但一般總要納入一定的模式範疇，總能用明晰的語言加以說明。」見《文藝學論綱》，頁171。

16 盧明森：「形象思維是與抽象思維相比較而存在的。抽象思維的基本特點是概念性、抽象性與邏輯性，因此，可以稱之為概念思維、抽象思維、邏輯思維；與之相對應，形象思維的基本特點是意象性、具體性與非邏輯性，因此可以稱之為意象思維、具體思維、非邏輯思維。」見黃順基、蘇越、黃展驥主編：《邏輯與知識創新》第二十章（北京市：中國人民大學出版社，2002年一版一刷），頁429。又胡有清：「在藝術活動中，當人們用形象思維來把握和展示豐富的社會生活時，總會受到抽象思維的制約和影響。也就是說，抽象思維在一定程度上規範和導引形象思維。」見《文藝學論綱》，頁172。

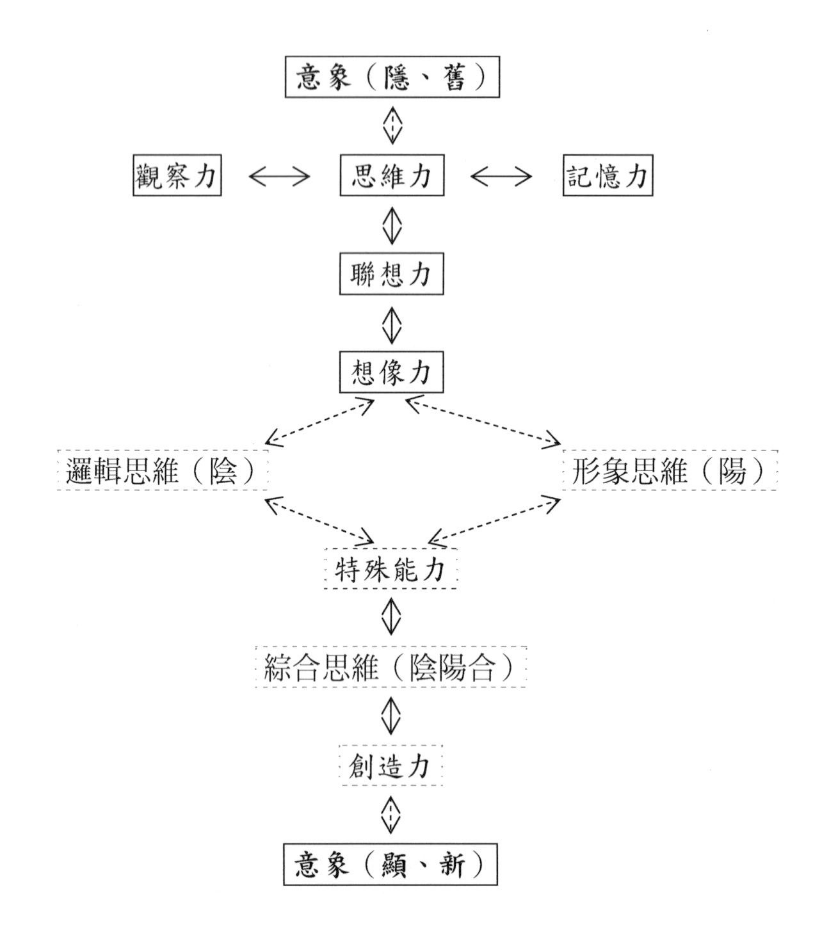

這樣，可以看出「形象思維」（陽）與「邏輯思維」（陰）在整個「思維（意象）」系統中的重要性。亦即「思維力」乃先由「形象思維」（陽）、「邏輯思維」（陰）之雙螺旋互動，以融成「綜合思維」（陰陽合），而衍生各種「特殊能力」，然後綜合由各種「特殊能力」之雙螺旋互動而產生「創造力」，以轉化「意象」（隱 → 顯、舊 → 新），形成創造性之「思維（意象）系統」，而由此凸顯了順向的創造過程，這是人所以能作「直觀表現」之先天憑藉，而這種憑藉，是必須經由後天之「模式探討」，亦即「科學研究」作逆向的認知追溯，才能明白地加以確定的。

（二）「0 一二多」雙螺旋結構之形成

「0 一二多」雙螺旋結構之形成，歸根於陰陽。而陰陽乃一切變化之根源，就拿八卦與由八卦重疊而成的六十四卦來說，即全由陰陽二爻所構成，以象徵並概括宇宙人生的各種變化，〈說卦〉說的「觀變於陰陽而立卦」，就是這個意思。《易傳》以為就在這種陰陽的相對、相交、相和之作用下，變而通之，通而久之，於是創造了天地萬物（含人類），達於「統一」的境地[17]。而這種「統一」，可說是剛（陽）柔（陰）之統一，是剛（陽）柔（陰）相濟的，如以上引的天地（乾坤）、晝夜、高低、男女、尊卑、進退、貴賤、動靜而言，天（乾）、晝、高、男、尊、進、貴、動等為剛（陽），地（坤）、夜、低、女、卑、退、賤、靜等為柔（陰），它們是相應地相對而為一的。《易傳》這種剛（陽）和柔（陰）相對而又相濟為一之思想，可推源到「和」的觀念，而它始於春秋時之史伯，他從四支（肢）、五味、六律、七體（竅）、八索（體）、九紀（臟）到十數、百體、千品、萬方、億事、兆物、經入、姟極，提出「和」的觀點[18]，「作為對事物的多樣性、多元性衝突融合的體認」[19]，而後到了晏子，則作進一步之論述，認為「和」是指兩種相對事物之融而為一，即所謂「清濁、小大、短長、疾徐、哀樂、剛柔、遲速、高下、出入、周

---

17 陳望衡：「《周易》中的陰陽理論強調的不是相反事物的對立，而是相反事物的相交、相和。《周易》認為，陰陽相交是生命之源，新生命的產生不在於陰陽的對立，而在陰陽的交感、統一。因此陰陽的相合不是量的增加，而是新質的產生，是創造。因此，陰陽相交、相合的規律就是創造的規律。」見《中國古典美學史》（長沙市：湖南教育出版社，1998年8月一版一刷），頁182。

18 易中天譯注：《新譯國語讀本．鄭語》（臺北市：三民書局，1995年11月初版），頁707-708。

19 張立文：《中國哲學邏輯結構論》（北京市：中國社會科學出版社，2002年1月一版一刷），頁22。

疏，以相濟也」[20]。如此由「多樣的和（統一）」（史伯）進展到「兩樣（對待）的和（統一）」（晏子），再進一層從對待多數的「兩樣」中提煉出源頭的「剛（陽）柔（陰）」，而成為「剛（陽）柔（陰）的統一」（《易傳》），形成了「『多』（多樣事物、多樣對待）→『二』（剛柔、陰陽）→『一』（統一）」的順序，進程逐漸是由「委」（有象）而追溯到「源」（無象），很合於歷史發展的軌跡。而這種結構，如對應於「三易」（《易緯・乾鑿度》）而言，則「多」說的是「變易」、「二」說的是「簡易」，而「一」說的是「不易」。因此「三易」不但可概括《周易》之內容與特色，也可藉以呈現「多」、「二」、「一」的雙螺旋結構。

這種「多→二→一」的順序，若倒過來，由「源」而「委」地來說，就成為「一→二→多」[21]了。在《老子》、《易傳》中就可找到這種說法，如：

> 道生一，一生二，二生三，三生萬物。萬物負陰抱陽，沖氣以為和。（《老子・四十二章》）
>
> 易有太極，是生兩儀，兩儀生四象，四象生八卦。（《周易・繫辭上》）

這樣，結合《周易》和《老子》來看，它們所主張的「道」，如僅著眼於其「同」，則它們主要透過「相反相成」、「返本復初」而循環不

20 楊伯俊注：《春秋左傳注・昭公二十年》（臺北市：源流文化公司，1982年4月再版），頁1419-1420。

21 就由「無」而「有」而「無」的整個循環過程而言，可以形成「（0）一、、二、三（多）」（正）與「三（多）、二、一（0）」（反）的螺旋關係。此種螺旋關係，涉及哲學、文學、美學……等，見陳滿銘：〈意象「多二一（0）」螺旋結構論——以哲學、文學、美學作對應考察〉，頁47-53。

已的作用，不但將「一 → 多」的順向歷程與「多 → 一」的逆向歷程前後銜接起來，更使它們層層推展，循環不已，而形成了雙螺旋式結構，以呈現宇宙創生、含容萬物之原始規律。

就在這「由一而多」（順）、「多而一」（逆）的過程中，是有「二」介於中間，以產生承「一」啟「多」的作用的。而這個「二」，從「道生一，一生二，二生三，三生萬物」等句來看，該就是「一生二，二生三」的「二」。雖然對這個「二」，歷代學者有不同的說法，大致說來，以為「二」是指「陰陽二（兩）氣」[22]。而這種「陰陽二氣」的說法，其實也照樣可包含「天地」在內，因為「天」為「乾」為「陽」，而「地」則為「坤」為「陰」；所不同的，「天地」說的是偏於時空之形式，用於持載萬物[23]；而「陰陽」指的則是偏於「二氣之良能」（朱熹《中庸章句》），用於創生萬物。這樣看來，老子的「一」該等同於《易傳》之「太極」、「二」該等同於《易傳》之「兩儀」（陰陽），因此所呈現的，和《周易》（含《易傳》）一樣，是「一 → 二 → 多」與「多 → 二 → 一」之原始結構。不過，值得一提的是：（一）即使這「一」、「二」、「多」之內容，和《周易》（含《易傳》）有所不同，也無損於這種結構的存在。（二）「道生一」的「道」，既是「創生宇宙萬物的一種基本動力」，而它「本身又體現了無（无）」[24]，那麼正如王弼所注「欲言無（无）耶，而物由以

---

22 以上諸家之說與引證，見黃釗：《帛書老子校注析》（臺北市：學生書局，1991年10月初版），頁231。

23 徐復觀：《中國人性論史．先秦篇》（臺北市：臺灣商務印書館，1978年10月四版），頁335。

24 林啟彥：「『道』既是宇宙及自然的規律法則，『道』又是構成宇宙萬物的終極元素，『道』本身又體現了『無』。」見《中國學術思想史》（臺北市：書林出版社，1999年9月一版四刷），頁34。

成；欲言有耶，而不見其形」[25]，老子的「道」可以說是「无」，卻不等於實際之「無」（實零）[26]，而是「恍惚」的「无」（虛零），以指在「一」之前的「虛理」[27]。這種「虛理」，如勉強以「數」來表示，則可以是「0」。這樣，順、逆向的結構，就可調整為「0 一 → 二 → 多」（順）與「多 → 二 → 一 0」（逆），以補《周易》（含《易傳》）之不足，這就使得宇宙萬物創生、含容的順、逆向歷程，更趨於完整而周延了[28]。

也就是由於「0 一二多」雙螺旋結構在宇宙萬物創生、含容上可以統合順、逆向之歷程，便成為方法論原則或系統[29]，廣泛用於哲學、文學、美學……上[30]。

（三）意象（思維）系統與「0 一二多」雙螺旋結構之互動

「形象思維」（陽）與「邏輯思維」（陰）之互動，如同上述，是離不開「意象」的。而「意象」之轉化又涉及「聯想」、「想像」，因

25 王弼：《老子王弼注》（臺北市：河洛圖書出版社，1974年10月臺景印初版），頁16。

26 馮友蘭：「謂道即是无。不過此『无』乃對於具體事物之『有』而言的，非即是零。道乃天地萬物所以生之總原理，豈可謂為等於零之『无』。」見《馮友蘭選集》上卷（北京市：北京大學出版社，2000年7月一版一刷），頁84。

27 唐君毅：「所謂萬物之共同之理，可為實理，亦可為一虛理。然今此所謂第一義之共同之理之道，應指虛理，非指實理。所謂虛理之虛，乃表狀此理之自身，無單獨之存在性，雖為事物之所依循、所表現，或所是所然，而並不可視同於一存在的實體。」見《中國哲學原論．導論篇》（香港：新亞研究所，1966年3月出版），頁350-351。

28 陳滿銘：〈論「多二一（0）」的螺旋結構——以《周易》與《老子》為考察重心〉，臺灣師大《師大學報．人文與社會類》48卷1期（2003年7月），頁1-21。

29 落於章法結構而言即如此。見陳滿銘：〈論章法結構之方法論系統——歸本於《周易》與《老子》作考察〉，臺灣師大《國文學報》46期（2009年12月），頁61-94。

30 陳滿銘：《多二一（0）螺旋結構論——以哲學、文學、美學為研究範圍》（臺北市：文津出版社，2007年1月初版），頁1-298。

為「意象」就是「聯想」、「想像」之對象。所以在「思維（意象）系統中，「聯想」與「想像」能起重大的作用，以轉化「意象」，成為人之所以是萬物之靈的關鍵所在。

對這種「意象」，在我國最早見於《易經》[31]，而文學中也隨後就注意到，以為它是「馭文之首術、謀篇之大端」（見《文心雕龍．神思》）。說得簡單一點，它「是作者的意識與外界的物象相交會，經過觀察、審思與美的釀造，成為有意境的景象。」[32] 這裡所說的「物象」，所謂「物猶事也」（見朱熹《大學章句》），是包含有「事」的，因為「物（景）」只是偏就「空間」（靜）而言，而「事」則是偏就「時間」（動）來說。而盧明森則從文藝領域加以擴充說：

> 它（意象）理解為對於一類事物的相似特徵、典型特徵或共同特徵的抽象與概括，同時也包括通過想像所創造出來的新的形象。人類正是通過頭腦中的意象系統來形象、具體地反映豐富多彩的客觀世界與人類生活的，既適用於文學藝術領域、心理學領域，又適用於科學技術領域。[33]

可見「意象」乃一切思維（含形象、邏輯、綜合）的基本單元，因為從源頭來看，「意象」乃合「意」與「象」而成，而「意」與「象」，即「心」與「物」，原有著「二而一」、「一而二」的關係。所以就文藝領域來說，自然就能貫穿了一篇辭章的整個內涵，而成為多種意象

---

31 先用於哲學，再用於文學或藝術，見陳滿銘：〈辭章意象論〉，臺灣師大《師大學報．人文與社會類》50卷1期（2005年4月），頁17-39。

32 黃永武：《中國詩學．設計篇》（臺北市：巨流圖書公司，1999年6月初版十三刷），頁3。

33 黃順基、蘇越、黃展驥主編：《邏輯與知識創新》第二十章，頁430。

的組合體。它不僅指狹義的個別意象而已，而是包括有廣義之整體意象的。廣義者指全篇，屬於整體，可以析分為「意」與「象」；狹義者指個別，屬於局部，往往合「意」與「象」為一來稱呼。而整體是局部的總括、局部是整體的條分，所以兩者關係密切。不過，必須一提的是，狹義之「意象」，亦即個別之「意象」，雖往往合「意」與「象」為一來稱呼，卻大都用其偏義，譬如草木或桃花的意象，用的是偏於「意象」之「意」，因為草木或桃花都偏於「象」；如「桃花」的意象之一為愛情，而愛情是「意」；而團圓或流浪的意象，則用的是偏於「意象」之「象」，因為團圓或流浪，都偏於「意」；如「流浪」的意象之一為浮雲，而浮雲是「象」。因此前者往往是一「象」多「意」，後者則為一「意」多「象」。而它們無論是偏於「意」或偏於「象」，通常都通稱為「意象」[34]。由於「『形象思維』（陽）與『邏輯思維』（陰）是人類思維的基本型態」[35]，因此底下就著眼於整體（含個別）的「意象」（意與象），試著用它來統合「形象思維」（陽）與「邏輯思維」（陰），並貫穿辭章的各主要內涵，以見「意象」在辭章上之地位。

先從「意象」之形成與表現來看，是與「形象思維」（陽）有關的，而「形象思維」所涉及的，是「意」（情、理）與「象」（事、景〔物〕）之結合及其表現。其中探討「意」（情、理）與「象」（事、景〔物〕）之結合者，為「意象學」（狹義），探討「意」」（情、理）與「象」（事、景〔物〕）本身之表現者，為「修辭學」。再從「意象」之組合與排列來看，是與「邏輯思維」（陰）有關的，而「邏輯思維」（陰）所涉及的，則是意象（意與意、象與象、意與象、意象

34 陳滿銘：〈意、象互動論——以「一意多象」與「一象多意」為考察範圍〉，中山大學《文與哲》學報11期（2007年12月），頁435-480。

35 黃順基、蘇越、黃展驥主編：《邏輯與知識創新》第二十章，頁425。

與意象）之排列組合，其中屬篇章者為「章法學」，主要探討「意象」之安排，而屬語句者為「文法學」，主要由概念之組合而探討「意象」。至於綜合思維所涉及的，乃是核心之「意」（情、理），即一篇之中心意旨：「主旨」與審美風貌：「風格」。

由此看來，「形象思維（陽）」、「邏輯思維（陰）」與「綜合思維（陰陽合）」三者，涵蓋了辭章的各主要內涵，而都離不開「意象」。如對應於「多→二→一0」的逆向邏輯結構來說，則所謂的「多」，指由「意象」（個別）、「詞彙」、「修辭」、「文（語）法」、與「章法」等所綜合起來表現之藝術形式；「二」指「形象思維」（陽）與「邏輯思維」（陰），藉以產生徹下徹上之中介作用；而「一 0」則指由此而凸顯出來的「主旨」與「風格」等，這就是「修辭立其誠」《易・乾》之「誠」，乃辭章之核心所在。這樣以「0 一二多」來看待辭章內涵，就能透過「二」（「形象思維」與「邏輯思維」）的居間作用，使「多」（「意象」（個別）、「詞彙」、「修辭」、「文（語）法」與「章法」等）統一於「一（0）」（「主旨」與「風格」等）了[36]。

如此，若進一步地就「意象」與「聯想、想像」的關係而言，當然是先有「意象」，然後才有「聯想、想像」的，盧明森說：「意象是聯想與想像的前提與基礎，沒有意象就不可能進行聯想與想像。」[37]說得一點也沒錯。而且由於聯想「是從對一個事物的認識引起、想到關於其他事物的認識的思維活動，是一種廣泛存在的思維活動，既存在於『形象思維』活動中，也存在於『抽象（邏輯）思維』動中，還存在於『抽象（邏輯）思維』與『形象思維』活動之間……不是憑空產生的，而是有客觀根據，又有主觀根據的。」而想像則「是在認識

---

36 陳滿銘：〈意象「多二一（0）」螺旋結構論──以哲學、文學、美學作對應考察〉，頁47-53。

37 黃順基、蘇越、黃展驥主編：《邏輯與知識創新》第二十章，頁431。

世界、改造世界過程中，根據實際需要與有關規律，對頭腦中儲存的各種信息進行改造、重組，形成新的意象的思維活動，其中，雖常有『抽象（邏輯）思維』活動參與，但主要是『形象思維』活動。……理想是想像的高級型態，因為它不僅有根有據、合情合理、很有可能變成事實，而且有大量『抽象（邏輯）思維』活動參加，在實際思維活動具有重大的實用價值。」[38] 所以聯想與想像都有主、客觀成分，可和「形象思維」、「邏輯（抽象）思維」，甚至「綜合思維」產生互動；如果換從形象、邏輯與綜合思維的角度切入，則可以這麼說：「形象思維」的最基本特徵，在於思維活動始終藉著偏於主觀性的聯想與想像，伴隨著具體生動的形象而進行；而「邏輯思維」的最基本特徵，乃在於人們在認識事物時，藉著偏於客觀性的聯想與想像，主要在因果律的規範下，用概念、判斷、推理來反映現實的過程；所以前者是運用典型的藝術形象來揭示各事物的特質，後者則是用抽象概念來揭示各事物的組織。至於「綜合思維」，則統合「形象思維」與「邏輯思維」，將藝術形象與抽象概念融成一體，以呈現整體的形神特色[39]。

因此，一切思維，始終以「意象」為內容，拿思維的起點（觀察、記憶）、過程（聯想與想像）來說是如此，就連其終點（創造力）也是如此。這樣，聯想與想像便很自然地能流貫於「形象思維（陽）」（偏於主觀）與「邏輯思維（陰）」（偏於客觀）或「綜合思維（陰陽合）」（合主、客觀）活動之中，使「意象」得以形成、表現、組織，以至於統合，成為「0一二多」的雙螺旋結構，而產生美感。

針對這種「形象思維（陽）」與「邏輯思維（陰）」之雙螺旋互

38 黃順基、蘇越、黃展驥主編：《邏輯與知識創新》，頁431-433。

39 陳滿銘：〈意象與聯想、想像互動論——以「多二一（0）」螺旋結構切入作考察〉，頁47-53。

動，李清洲指出：「腦功能定位學說表明：人類大腦由兩半球構成，大腦對人體的運動和感覺的管理是交叉的，左半球的功能側重於『邏輯思維』，如語言、邏輯、教學、分析、判斷等；右半球側重於『形象思維』，如空間、圖形、音樂、美術等。左、右腦半球猶如兩種不同類型的資訊加工系統，它們各司其職，相輔相成，相互協作，共同完成思維活動。左右兩半球資訊交換的生理結構是胼胝體，它由兩億條神經纖維組成，每秒鐘可以處理兩半球之間往返傳遞的40億個資訊。」[40]可見「形象思維」（陽）與「邏輯思維」（陰）在「0一二多」的雙螺旋結構中所以會互動，完全源自於生命，是自然而然的。這樣統合它們的關係，可用如下「意象（思維）」（隱→顯）圖加以表示：

40 李清洲：〈形象思維在生物學教學中的功能〉，廈門《學知報．教學論壇》，2010年5月4日，B08版。

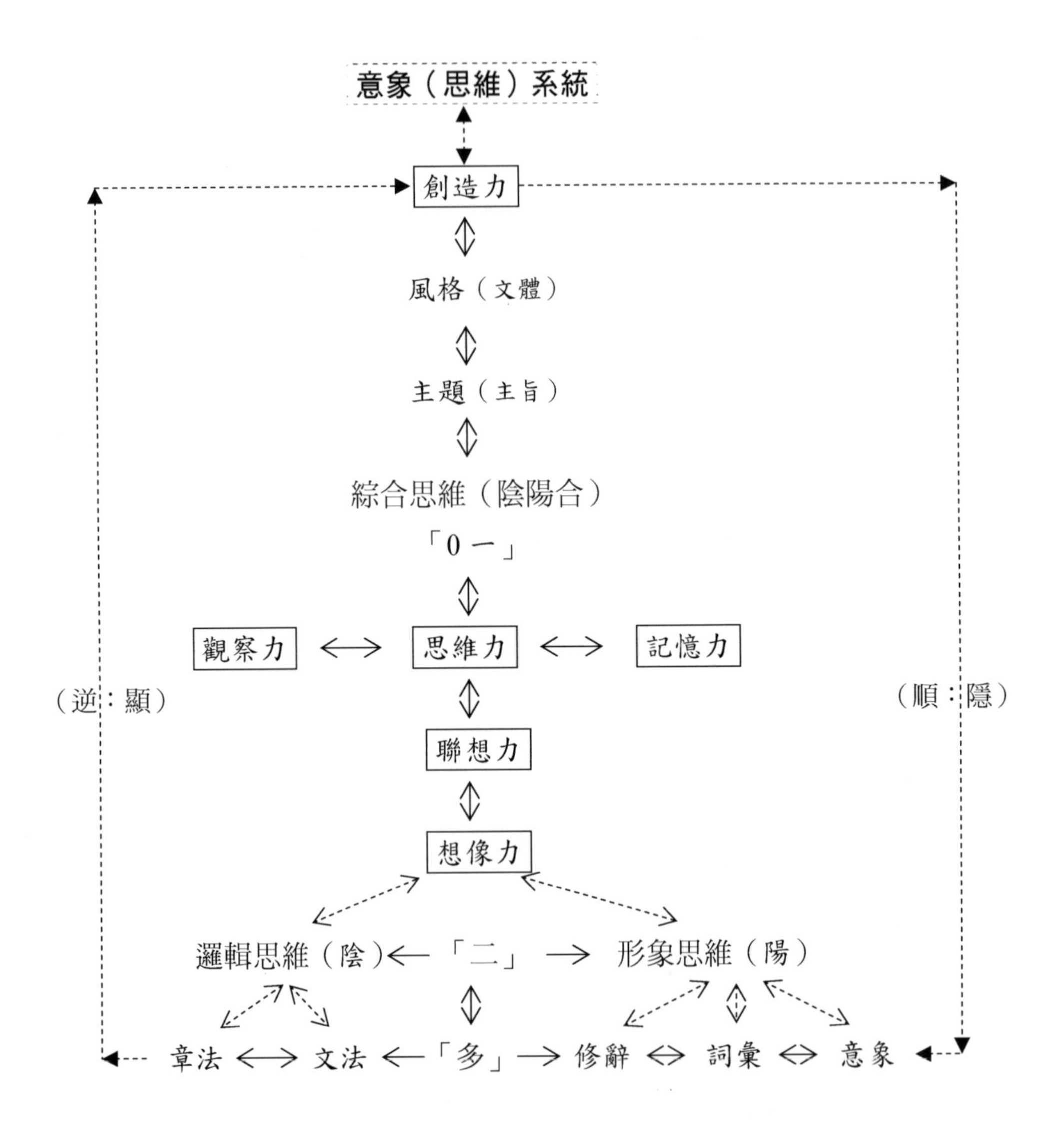

以「思維力」來看，它們初由「觀察力」與「記憶力」的兩大支柱豐富「意象」，再由「聯想力」與「想像力」的兩大翅膀拓展「意象」(多)，接著由「形象（陽）」與「邏輯（陰）」的兩大思維（二）運作「意象」，然後由「綜合思維（陰陽合）」統合「意象」(一 0)，以發揮最大的「創造力」。如此周而復始，便形成「0 一二多」的雙

螺旋結構，以反映「意象（思維）系統」。以辭章內涵來看，其中的「意象」（個別）、「詞彙」、「修辭」、「文（語）法」、「章法」是「多」，「形象思維」與「邏輯思維」為「二」，「主題」（含整體「意象」）、「文體」、「風格」為「一（0）」。其中「意象」（個別）、「詞彙」與「修辭」關涉「意象」之形成與表現；「文（語）法」與「章法」關涉「意象」之組織；「主題」（含整體「意象」）、「文體」與「風格」關涉「意象」之統合。如此在「形象思維」（陽）、「邏輯思維」（陰）與「綜合思維」（陰陽合）之相互作用下，由「0 一」而「二」而「多」，凸顯的是「寫」（創作）的順向過程；而由「多」而「二」而「0 一」，凸顯的則是「讀」（鑑賞）的逆向過程。

第二節　形象（陽）、邏輯（陰）雙螺旋互動在篇章結構上之呈現

辭章含「篇」、「章」、「句」、「字」（見《文心雕龍．章句》），都由「形象思維（陽）」與「邏輯思維（陰）」所「相互協作」而成。就以「篇」與「章」這一層面的結構而言，即是如此。以「篇結構」來說，指的是「篇章結構」的第一層，以包孕第二層與第二層以下的「章結構」，以形成由「形象思維」與「邏輯思維」所「相互協作」的「多⟷二」，並由此上徹「綜合思維」的「一 0」，以凸顯作品之主旨與風格。它們的關係可用如下簡圖來表示：

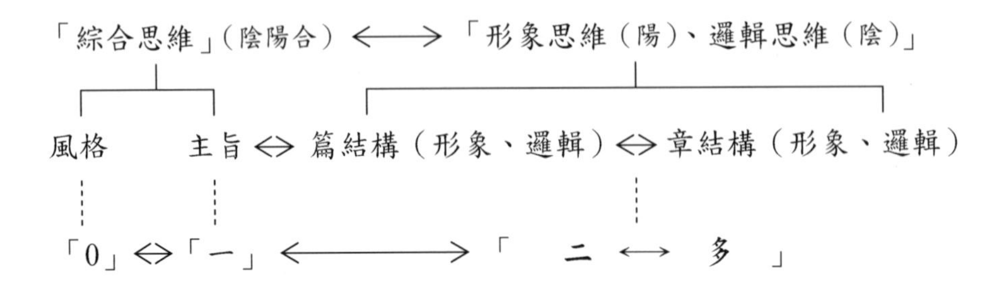

這樣將「形象思維（陽）」與「邏輯思維（陰）」切入「篇結構」（第一層）和「章結構」（次層及次層以下）來說，「形象思維（陽）」所呈現的是內容義旨（情、理）與所用材料（事、景〔物〕)、「邏輯思維（陽）」所呈現的是章法結構[41]，以反映兩者一縱一橫不可分割的關係。因此「篇章結構」必須將「形象思維（陽）」與「邏輯思維（陰）」一縱一橫的互相交叉、疊合在一起。底下就分「形象（邏輯）」與「邏輯（形象）」雙螺旋互動之兩種類型，依序舉例說明。

(一)「形象（邏輯）」類型

在此，舉古典散文、詩、詞各一例，酌予說明，以見一斑：古典散文如韓愈〈送董邵南遊河北序〉：

> 燕趙古稱多感慨悲歌之士。董生舉進士，連不得志於有司，懷抱利器，鬱鬱適茲土，吾知其必有合也。董生勉夫哉！
> 夫以子之不遇時，苟慕義彊仁者，皆愛惜焉。矧燕趙之士，出

41 所謂「章法」是含「篇法」在內的。見鄭頤壽：〈含篇法的「辭章章法學」的發展——評介陳滿銘《章法學論粹》及其相關論著〉，《國文天地》19卷4期（2003年9月），頁106-112。

於其性者哉！然吾嘗聞風俗與化移易，吾惡知其今不異於古所雲邪？聊以吾子之行卜之也。

吾因數有所感矣。為我弔望諸君之墓，而觀於其市，復有昔時屠狗者乎？為我謝曰：「明天子在上，可以出而仕矣。」

此文為一贈序，為送董邵南往遊河北而寫，採「先正寫（擊）後側寫（敲）」[42]的「篇結構」（第一層）來呈現。由於當時河北藩鎮不奉朝命，送行之人「斷無言其當往之理，若明言其不當往，則又多此一送」[43]，所以作者就避開河北之「今」，而從其「古」下筆，寫因此可以「必有合」，所以就以此行「卜有合」，形成「先因（必有合）」後果（卜有合」）的「章結構」（次層一）。就這樣，首先自開篇起至「出乎其性者哉」句止，就次層之「必有合」（因），以「感慨悲歌（因）、知必有合（果）、慕義彊仁（因）」的「章結構」（底層一），說古時之燕趙〔即河北〕多「感慨悲歌」、「慕義彊仁」的豪傑之士，從正面預卜董生此行必受到「愛惜」而「有合」，以見其當往；其次自「然吾嘗聞」句起至「董生勉乎哉」句止，以「先因

42 「敲擊」為章法類型之一。「敲擊」，一般用作同義的合義複詞，都指「打」的意思。但嚴格說來，「敲」與「擊」兩個字的意義，卻有些微的不同，《說文》說：「敲，橫擿也。」徐鍇《繫傳》：「橫擿，從旁橫擊也。」而《廣韻．錫韻》則說：「擊，打也。」可見「擊」是通指一般的「打」，而「敲」則專指從旁而來的「打」。也就是說，以用力之方向而言，前者可指正〔前後〕面，也可指側面，而後者卻僅可指側面。依據此異同，移用於章法，用「敲」專指側寫，用「擊」專指正寫，以區隔這種篇章條理與「正反」、「平側」〔平提側注〕、賓主等章法的界線，希望在分析辭章時，能因而更擴大其適應的廣度與貼切度。大體說來，「敲擊」，主要在用不同事物以表達同類情意時，藉「敲」加以引渡或旁推，來呼應「擊」的部分，與「正反」、「賓主」之彼此映襯或「平側」之有所偏重的，有所不同。見陳滿銘：〈論幾種特殊的章法〉，臺灣師大《國文學報》31期（2002年6月），頁196-202。

43 林雲銘：《古文析義合編》上冊卷四（臺北市：廣文書局，1965年10月再版），頁216。

（今異於古）後果（以此行卜）」的「章結構」（底層二），說如今燕趙之風俗，或許已與古時有所不同，從結果（反）面勉董生聊以此行一卜其「合與不合」[44]，以進一步見其當往；以上兩段，直接扣住董生之當「遊河北」來寫，是「正寫（擊）」的部分。最後以末段，筆鋒一轉，旁注於燕趙之士身上[45]，採「先情（泛）後事（具）」的章結構（次層二）來表達，要董生傳達「明天子在上」而勸他們來仕之意，含董生不當往的暗示作收[46]；這是「側寫（敲）」的部分。據此可畫成如下的「形象（邏輯）」結構系統圖：

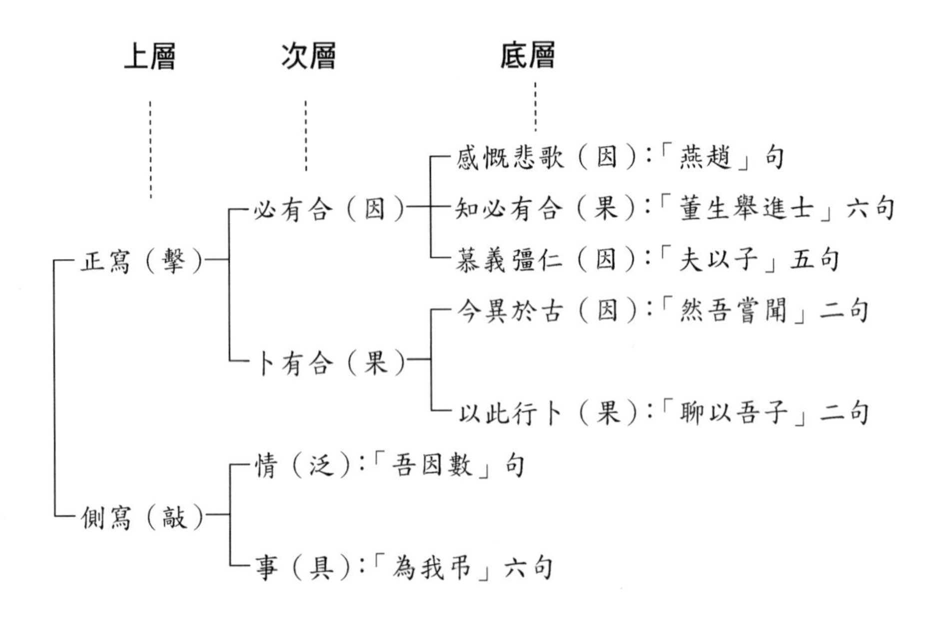

44 王文濡在首段下評注：「此段勉董生行，是正寫。」在次段下評注：「此段勉董生行，是反寫。」見《精校評注古文觀止》卷八（臺北市：臺灣中華書局，1972年11月臺六版），頁36-37。

45 王文濡於「吾因數而有所感矣」下評注：「上一正一反，俱送董生，此下特論燕趙。」頁37。

46 王文濡在篇末評注：「送董生，卻勸燕趙之士來仕，則董生之不當往，已在言外。」見《精校評注古文觀止》卷八，頁37。

可見此文共三層：以「感慨悲歌（因）、知必有合（果）、慕義彊仁（因）」（底層一）與「今異於古（因）、以此行卜（果）」（底層二）兩個底層的「章結構」，撐起「必有合（因）、卜有合（果）」（次層一），而與「情（泛）、事（具）」（次層二），形成次層之「章結構」，由此上徹至上層，凸顯「正寫（擊）、側寫（敲）」的「篇結構」，以統合全文。看來全篇似以移位結構形成調和，卻因此文頗為曲折，將「古」與「今」、「合」與「不合」交錯敘寫，隱含「董生不當往」之意，因此調和中暗含對比，是很耐人尋味的。茲將此篇章結構，配合「0 一二多」雙螺旋系統，以簡圖表示如下：

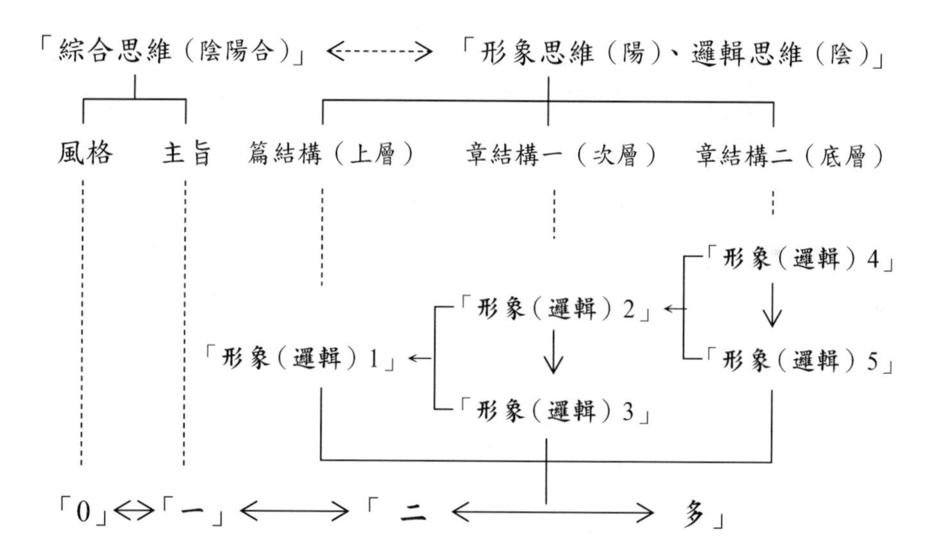

如此對應於「0 一二多」來看，則由次、底兩層所形成之調和中含對比的移位性結構，可視為「多」；由上層自為陰陽徹下徹上所形成之調和中含對比的移位性結構，可視為關鍵性之「二」，藉以統括輔助性結構，形成一篇規律；而由此將「當往中又含不當往」的「微

情妙旨」與「無限開闔，無限變化，無限含蓄」[47] 之風格呈現出來，則可視為「一 0」。如此由「形象（陽）」、「邏輯（陰）」思維在此交叉、疊合在一起，以形成「綜合思維（陰陽合）」，凸顯了作者此文「意在言外」、「吞吐盡致」之特色。

詩如沈佺期〈雜詩・三首之一〉：

> 聞道黃龍戍，頻年不解兵。可憐閨裡月，長在漢家營。少婦今春意；良人昨夜情。誰能將旗鼓，一為取龍城？

此詩旨在寫閨怨，從而反映出作者對戰事結束的無限渴望，採「先平提『久不解兵』、『望月相思』後側收『望解兵』」的「篇結構」（上層）寫成。在「平提」的部分裡，以「先因後果」的「章結構」（次層），平提兩個重點，即「久不解兵」（因）和「望月相思」（果）。其中首聯寫「久不解兵」為「因」，頷、頸兩聯寫「望月相思」為「果」，形成「章結構」（三層）；而在「望月相思」（果）的部分，則以頷聯寫「望月」、頸聯寫「相思」，形成「章結構」（底層）。值得注意的是，在此無論是寫「望月」（即景）或是「相思」（抒情），都兼顧了思婦之「實」與征夫之「虛」，也就是說，寫思婦在「閨裡」望月相思，是「實」；而寫征夫在「漢家營」（黃龍）望月相思，是「虛」。如此虛實相映，更增添了作品的感染力量。接著以尾聯，採「側收」的方式，針對著起聯之「不解兵」，從反面表達出「解兵」的強烈願望。這種願望如能實現，那麼思婦與征夫就不必再「望月相思」了。就這樣環環相扣，收到了「一氣轉折」[48] 之效果。

47 吳楚才評，見王文濡：《精校評注古文觀止》卷八，頁36-37。

48 高步瀛：《唐宋詩舉要》注（臺北市：學海出版社，1973年2月初版），頁413。

據此可畫成如下的「形象（邏輯）」結構系統圖：

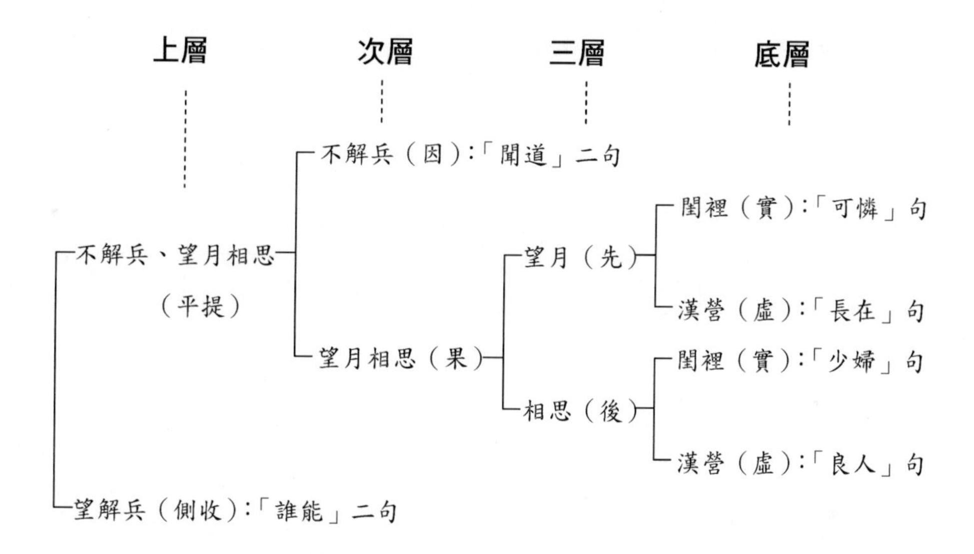

從上表可知，上層「不解兵、望月相思」的「平提」與「望解兵」的「側收」，形成「篇結構」；次層的「不解兵（因）」與「望月相思（果）」，形成「章結構」（一），三層的「望月（先）」與「相思（後）」形成「章結構」（二）；底層的兩疊「閨裡（實）」與漢營（虛）形成「章結構」（三），逐層縱橫疊合在一起，組合成篇章結構。茲將此篇章結構，配合「多二一（0）」螺旋，以簡圖表示如下：

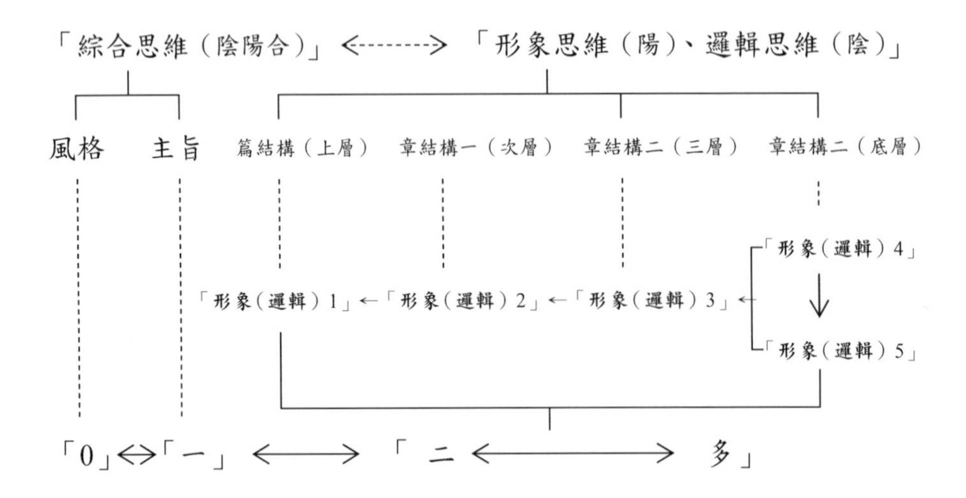

如此對應於「0 一二多」來看，則由次、三、底三層所形成之移位性結構，可視為「多」；由上層自為陰陽徹下徹上所形成之調和性結構，可視為關鍵性之「二」，藉以統括輔助性結構，形成一篇規律；而由此將「望解兵以慰相思」的主旨與「環環相扣，句句相接」、「首尾呼應，渾然一體」[49]之風格呈現出來，則可視為「一（0）」。如此由「形象（陽）」、「邏輯（陰）」思維在此交叉、疊合在一起，以形成「綜合思維（陰陽合）」，凸顯了作者此詩在藝術方面之特殊成就。

詞如蘇軾〈南鄉子〉：

> 東武望餘杭，雲海天涯兩渺茫。何日功成名遂了，還鄉，醉笑陪公三萬場。　　不用訴離觴，痛飲從來別有腸。今夜送歸鐙火冷，河塘，墮淚羊公卻姓楊。

---

49 葛景春評析，見袁行霈主編：《歷代名篇賞析集成》上（北京市：中國文聯出版公司，1988年12月一版一刷），頁582。

此詞題作「和楊元素，時移守密州」，作於宋神宗熙寧七年（1074），朱祖謀注：「甲寅九月，楊繪再餞別於湖上作」，可知此詞作於杭州西湖，是採「（設想）虛、時與地（實）、設想（虛）」的「篇結構」（上層）寫成的。它首先在上片，透過設想，將空間移至「密州」（東武）、時間推向未來，用「章結構」（次層一包孕底層）虛寫別後之相思與重會，為頭一個「虛」。接著以下片「不用」二句，用「章結構」藉眼前（今時今地）之醉酒來寫離腸，把一篇之中心意旨交代清楚，為「實」的部分（次層二）。末了以結三句，將時間移向未來，用「章結構」虛寫「送歸」時鐙火之冷與主人之淚，以推深送別之情，為後一個「虛」（次層三），這種結構相當罕見。據此可畫成如下的「形象（邏輯）」結構系統圖：

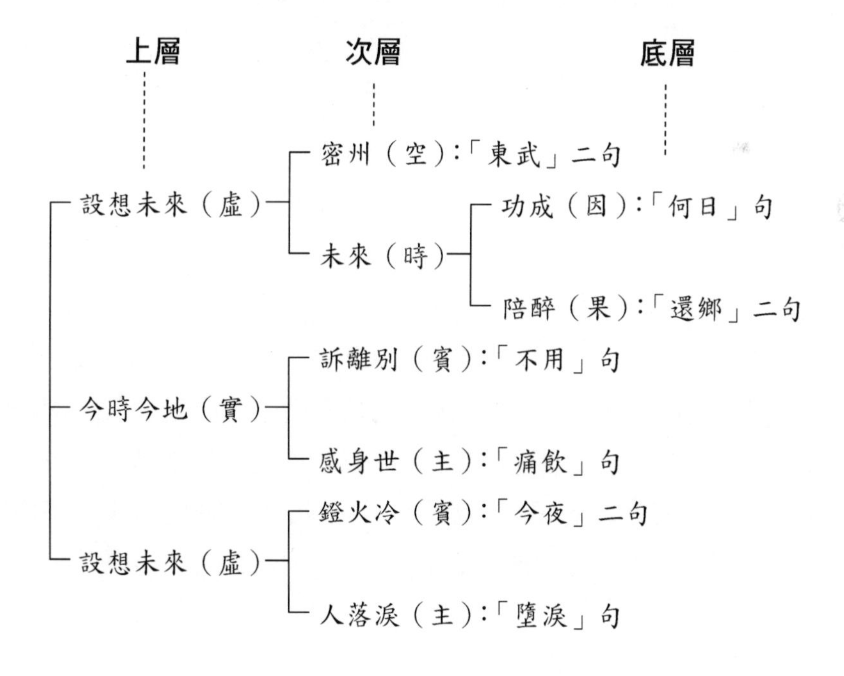

可見此詞，共分三層：首層以「設想未來（虛）」、「今時今地

（實）」、「設想未來（虛）」形成「篇結構」，次層以「密州（空）、未來（時）」、「訴離別（賓）、感身世（主）「鐙火冷（賓）、人落淚（主）」形成「章結構」（一），底層以「功成（因）、陪醉果」形成「章結構」（二）。由此逐層縱橫疊合在一起，組合成篇章結構。茲將此篇章結構，配合「多二一（0）」螺旋，以簡圖表示如下：

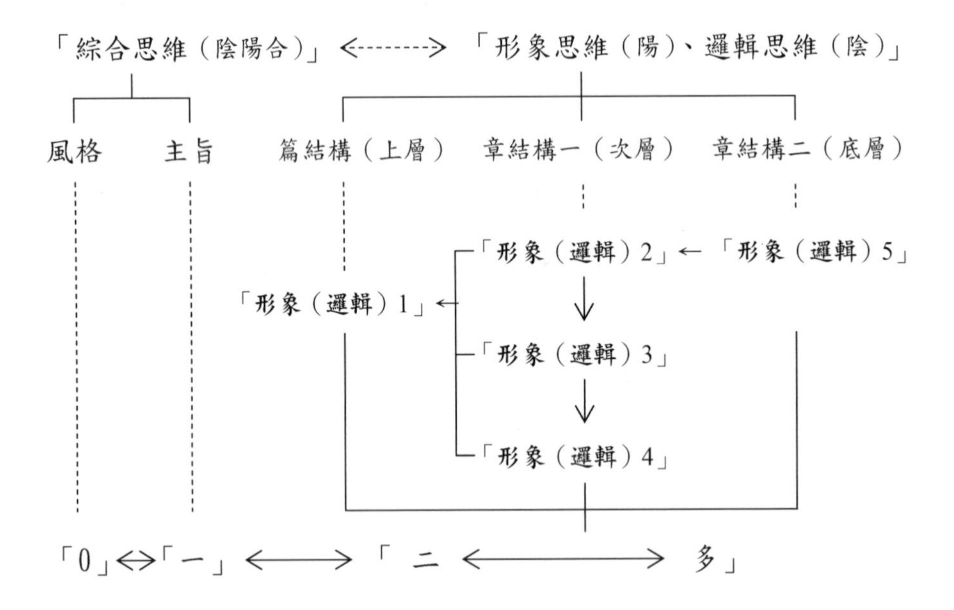

如此對應於「0 一二多」來看，則由次、底兩層所形成調和的移位性結構，可視為「多」；由上層自為陰陽徹下徹上所形成調和的轉為性結構，可視為關鍵性之「二」，藉以統括輔助性結構，形成一篇規律；而由此將「訴離腸、感身世」的主旨與「詞境開闊，感情深摯」[50]之風格呈現出來，則可視為「一 0」。如此由「形象（陽）」、

50 王文龍講解，見葉嘉瑩主編：《蘇軾詞新釋輯評》上（北京市：中國書店，2007年1月一版一刷），頁249。

「邏輯（陰）」思維在此交叉、疊合在一起，以形成「綜合思維（陰陽合）」，充分地打動讀者的心弦。

（二）「邏輯（形象）」類型

在此，也舉古典散文、詩、詞各一例，酌予說明，以見一斑：古典散文如王安石〈讀孟嘗君傳〉：

> 世皆稱孟嘗君能得士，士以故歸之，而卒賴其力，以脫於虎豹之秦。
>
> 嗟呼！孟嘗君特雞鳴狗盜之雄耳，豈足以言得士！不然，擅齊之強，得一士焉，宜可以南面而制秦，尚何取雞鳴狗盜之力哉！雞鳴狗盜之出其門，此士之所以不至也。

這篇文章，一開頭就直接以「世皆稱」四句，先立一個案，採「先立（頌揚）後破（貶抑）」的「篇結構」（上層），藉世人之口，對孟嘗君之「能得士」，作一讚美，並藉「先因（能得士）後果（脫於秦）」的「章結構」（次層一），從中拈出「卒賴其力，以脫於虎豹之秦」，隱含「雞鳴狗盜」之意，以作為「質的」，以引出下文之「弓矢」。再以「嗟呼」句起至末，在此用「實（正：雞鳴狗盜）、虛（反：南面制秦）、實（正：不能得士）」的「章結構」（次層二），針對「立」的部分，以「雞鳴狗盜」扣緊「卒賴其力，以脫於虎豹之秦」，呈現「先因（門下無士）後果（士因不至）」的「章結構」（底層）予以攻破。所謂「質的張而弓矢至」，真是一箭而貫紅心，雖文不滿百字，卻有極強的說服力。對此，林西仲指出：「《史記》稱孟嘗君招致任俠姦人入薛，其所得本不是士，即第一等市義之馮驩，亦不過代鑿三窟，效雞鳴狗盜之力，何嘗有謀國制敵之慮！『龍門好客自喜』一語，早已斷煞，而世人不知，動稱『能得士』，故荊公作此以破其說。篇首喝起『世皆稱』三字，是與『龍門』贊語相表裡，非翻案也。百餘字中，有起、承、轉、合在內，警策奇筆，不可多得。」[51] 將此文特色交代得十分清楚。據此可畫成如下的「邏輯（形象）」結構系統圖：

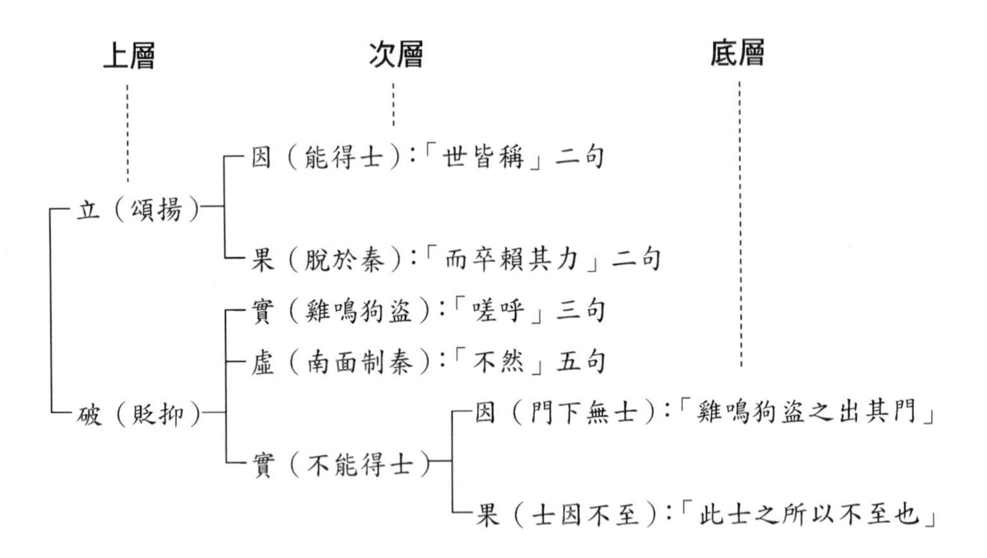

可見此文在「篇」的部分，以「先立（頌揚）後破（貶抑）」的移位性核心結構（上層），形成對比。但一樣的在對比中卻含有調和的成分，因為就「章」而言，在「立（頌揚）」的部分，既以「先因（能得士）後果（脫於秦）」的移位結構（次層）形成了調和；在「破」的部分，又先以「實（正：雞鳴狗盜）、虛（反：南面制秦）、實（正：不能得士）」的轉位性結構（次層）形成對比，再以「先因（門下無士）後果（士因不至）」的移位性結構（底層）形成調和。

51 林雲銘：《古文析義合編》上冊，頁326。

這樣以「對比」、「移位」為主、「調和」、「轉位」為輔，其節奏（韻律）、風格自然趨於強烈、陽剛。茲將此篇章結構，配合「0 一二多」雙螺旋系統，以簡圖表示如下：

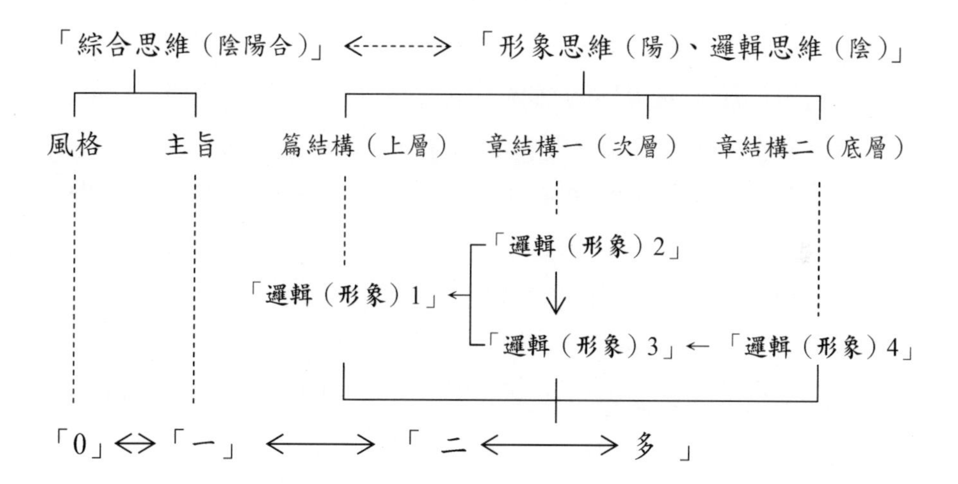

如此對應於「0 一二多」而言，則此文以次、底兩層結構與節奏，形成了「多」；以上層結構與韻律，自為陰陽對比，形成了關鍵性之「二」，以徹下徹上；而以孟嘗君「未足以言得士」之主旨與所形成的毗剛風格、韻律，所謂「筆力簡而健」[52]，則形成了「一 0」。如此由「形象（陽）」、「邏輯（陰）」思維在此交叉、疊合在一起，以形成「綜合思維（陰陽合）」，使這篇短文有著極強之氣勢與說服力。

詩如杜甫〈旅夜書懷〉：

> 細草微風岸，危檣獨夜舟。星垂平野闊，月湧大江流。名豈文章著，官應老病休。飄飄何所似？天地一沙鷗。

---

52 郭預衡：《中國散文史》中（上海市：上海古籍出版社，2000年3月一版一刷），頁485。

此詩為泊舟江邊、觸景生情之作，採「先實（景）後虛（情）」之「篇結構」（上層）寫成。起、頷二聯，用「先小（景一）後大（景二）」的「章結構」（次層一），先在起聯，就「小（景一）」，藉孤舟、風岸、細草，寫江邊的寂寥，以呈現「先低（水）後高（陸）」的「章結構」（底層一）；再在頷聯，就「大（景二）」，藉星月、平野、江流，寫天地的高曠，以呈現「先高（陸）後低（水）」的「章結構」（底層二）；這是寫景的部分，為「實（景）」。頸、尾二聯，用「先因（身世）後果（流浪）」的「章結構」（次層二），先在頸聯，就文章與功業，寫自己事與願違、老病交迫的苦惱；再在尾聯，就旅舟與沙鷗，寫自己到處飄泊的悲哀；這是抒情的部分，為「虛（情）」。就這樣一實一虛地產生相糅相襯的效果，使得滿紙盈溢著悲愴的情緒[53]。據此可畫成如下的「邏輯（形象）」結構系統圖：

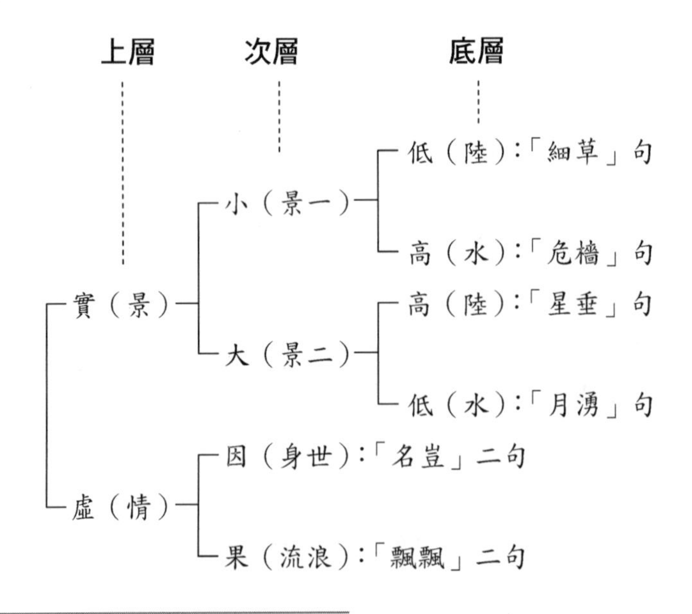

53 傅思均評析，見蕭滌非等主編：《唐詩大觀》（香港：商務印書館香港分館，1986年1月香港一版二刷），頁564。

由上表可看出，作者寫這首詩，主要是用「虛實」、「大小」、「因果」、「高低」（二疊）等邏輯層次（章法）來組織其形象（景、情）材料，以形成其篇章的移位性之調和結構的。茲將此篇章結構，配合「0 一二多」螺旋系統，以簡圖表示如下：

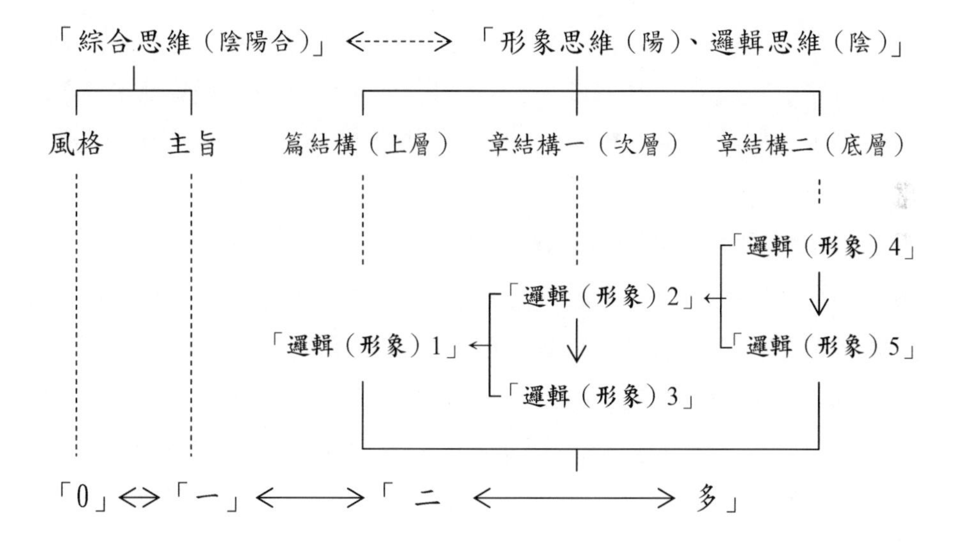

如此對應於「0 一二多」來看，則由次、底兩層所形成之移性結構，可視為「多」；由上層自為陰陽徹下徹上所形成之調和性結構，可視為關鍵性之「二」，藉以統括輔助性結構，形成一篇規律；而由此呈現的「身世之感與流浪之苦」的主旨與「含蓄不露，律細筆深，情景交融，渾然一體」[54]之風格，則可視為「一 0」。如此由「形象（陽）」、「邏輯（陰）」思維在此交叉、疊合在一起，以形成「綜合思維（陰陽合）」，約略凸顯了老杜此時之心境。

54 劉風萍評析，見孫育華主編：《唐詩鑑賞辭典》（北京市：北京燕山出版社，2000年11月一版三刷），頁439-440。

詞如李煜〈相見歡〉：

> 無言獨上西樓，月如鉤。寂寞梧桐深院、鎖清秋。　　剪不斷，理還亂，是離愁。別是一般滋味、在心頭。

這首詞寫秋愁，是用「先具（事、景）後泛（情）」（上層）的「篇結構」寫成的。就「具」（事、景）的部分來看，是在上片，採「先事（上樓）後景（所見）」的「章結構」（次層），主要用以勾畫出一片秋日愁境。它先寫主人翁默默無語地獨上西樓的事，用「無言」巧妙地反映了主人翁孤寂的心情。然後寫獨上西樓後所見之景，用「先高（仰觀所見）後低（俯視所見）」的「章結構」（底層），以凸顯「清秋」之「寂寞」。高原在《唐宋詞鑑賞辭典》中說：「『寂寞』者，實非梧桐深院，人也；『鎖清秋』，被『鎖』者，實非清秋亦人也。」[55]這就是王國維《人間詞話》所說的「一切景語皆情語」啊！就「泛」（情）的部分來看，是在下片，採「先淺（離別之苦）後深（家國之哀）」的章結構，主要用以抒發滿懷愁緒。在此，先以「剪不斷」三句，就「淺」寫離別之苦：再以「別是一般滋味在心頭」句，就「深」寫身世、家國之哀。唐圭璋在其《唐宋詞簡釋》中說：「此種無言之哀，更勝於痛哭流涕之哀。」[56] 這種領略是深得詞心的。據此可畫成如下的「邏輯（形象）」結構系統圖：

---

55 高原評析，唐圭璋、繆鉞等撰：《唐宋詞鑑賞辭典》（上海市：上海辭書出版社，1999年一版十五刷），頁127。

56 唐圭璋：《唐宋詞簡釋》（臺北市：木鐸出版社，1982年3月初版），頁39。

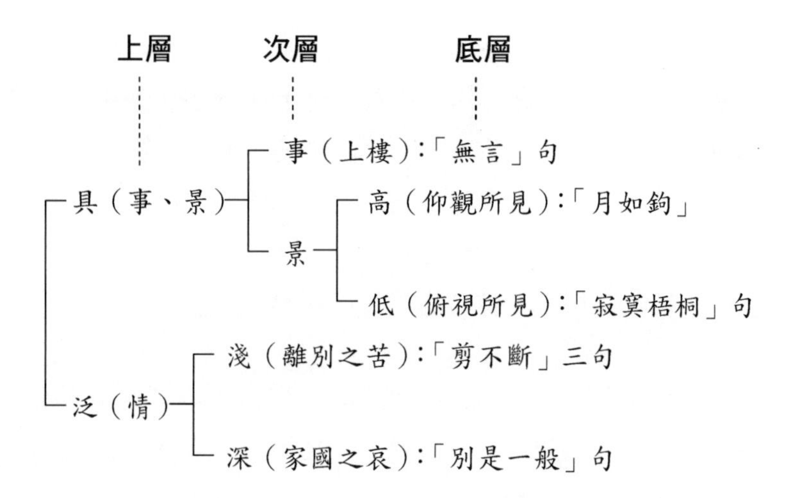

可見作者寫這首詩，主要是用「先具（事、景）後泛（情）」（上層）、先事（上樓）後景（所見）（次層一）與「先淺（離別之苦）後深（家國之哀）」（次層二）、「高（仰觀所見）低（俯視所見）」（底層）等的四個組織來形成其調和的移位性篇章結構的。茲將此篇章結構，配合「0一二多」螺旋系統，以簡圖表示如下：

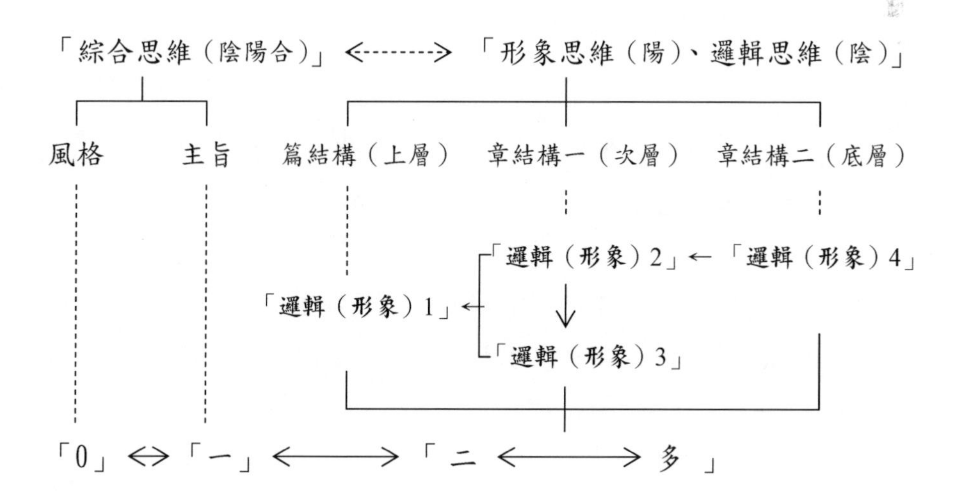

如此對應於「0 一二多」來看，則由次、底兩層所形成之移性結構，可視為「多」；由上層自為陰陽徹下徹上所形成之調和性結構，可視為關鍵性之「二」，藉以統括輔助性結構，形成一篇規律；而由此呈現的「身世之感與家國之哀」的主旨與「悽惋至極」[57]之風格，則可視為「一 0」。如此由「形象（陽）」、「邏輯（陰）」思維在此交叉、疊合在一起，以形成「綜合思維（陰陽合）」，產生了極大的感人力量。

第三節　形象（陽）、邏輯（陰）思維與篇章結構之綜合探討

對篇章的「形象（陽）、邏輯（陰）」結構，需要加以注意的，主要有其縱與橫、潛與顯與繁與簡等，茲分別略予探討如下：

（一）篇章「形象（陽）、邏輯（陰）」結構之縱與橫

對於辭章的「縱」與「橫」問題，在我國很早就注意到了，劉勰《文心雕龍．情采》說：

> 情者文之經，辭者理之緯，經正而後緯成，理定而後辭暢，此立文之本源也。[58]

所謂「情者文之經，辭者理之緯」，凸顯了辭章的縱向（經）與橫向（緯）的問題，如就「篇章」而言，其中「縱向」的結構，由「內

57 唐圭璋：《唐宋詞簡釋》，頁39。

58 黃叔琳注，李詳補注：《增訂文心雕龍校注》卷七（北京市：中華書局，2000年8月一版一刷），頁415。

容」，也就是情、理、景、事等組成；而橫向的結構，則由「形式」，也就是各種章法，如今昔、遠近、大小、本末、賓主、正反、虛實、凡目、因果、抑揚、平側……等組成。因此捨「縱向」而取「橫向」，或捨「橫向」而取「縱向」，是無法分析好文章的篇章結構的。對此，鄭頤壽作了如下說明：

> 把「情」、「理」、「景」、「物」、「事」為「縱向」，「章法」為「橫向」，這與劉勰的「情經辭緯」說是一脈相承的，即把「章法」定位在「辭」——「（內容之）形式」上。[59]

這樣「縱向」（內容）與「橫向」（形式）並重，就是「情采並重」，王更生釋云：

> 歸根究柢，固可說是內容與形式的關係問題，但他能就此問題，突破六朝形式主義的文風，落實到情采並重方面來，這不能不說是正本清源之論。[60]

可見「情采並重」，就篇章結構而言，就是「意象（內容）和邏輯（形式）」之並重，這無疑地是「正本清源」之論。

凡此均可看出「篇章形象」與「篇章邏輯」，是縱向、橫向與「內容的內容」、「內容的形式」間的關係，是並重的，是互相包孕的[61]。

---

59 鄭頤壽：〈臺灣辭章學研究述評及其與大陸的異同比較〉，《福建省社會主義學院學報》總43期（2002年4月），頁29。

60 王更生：《文心雕龍選讀》（臺北市：巨流圖書公司，1994年10月一版一刷），頁240。

61 陳滿銘：〈篇章內容、形式包孕關係探論——以「多二一（0）」螺旋結構切入作探討〉，臺灣師大《中國學術年刊》32期秋季號（2010年9月），頁283-319。

(二)篇章「形象(陽)、邏輯(陰)」結構之潛與顯

篇章的「形象(陽)、邏輯(陰)」結構雖然並重,卻有潛與顯之分。通常「顯」的是「形象(陽)結構」、「潛」的是「邏輯(陰)結構」。因為篇章的「邏輯結構」,涉及「意象之組織」,探求的是意與象、意與意、象與象之間深層的邏輯關係;而「形象(陽)結構」涉及「內容義旨」,凸顯的是意、象本身的形、質。所以「意象之組織」問題,雖一直有人注意,如盛子潮、朱水湧《詩歌形態美學》(1987)、陳振濂《空間詩學導論》(1989)、李元洛《詩美學》(1990)、陳植鍔《詩歌意象論》(1990)、陳慶輝《中國詩學》(1994)、趙山林《詩詞曲藝術論》(1998)、王長俊等的《詩歌意象學》(2000)等,卻都無法獲得圓滿解決。如陳慶輝在《中國詩學》中即說道:

> 應該說意象的組合方式是多種多樣的,上述所舉只怕是掛一漏萬;而且複合意象的構成,作為一種審美創造,是一個複雜的心理過程,用所謂並列、對比、敘述、述議等結構形式加以說明,似乎是粗糙的、膚淺的,其深層的因素和邏輯還有待我們去挖掘和探索。[62]

意象之組織,確乎是一種複雜的心理過程,其中動用了精密的層次邏輯之思維能力,原本就是不易掌握、捕捉的,而且在古典詩詞中,可以幫助確認意象組織的邏輯關係之連接詞常常被省略,因此更加重了探索、挖掘的困難度。而王長俊主編的《詩歌意象學》也認為:

62 陳慶輝:《中國詩學》(臺北市:文史哲出版社,1994年12月初版),頁74。

> 中國古典詩歌的意象雖然可以直接拼接，意象之間似乎沒有關聯，其實在深層上卻互相勾連著，只是那些起連接作用的紐帶隱蔽著，並不顯露出來，這就是前人所謂的「斷峰雲連」、「辭斷意屬」。[63]

他所謂的「斷峰雲連」、「辭斷意屬」，指的就是意象組織的問題。由此看來，意象與意象，亦即「內容的內容」間的隱蔽「紐帶」或「深層的因素和邏輯」，一直未被好好地「挖掘」、「探索」而「顯露」出來過，是公認的事實[64]。而這個難題，可由「內容的形式」（篇章邏輯：陰）、「內容的內容」（篇章形象：陽）之潛顯互動予以解決。韋世林在《邏輯與知識創新》第四章就指出：

> 邏輯法規要求文章的「觀點」和「材料」達到高度的融合。……因為它強調的是文章的觀點和材料之間一定要有內在聯繫。……如若違背「觀點和材料相統一」的邏輯法規，就會犯……「章法」錯誤。[65]

所謂「觀點」就是「意」、「材料」就是「象」。「意」與「象」或個別意象與整體意象要彼此融合、統一，必須靠「邏輯法規」（章法）作「內在聯繫」，換句話說，「內容的內容」（意象、主題）是由「內容的形式」（邏輯、章法）從內在加以聯繫、融合、統一的。可見這一

---

63 王長俊主編：《詩歌意象學》（合肥市：安徽文藝出版社，2000年8月一版一刷），頁215。

64 過去論「意象組合」，往往著重其形象性而忽略其邏輯性，因此有「籠統」或陷於「局部」之缺憾。參見陳滿銘：〈論意象組合與章法結構〉，臺灣師大《國文學報》43期（2008年6月），頁233-262。

65 黃順基、蘇越、黃展驥主編：《邏輯與知識創新》第四章，頁85。

問題，直接涉及「篇章邏輯學」，亦即「章法學」。王希杰說：

> 章法學不是關於文章內容本身的學問，而是內容材料的關係的學問。文章表現形式是多種多樣的，千變萬化的，但是其內在邏輯結構，卻是很有限的，不過是有限的幾種關係模式。而且這種內在的關係是潛在的。[66]

他所謂的「這種內在的關係是潛在的」，不就是指意、象（篇章形象：陽）間的「隱蔽紐帶」或「深層的因素和邏輯」嗎？可見探究「篇章邏輯：陰」是可以挖掘出「篇章形象：陽」亦即「內容義旨」之深層關係的。而用「篇章邏輯：陰」來挖掘「篇章形象：陽」之深層關係，正是「章法（篇章邏輯：陰）與內容（篇章形象：陽）關係論」的重點所在，黎運漢將此與「章法四大規律論」視為「章法理論大廈的兩根堅實支柱」[67]，就是看出「章法」，也就是「篇章邏輯：陰」的這種重大功用。

（三）篇章「形象（陽）、邏輯（陰）」結構之繁與簡

在此，可從如下兩個角度加以探討：

首先探討形象（陽）與邏輯（陰）間的繁與簡：以「潛顯」而言，既然篇章的形象是「顯」、邏輯為「潛」，那麼遇到章法結構系統

---

66 王希杰：〈陳滿銘教授和章法學〉，《畢節學院學報》總96期（2008年2月），頁3。

67 黎運漢：「陳教授的章法四大規律論和章法與內容關係論，揭示了章法學的研究對象，理清了它的範圍，闡明了其分析原則和方法與實用意義，形成了章法理論大廈的兩根堅實支柱，它們有深度、有廣度、有理論開拓性和實踐指導性的品格，為漢語辭章章法學構建起一個較為科學的理論體系奠定了堅實的基礎。」見〈陳滿銘對辭章章法學的貢獻〉，《陳滿銘與辭章章法學》（臺北市：文津出版社，2007年12月初版一刷），頁56。

太複雜時，則以形象「簡」、邏輯「繁」比較合宜；何況章法類型中有許多是涉及形象的，如今昔、久暫、大小、遠近、內外、高低、左右、時空、情景、敘論、天人、詳略、眾寡、賓主、正反、力破、凡目、因果……等，都與形象內容相關，有兼顧作用。因此為了求簡，是可以儘量存邏輯而略形象的。如《史記．孔子世家贊》：

> 太史公曰：《詩》有之：「高山仰止，景行行止。」雖不能至，然心鄉往之。余讀孔氏書，想見其為人。適魯，觀仲尼廟堂，車服、禮器，諸生以時習禮其家，余低回留之，不能去雲。天下君王至於賢人眾矣，當時則榮，沒則已焉。孔子布衣，傳十餘世，學者宗之。自天子王侯，中國言六藝者，折中於夫子，可謂至聖矣！

這篇贊文，採「先點後染」[68]的「篇結構」（上層）寫成，「點」指「太史公曰」：而「染」則自「《詩》有之」起至篇末，乃用「凡」（綱領）、「目」、「凡」（主旨）的「章結構」（次層）寫成。其中頭一個「凡」（綱領）的部分（次層一），自篇首至「然心鄉往之」止，引《詩》虛虛籠起，以「高山仰止，景行行止」兩句語典領出「鄉往」兩字，作為綱領，以統攝下文，形成「章結構」（三層）。「目」的部

68 新發現章法之一。「點染」本用於繪畫，指基本技巧。而移用以專稱辭章作法的，則始於清劉熙載。但由於他的所謂的「點染」，指的乃是「情」〔點〕與「景」〔染〕，和「虛實」此一章法大家族中的「情景」法，恰巧相重疊，所以就特地借用此「點染」一詞，來稱呼類似畫法的一種章法：其中「點」，指時、空的一個落足點，僅僅用作敘事、寫景、抒情或說理的引子、橋樑或收尾；而「染」，則指真正用來敘事、寫景、抒情或說理的主體。也就是說，「點」只是一個切入或固定點，而「染」則是各種內容本身。這種章法相當常見，也可以形成「先點後染」、「先染後點」、「點、染、點」、「染、點、染」等結構，而產生秩序、變化、聯貫〔呼應〕之作用。見陳滿銘：〈論幾種特殊的章法〉，頁181-187。

分（次層二），自「余讀孔氏書」至「折中於夫子」止，以「由寡及眾」的方式，含三節形成「章結構」（三層包孕四、底層）來寫：首節寫自己「讀孔氏書」與「觀仲尼廟堂」之所見、所思，以「想見其為人」與「低回留之，不能去云」句，表出自己對孔子的「鄉往」之情；次節特將孔子與「天下君王至於賢人」作一對照，以「一反一正」形成對比，以「學者宗之」表出孔門學者對孔子的「鄉往」之情（理），並暗示所以將孔子列為世家的理由；三節寫各家以孔子的學說為截長補短的標準，而以「折中於夫子」表出全天下讀書人對孔子的「鄉往」之情（理）。後一個「凡」（主旨）的部分（次層三），即末尾「可謂至聖矣」一句，拈出主旨，以回抱前文之意（情、理）作收。附結構系統圖如下：

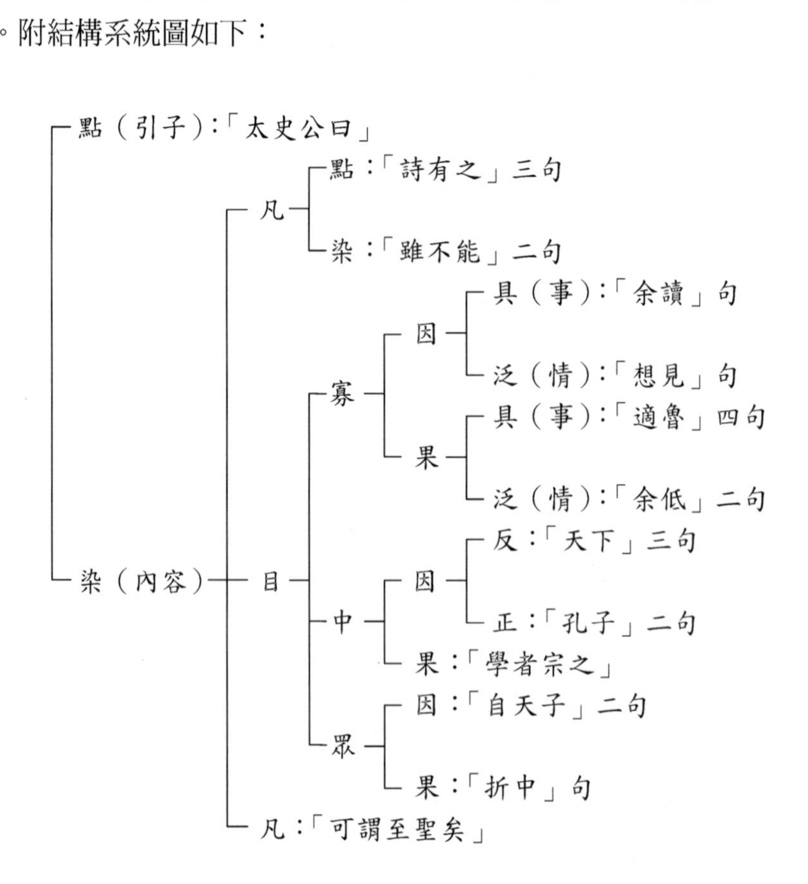

這種結構，如對應於「0 一二多」來看，篇中那些「點染」、「因果」、「泛（情）、具（事）」與「正反」等結構，為「多」；「凡、目、凡」的核心結構[69]，可徹下以統合「多」、徹上以歸根於「一 0」的，為「二」；而一篇之主旨「至聖」與「虛神宕漾」[70]之風格，則為「一 0」。就這樣，太史公此文，握定「鄉往」作為綱領，以作者本身、孔門學者以及全天下讀書人對孔子「鄉往」的事實為內容，層層遞寫，結出「至聖」（嚮往到了極點的稱號）的一篇主旨，以讚美孔子。文雖短而意特長，令人讀了，也不禁湧生無限的「仰止」之情來，久久不止。

此文邏輯結構共五層，如要兼顧形象內容，必定會相當繁雜，令人眼花撩亂，所以遇「凡目」、「眾寡」、「因果」與「正反」時，因它們在邏輯中含形象，便略去形象內容，比較可以令人一目了然。

然後探討整個篇章結構的繁與簡：篇章結構的研究，在開始階段，為了「求異」，於處理古文的結構系統時，往往力求仔細，如分析韓愈〈師說〉、李密〈陳情表〉與范仲淹〈岳陽樓記〉，就依序以九層、十層、十一層呈現[71]，這樣就研究來說，雖有其必要，但難免會顯得繁瑣、瑣碎，使讀者難以把握[72]；因此到了推廣階段，尤其推廣

---

69 陳滿銘〈論章法「多、二、一（0）」的核心結構〉，《師大學報．人文與社會類》48卷2期（2003年12月），頁71-94。

70 吳楚材、王文濡：《精校評注古文觀止》卷五，頁8。

71 陳滿銘：《文章結構分析——以中學國文課文為例》（臺北市：萬卷樓圖書公司，1999年5月初版），頁163-164、185、201。

72 王希杰：「章法學的成功，是歸納法的成功，這近四十種章法規則是……從大量的文章中歸納出來的，一律具有巨大的解釋力，覆蓋面很強。同時也是演繹法的成功的運用，例如《章法學綜論》中的變化律的十五種結構，很明顯是邏輯演繹出來的，當然也是得到許多文章的驗證的。……值得一提的是，……大量運用模式化手法。這本是很好的方法，但是我恐怕有些讀者會有不耐煩的感覺，可能產生反感，指責說，把生動活潑形象的文章格式化、公式化、簡單化。我想這可能是一些人不喜歡

到語文教學時，就需要力求簡單明白，通常用三層（邏輯含形象）來呈現結構系統最為合宜。前幾年所主編之《大學國文選》即如此，而獲得良好反應[73]。茲舉姜夔〈暗香〉詞，略作說明，以見一斑：

> 舊時月色。算幾番照我，梅邊吹笛。喚起玉人，不管清寒與攀摘。何遜而今漸老，都忘卻、春風詞筆。但怪得、竹外疏花，香冷入瑤席。　　江國、正寂寂。歎寄與路遙，夜雪初積。翠尊易泣，紅萼無言耿相憶。長記曾攜手處，千樹壓、西湖寒碧。又片片、吹盡也，幾時見得。

這闋詞題作「辛亥之冬，余載雪詣石湖。止既月，授簡索句，且徵新聲，作此兩曲。石湖把玩不已，使二妓肄習之，音節諧婉，乃曰〈暗香〉、〈疏影〉」。乃一首詠紅梅之作，作於光宗紹熙二年（1191），採「先實（今昔）後虛（未來）」的「篇結構」（上層）寫成。

「實」（今昔）的部分，自開篇起至「吹盡也」止，用「先因後果」的「章結構」（次層）加以呈現。其中先以起首五句，用「先反（昔盛）後正（今衰）」之「章結構」（底層），就梅花之盛，寫當年梅邊吹笛、喚人攀摘的雅事；這寫的是「反」（昔盛）。再以「何遜」四句，就梅花之衰，寫如今人老花盡、無笛無詩的境況；接著以「江國」六句，承「何遜」四句，仍就梅花之衰，反用陸凱詩意，寫路遙雪深、無從寄梅的惆悵；以上寫的是「正」（今衰）；以上是寫「因」

章法學的原因吧？法則太多，可能顯得繁瑣、瑣碎，使人難以把握的。可貴的是，……並不滿足於單純地『歸納法則』，他們力圖建立統率這些比較具體的法則的更高的原則。」見〈陳滿銘教授和章法學〉，頁4-5。

73 陳滿銘主編：《大學國文選》（臺北市：普林斯頓國際公司，2006年9月初版），頁493。又於2011年7月二版修訂，頁473。

的部分。然後以「長記」二句，用「先『反』（昔盛）後『正』（今衰）」之結構，先承篇首五句，透過回憶，藉當年攜遊西湖孤山所見梅紅與水碧相映成趣的景致，以抒發無限懷舊之情；再以「又片片、吹盡也」句，回應「何遜」十句，就眼前，寫梅花落盡、舊歡難再的悲哀；以上是寫「果」的部分。

而「虛（未來）」部分（上層），即結尾一句，將時間伸向未來，發出「不知何時才能見得著」的感歎作結。作者就這樣以一實一虛、一盛一衰、一昔一今，作成強烈的對比來寫，將自己滿懷的今昔之感、懷舊之情，表達得極為婉轉回環，有著無盡的韻味。有人以為此詞托喻君國，事與徽、欽二帝北狩有關[74]，因無佐證，不予採納[75]。附結構系統圖如下：

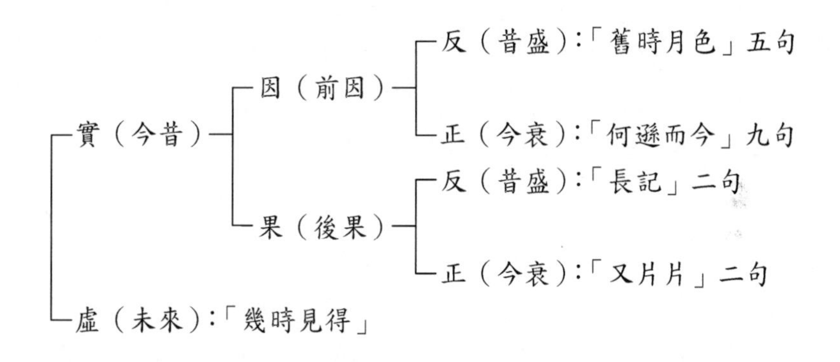

74 宋翔鳳：「詞家之有姜石帚，猶詩家之有杜少陵，繼往開來，文中關鍵。……〈暗香〉、〈疏影〉，恨偏安也。蓋意愈切，則詞愈微，屈、宋之心，誰能見之。」見《樂府餘論》，《詞話叢編》3（臺北市：新文豐出版公司，1988年2月臺一版），頁2503。陳廷焯：「南渡以後，國勢日非。白石目擊心傷，多於詞中寄慨。不獨〈暗香〉、〈疏影〉二章，發二帝之幽憤，傷在位之無人也。特感慨全在虛處，無迹可尋，人自不察耳。」見《白雨齋詞話》卷二，《詞話叢編》4，頁3797。

75 常國武：「此詞不過是借梅花的盛衰，抒發作者自己由年輕時的歡愉轉入老大的悲涼，以及自己與故人由當年共同賞梅到而今兩地乖隔、舊遊難再的悵惘而已，與亡國之恨毫無瓜葛。」見《新選宋詞三百首》（北京市：人民文學出版社，2000年1月一版一刷），頁403。

這首詞曾以五層呈其結構系統[76]，雖比較詳盡，但用三層已可將它的篇章結構特色，表現出來了。潘善祺以為：

> 此詞由昔而今，又由今而昔，憶盛歎衰，樂聚哀散。回環往復，如蛟龍盤舞，曲盡情意，確是大家手筆。[77]

以此對照結構系統，顯然完全吻合。

結語

綜上所述，可知「形象（陽）」與「邏輯（陰）」兩種思維，在「意象系統」中，是催動「聯想」與「想像」作主、客觀運轉，產生雙螺旋互動，以進行各種作品創造的重要力量。單以辭章的「篇章結構」而言，「形象思維（陽）」主內容材料（含情、理、景〔物〕、事），「邏輯思維（陰）」主邏輯層次（各種章法，如立破、因果、虛實、小大、高低、泛具、淺深等[78]），兩者經由雙螺旋互動，彼此交叉、疊合在一起，以帶動「綜合思維（陰陽合）」，形成「0 一二多」雙螺旋結構，收到「真（形象）、善（邏輯）、美（綜合）」的最大效果[79]。雖然在此所見到的，主要是「形象（陽）」、「邏輯」思維在

---

76 陳滿銘：《章法結構論》（臺北市：萬卷樓圖書公司，2012年2月初版），頁285-288。

77 陳邦炎主編：《詞林觀止．上》（上海市：上海古籍出版社，1994年4月一版一刷），頁590。

78 章法反映的是自然規律與條理，為「客觀的存在」，見王希杰：〈章法學門外閑談〉，《國文天地》18卷5期（2002年10月），頁92-95。而以上章法類型，見陳滿銘：《章法學綜論》（臺北市：萬卷樓圖書公司，2003年6月初版），頁17-33。

79 陳滿銘：〈論篇章意象之真、善、美〉，《成大中文學報》27期（2009年12月），頁89-118。

「篇章結構」的幾個例子而已，但所謂「以個別表現一般，以單純表現豐富，以有限表現無限」[80]，是可由此窺知由「形象（陽）」與「邏輯（陰）」兩種思維以融成「綜合思維（陰陽合）」在所有創作上的重要性於一斑。

80 葉朗：《中國美學史大綱》（臺北市：滄浪出版社，1986年9月初版），頁26。

第七章
「無法（陰）⟷有法（陽）」雙螺旋互動

「無法（陰）」與「有法（陽）」是天人雙螺旋互動的關係。其中「無法（陰）」，對應於「無極」，指宇宙規律與條理的本身，為核心的「客觀存在」；而「有法（陽）」對應於「太極生兩儀……」，指宇宙規律與條理之層層運作，是可以靠「科學研究」加以驗證的。如落於「辭章」此一領域而言，這個「法」，以作家來說，通常是「不知亦能行」的，為「直觀表現」；以辭章研究者來說，便要引作家們「直觀表現」的成果為對象，用科學的方法，找出通貫「你、我、他」的共同點，作「模式定位」，以解釋「有法（文成法立）」，並歸根於「無法（文無定法）」來確認其「源頭活水」。經此探討，「無法（陰）」（客觀存在）與「有法（陽）」（科學研究）雙螺旋互動的梗概，便可辨明。

「無法（陰）」之「無」，凸顯的是「客觀存在」之渾沌狀態；「有法（陽）」之「有」，依據的是「科學研究」之模式成果。而由於「無」（無極、道）為「有」（太極生兩儀……、一生二……）之母，以致「有法（陽）」必須歸根於「無法（陰）」加以確認。因此本章即鎖定這種「無法（陰）」（客觀存在）與「有法」（科學研究）之互動作用，先就一般性，探討「無法（陰）」、「有法（陽）」的哲學意涵以及兩者與「思維系統」之關聯，再落到「辭章」層面，就其「內涵」與「表現」實例，儘量作詳細之說明，以為驗證，然後又回到一般性，試以美學觀點略予詮釋，以見「無法（陰）」（客觀存在）與「有法（陽）」（科學研究）之間的天人雙螺旋互動關係[1]。

第一節　「無法（陰）⟷有法（陽）」之哲學意涵

「無法（陰）」之「無」與「有法（陽）」之「有」，有著本末互動之關係，其哲學意涵乃聚焦於「0 一二多」雙螺旋結構上。而這種結構，在古代《周易》與《老子》兩本典籍裡，可以完整地找到相關的論述。

創作這兩本經典之古代聖賢，探討宇宙萬物創生、含容的歷程，結果是可用「0 一二多」的雙螺旋結構來呈現的。大致說來，他們是

1　這種天人關係，王希杰以「章法」為例予以說明：「『章法』一詞是多義的。『章法』，是文章之法，但是，有兩種『章法』：一種是客觀存在的『章法』，它顯然是與文章同時出現的。有文章就有章法，不同的文章有不同的章法，但是沒有完全沒有章法的文章，不過是章法的好和壞罷了。另一種『章法』是研究者的認識和主張，是知識和理論，是文章的研究者的辛勤勞動的成果，它當然是文章出現之後的事情。……」所謂「客觀存在的章法」，說的相當於「無法」，為「直觀表現」的依憑；所謂「文章出現後的章法」，說的相當於「有法」，是「科學研究」的成果。見〈章法學門外閒談〉，《平頂山師專學報》18卷3期（2003年6月），頁53。

先由「有象」（現象界）以探知「無象」（本體界），逐漸形成「多→二→一 0」的逆向結構；再由「無象」（本體界）以解釋「有象」（現象界），逐漸形成「0 一→二→多」的順向結構的。就這樣一順一逆，往復探求、驗證，久而久之，終於形成了他們圓融的宇宙人生觀。而對這種宇宙人生觀，雖各有所見，但若只求其同而不其求異，則總括起來說，都可以從「0 一→二→多」（順）與「多→二→一 0」（逆）的互動、循環而提升的雙螺旋關係[2]上加以統合。茲以《周易》、《老子》為例，分別加以探討：

首先看《周易》，在《周易》的〈序卦傳〉裡，對這種「0 一二多」雙螺旋結構形成之過程，就曾約略地加以交代，雖然它們或許「因卦之次，託以明義」[3]，但由於卦、爻，均為象徵之性質，乃一種概念性符號，即一般所說的「象」，象徵著宇宙人生之變化與各種物類、事類。就以《周易》（含《易傳》）而言，它的六十四卦，從其排列次序看，就粗具這種特點[4]。而各種物類、事類在「變化」中，循「由天（天道）而人（人事）」來說，所呈現的是「（一）二、多」的結構，這可說是〈序卦傳〉上篇的主要內容；而循「由人（人事）而天（天道）」來說，則所呈現的是「多、二（一）」的結構了，這可說是〈序卦傳〉下篇的主要內容。其中「（一）」指「太極」，「二」指

---

2 所謂「螺旋」，本用於教育課程之理論上，早在十七世紀，即由捷克教育家夸美紐思所提出，見許建鉞編譯：《簡明國際教育百科全書》（北京市：新華書局北京發行所，1991年6月一版一刷），頁611。又，相對於人文，科技界亦發現生命之「基因」:「DNA」等都呈現螺旋結構。參見約翰．格里賓著，方玉珍等譯：《雙螺旋探密——量子物理學與生命》（上海市：上海科技教育出版社，2001年7月），頁271-318。

3 戴璉璋：《易傳之形成及其思想》（臺北市：文津出版社，1988年11月臺灣初版），頁186-187。

4 徐復觀：《中國人性論史．先秦篇》（臺北市：臺灣商務印書館，1978年10月四版），頁202。

「天地」或「陰陽」、「剛柔」，「多」指「萬物」（包括人事）。雖然「太極」（「道」）與「陰陽」（「剛柔」）等觀念與作用，在〈序卦傳〉裡，未明確指出，卻皆含蘊其中，不然「天地」失去了「太極」（「道」）與「陰陽」（「剛柔」）等作用，便不可能不斷地「生萬物」（包括人事）了。再看《易傳》：

> 乾知大始，坤作成物。（《周易・繫辭上》）
>
> 一陰一陽之謂道，繼之者善也，成之者性也。……生生之謂易，成象之謂乾，效法之謂坤。（同上）
>
> 是故易有太極，是生兩儀，兩儀生四象，四象生八卦。（同上）

在這些話裡，《易傳》的作者用「易」、「道」或「太極」來統括「陰」（坤）與「陽」（乾），作為萬物生生不已的根源。而此根源，就其「生生」這一含意來說，即「易」，所以說「生生之謂易」；就其「初始」這一象數而言，是「太極」，所以《說文解字》於「一」篆下說「惟初太極，道立於一，造分天地，化成萬物」[5]；就其「陰陽」這一原理來說，就是「道」，所以說「一陰一陽之謂道」。分開來說是如此，若合起來看，則三者可融而為一[6]。這樣，其順向歷程就可用「一 → 二 → 多」的結構來呈現，其中「一」指「太極」、「道」、「易」，「二」指「陰陽」、「乾坤」（天地），「多」指「萬物」（含人事）。如果對應於〈序卦傳〉由天而人、由人而天，亦即「既濟」而「未濟」之的循環來看，則此「一 → 二 → 多」，就可以緊密地和逆

5　黃慶萱：《周易縱橫談》（臺北市：三民書局，1995年3月初版），頁33-34。

6　馮友蘭：《馮友蘭選集》上卷（北京市：北京大學出版社，2000年7月一版一刷），頁286。

向歷程之「多→二→一」接軌，形成其螺旋結構[7]。

就這樣，《周易》先由爻與爻的「相生相反」的變化[8]，以形成小循環；再擴及這種變化到卦，由卦與卦「相生相反」的變化，以形成大循環。而大、小循環又互動、循環不已，形成層層上升之螺旋結構。而這種結構，如對應於「三易」（《易緯．乾鑿度》）而言，則「多」說的是「變易」、「二」說的是「簡易」，而「一」說的是「不易」。因此「三易」不但可概括《周易》之內容與特色，也可以呈現「多⟷二⟷一」的雙螺旋結構。

然後看《老子》，這種雙螺旋結構，在《老子》一書中，不但可以找到，而且更完整：

> 道可道，非常道；名可名，非常名。无，名天地之始；有，名萬物之母。（〈一章〉）
>
> 道之為物，惟恍惟惚。惚兮恍兮，其中有象。恍兮惚兮，其中有物。窈兮冥兮，其中有精。其精甚真，其中有信。（〈二十一章〉）
>
> 有物混成，先天地生，寂兮寞兮，獨立不改，周行而不殆，可以為天下母，吾不知其名，字之曰道，強為之名曰大。大曰逝，逝曰遠，遠曰反。（〈二十五章〉）
>
> 道生一，一生二，二生三，三生萬物。萬物負陰而抱陽，沖氣以為和。（〈四十二章〉）

7　陳滿銘：〈論「多」、「二」、「一（0）」的螺旋結構──以《周易》與《老子》為考察重心〉，臺灣師大《師大學報．人文與社會類》48卷1期（2003年7月），頁1-20。

8　勞思光：《新編中國哲學史》〔一〕（臺北市：三民書局，1984年1月增訂修版），頁85-86。

從上引各章裡，不難看出老子這種由「无（無）」而「有」而「无（無）」的主張。所謂「道可道非常道」、「道之為物，惟恍惟惚」、「道生一，一生二，二生三，三生萬物」、「有物混成，先天地生，……可以為天下母」等，都是就「由无（無）而有」的順向過程來說的。而所謂「反者道之動」、「復歸於無極」、「復歸於樸」，是就「有」而「无（無）」的逆向過程來說的。而這個「道」，乃「創生宇宙萬物的一種基本動力」，如就本末整體而言，是「无」（無）與「有」的統一體；如單就「本」（根源）而言，則因為它「不可得聞見」（《韓非子・解老》），「所以老子用一個『無（无）』字來作為他所說的道的特性」[9]。而「由无（無）而有」，所說的就是「由一而多」之宇宙萬物創生的過程[10]。如就「有」而「无（無）」，亦即「多而一」來看，老子在此是以「反」作橋樑加以說明的。而這個「反」，除了「相反」、「返回」之外，還有「循環」的意思[11]。如此「相反相成」、循環不已，說的就是「變化」，而「變化」的結果，就是「返回」至「道」的本身，這可說是變化中有秩序、秩序中有變化之一個循環歷程。

這樣，結合《周易》和《老子》來看，它們所主張的「道」，如僅著眼於其「同」，則它們主要透過「相反相成」、「返本復初」而循環不已的作用，不但將「一 → 多」的順向歷程與「多 → 一」的逆向歷程前後銜接起來，更使它們層層推展，循環不已，而形成了雙螺旋式結構，以呈現宇宙創生、含容萬物之原始規律。

就在這「由一而多」（順）、「多而一」（逆）的過程中，是有

9 徐復觀：《中國人性論史・先秦篇》，頁329。

10 林同華主編：《宗白華全集》2（合肥市：安徽教育出版社，1994年12月一版二刷），頁810。

11 勞思光：《新編中國哲學史》，頁240。

「二」介於中間，以產生承「一」啟「多」的作用的。而這個「二」，從「道生一，一生二，二生三，三生萬物」等句來看，該就是「一生二，二生三」的「二」。雖然對這個「二」，歷代學者有不同的說法，大致說來，有認為只是「數字」而無特殊意思的，如蔣錫昌、任繼愈等便是；有認為是「天地」的，如奚侗、高亨等便是，有認為是「陰陽」的，如河上公、吳澄、朱謙之、大田晴軒等便是[12]。其中以最後一種說法，似較合於原意，因為老子既說「萬物負陰而抱陽」，看來指的雖僅僅是「萬物的屬性」，但萬物既有此屬性，則所謂有其「委」（末）就有其「源」（本），作為創生源頭之「一」或「道」，也該有此屬性才對，所差的只是，老子沒有明確說出而已。

而這種「陰陽二氣」的說法，其實也照樣可包含「天地」在內，因為「天」為「乾」為「陽」，而「地」則為「坤」為「陰」；所不同的，「天地」說的是偏於時空之形式，用於持載萬物[13]；而「陰陽」指的則是偏於「二氣之良能」（朱熹《中庸章句》），用於創生萬物。這樣看來，老子的「一」該等同於《易傳》之「太極」、「二」該等同於《易傳》之「兩儀」（陰陽），因此所呈現的，和《周易》（含《易傳》）一樣，是「一→二→多」與「多→二→一」之原始結構。不過，值得一提的是：（一）即使這「一」、「二」、「多」之內容，和《周易》（含《易傳》）有所不同，也無損於這種結構的存在。（二）「道生一」的「道」，既是「創生宇宙萬物的一種基本動力」，而它「本身又體現了無（无）」[14]，那麼正如王弼所注「欲言無（无）耶，而物由以成；欲言有耶，而不見其形」[15]，老子的「道」可以說是

12 黃釗：《帛書老子校注析》（臺北市：學生書局，1991年10月初版），頁231。
13 徐復觀：《中國人性論史．先秦篇》，頁335。
14 林啟彥：《中國學術思想史》（臺北市：書林出版社，1999年9月一版四刷），頁34。
15 王弼：《老子王弼注》（臺北市：河洛圖書出版社，1974年10月臺景印初版），頁16。

「无」，卻不等於實際之「無」（實零）[16]，而是「恍惚」的「无」（虛零），以指在「一」之前的「虛理」[17]。這種「虛理」，如勉強以「數」來表示，則可以是「0」。這樣，順、逆向的結構，就可調整為「0 一→二→多」（順）與「多→二→一 0」（逆），以補《周易》（含《易傳》）之不足（為補此不足，宋周敦頤〈太極圖說〉提出了「太極本無極」之說[18]），這就使得宇宙萬物創生、含容的順、逆向歷程，更趨於完整而周延了。

用這種結構來看，「無法（陰）」相應於「道生一」的「道」，乃「恍惚」的「无」（虛零），是「0」；「有法（陽）」相應於「太極生兩儀……」或「一生二，二生三……」，為「一、二、多」。其關係可用下圖來表示：

（一）下徹於辭章的層面看：

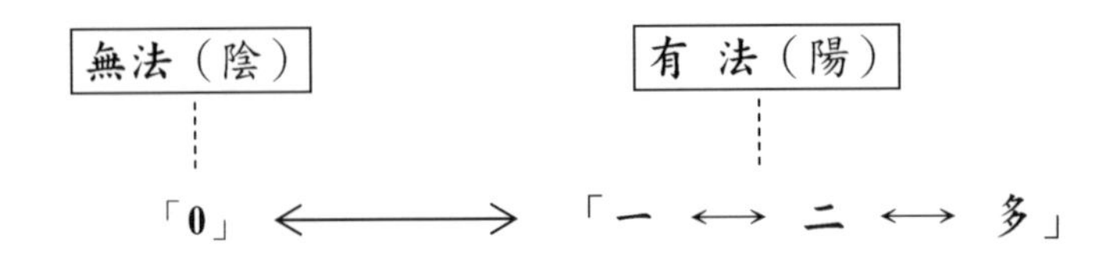

16 馮友蘭：《馮友蘭選集》上卷，頁84。

17 唐君毅：《中國哲學原論．導論篇》（香港：人生出版社，1966年3月出版），頁350-351。

18 黃宗羲撰，全祖望補：《宋元學案》上（臺北市：世界書局，2009年7月一版六刷），頁291-292。

（二）上徹於有無的根源看：

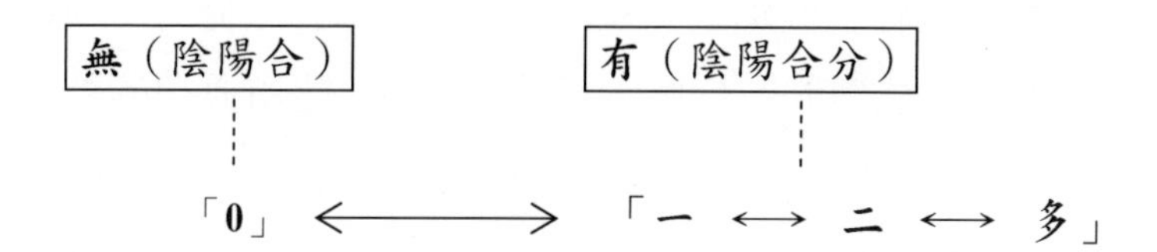

如果用「虛實」的角度切入來看待「無法（陰）」與「有法（陽）」，則「無法（陰）」為「虛」、「有法（陽）」為「實」。這樣一落到文學或藝術層面，就所謂的「具體的或直觀的物象為『實』，無形的思想感情、心理變化等為『虛』」[19]，則「有法（陽）」指「具象」（實）、「無法（陰）」指「無形」（虛），這樣，其關係圖可調整如下：

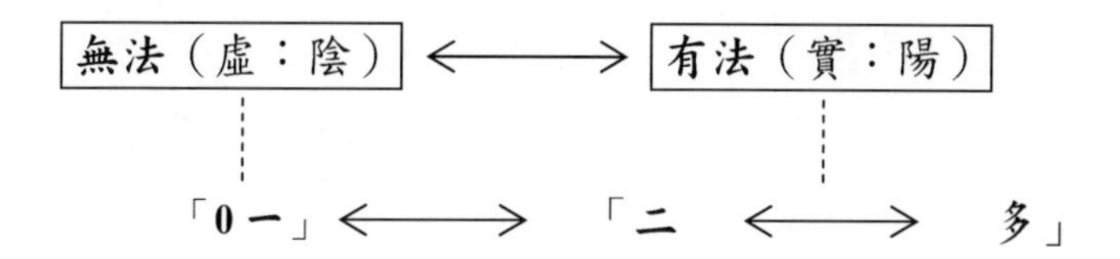

可見由不同層面或角度來看，是會有所差別的。

第二節　「無法（陰）⟷有法（陽）」與辭章內涵

從思維系統來看，辭章所呈現的主要為「特殊能力」，是結合「形象思維」、「邏輯思維」[20] 與「綜合思維」而形成的。這三種思維，各有所主。如果是將一篇辭章所要表達之「情」或「理」，訴諸

19 曾祖蔭：《中國古代文藝美學範疇》（臺北市：文津出版社，1987年8月初版），頁172。

20 吳應天：《文章結構學》（北京市：中國人民大學出版社，1989年8月一版三刷），頁345。

各種偏於主觀之聯想、想像，和所選取之「景（物）」或「事」接合在一起[21]，或者是專就個別之「情」、「理」、「景」（物）、「事」等材料本身設計其表現技巧的，皆屬「形象思維」（運用典型的藝術形象來顯示各種事物的特質）；這涉及了「取材」與「措詞」等問題，而主要以此為研究對象的，就是意象學、詞彙學與修辭學等。如果是專就「景（物）」或「事」等各種材料，對應於自然規律，結合「情」與「理」，訴諸偏於客觀之聯想、想像，按秩序、變化、聯貫與統一之原則，前後加以安排、佈置，以成條理的，皆屬「邏輯思維」（用抽象概念來顯示各種事物的組織）；這涉及了「布局」與「構詞」等問題，而主要以此為研究對象的，就字句言，即文（語）法學；就篇章言，就是章法學。至於合「形象思維」與「邏輯思維」而為一，探討其整個體性[22]的，則為「綜合思維」，這涉及了「立意」、「確立體性」等問題，而主要以此為研究對象的，為主題學、風格學等。而以此整體或個別為對象加以研究的，則統稱為辭章學或文章學。

因此辭章的內涵，對應於學科領域而言，主要含意象學、詞彙學、修辭學、文（語）法學、章法學、主題學、風格學……等。這是科學研究的寶貴成果。茲分述如下：

首先是意象學，此為研究辭章有關意象的一門學問。我國對這種文學中的「意象」，很早就注意到，以為它是「馭文之首術、謀篇之大端」（見《文心雕龍・神思》）。而所謂「意象」，黃永武認為「是作者的意識與外界的物象相交會，經過觀察、審思與美的釀造，成為有

21 彭漪漣：《古典詩詞邏輯趣談》（上海市：上海人民出版社，2001年9月一版一刷），頁13。

22 陳望道：「語文的體式很多，……表現上的分類，就是《文心雕龍》所謂的『體性』的分類，如分為簡約、繁豐、剛健、柔婉、平淡、絢爛、謹嚴、疏放之類。」見《修辭學發凡》（香港：大光出版社，1961年2月版），頁250。

意境的景象。」[23] 這裡所說的「物象」，所謂「物猶事也」（見朱熹《大學章句》），該包含「事」才對，因為「物（景）」只是偏就「空間」（靜）而言，而「事」則是偏就「時間」（動）來說罷了。通常一篇作品，是由多種意象組成的，也就是說意象有個別與整體之不同。而其形成，運用的是偏於主觀的形象思維。

其次是詞彙學，為語言學的一個部門，研究語言或一種語言的詞彙組成和歷史發展。莊文中說：「如果把語言比作一座大廈，那麼語彙是這座語言大廈的建築材料，正是千千萬萬個詞語——磚瓦、預制件——建成了巍峨輝煌的語言大廈。張志公先生說：『語言的基礎是詞彙，語言的性能（交際工具，信息傳遞工具，思維工具）無一不靠語彙來實現』，還說『就教、學、使用而論，語彙重要，語彙難。』」[24] 可見語彙是將「情」、「理」、「景」（物）、「事」等轉為文字符號的初步，含形、音、義在內，在辭章中是有其基礎性與重要性的。

再其次是修辭學，修辭學大師陳望道說：「修辭原是達意傳情的手段。主要為著意和情，修辭不過調整語辭使達意傳情能夠適切的一種努力。」[25]而黃慶萱以為「修辭的內容本質，乃是作者的意象」、「修辭的方式，包括調整和設計」、「修辭的原則，要求精確而生動」[26]。可見修辭，主要著眼於個別意象之表現上，經過作者主觀的調整和設計，使它達到精確而生動，以增強感染力或說服力的目的。這顯然是以形象思維為主的。

又其次是文（語）法學，乃研究語言結構方式的一門科學，它包

---

23 黃永武：《中國詩學．設計篇》（臺北市：巨流圖書公司，1999年6月初版十三刷），頁3。

24 張文中：《中學語言教學研究》（廣州市：廣東教育出版社，2001年1月一版二刷），頁29-30。

25 陳望道：《修辭學發凡》，頁5。

26 黃慶萱：《修辭學》（臺北市：三民書局，2002年10月增訂三版一刷），頁5-9。

括詞的構成、變化與詞組、句子的組織等。楊如雪在增修版《文法ABC》中綜合呂叔湘、趙元任、王力等學者的說法說：「何謂文法？簡單地說，文法就是語句組織的條理。語句組織的條理不是一套既定的公式，而是從語文裡分析、歸納出來的規律，這種語句組織的規律，包括詞的內部結構及積辭成句的規則，因此文法可以說是語文構詞和造句的規律。」[27] 既然文（語）法是「語句組織的條理」、「語文構詞和造句的規律」，而所關涉的是個別概念之組合，當然和由概念所組合而成的意象與偏於語句的邏輯思維有直接之關聯。

接著是章法學，這所謂的「章法」，探討的是篇章內容材料的邏輯結構，也就是聯句成節（句群）、聯節成段、聯段成篇的關於內容材料之一種組織。對它的注意，雖然極早，但集樹而成林，確定它的範圍、內容及原則，形成體系，而成為一個學門，則是晚近之事[28]。到了現在，可以掌握得相當清楚的章法，約有四十種。這些章法，全出自於人類共通的理則，由邏輯思維形成，都具有形成秩序、變化、聯貫，以更進一層達於統一的功能[29]。而這種篇章的邏輯思維，與語句的邏輯思維，可以說是一貫的。

然後是主題學，陳鵬翔在《主題學理論與實踐》中以為「主題學是比較文學中的一部門（a field of study），而普通一般主題研究（thematic studies）則是任何文學作品許多層面中一個層面的研究；

27 楊如雪：《文法ABC》（臺北市：萬卷樓圖書公司，2002年2月再版），頁1-2。

28 鄭頤壽：「臺灣建立了『辭章章法學』的新學科，成果豐碩，代表作是臺灣師大博士生導師陳滿銘教授的《章法學新裁》（以下簡稱「新裁」）及其高足仇小屏、陳佳君等的一系列著作。……臺灣的辭章章法學體系完整、科學，已經具備成『學』的資格。」見〈中華文化沃土，辭章學圃奇葩——讀陳滿銘《章法學新裁》及其相關著作〉，《海峽兩岸中華傳統文化與現代化研討會文集》（蘇州市：「海峽兩岸中華傳統文化與現代化研討會」，2002年5月），頁131-139。又王希杰：「章法學已經初步形成了一門科學。陳滿銘教授初步建立了科學的章法學體系。」見〈章法學門外閑談〉。

29 陳滿銘：《章法學綜論》（臺北市：萬卷樓圖書公司，2003年6月初版），頁17-58。

主題學探索的是相同主題（包套語、意象和母題等）在不同時代以及不同作家手中的處理，據以瞭解時代的特徵和作家的『用意意圖』（intention），而一般的主題研究探討的是個別主題的呈現」[30]，可見「主題」包含了「套語」、「意象」和「母題」等，如果單就一篇辭章，亦即「個別主題的呈現」來說，指的就是「情語」與「理語」、「意象」、「主旨」（含綱領）等；而「情語」與「理語」是用以呈現「主旨」（含綱領）的，可一併看待，因此「主題」落到一篇辭章裡，主要是指「主旨」（含綱領）與「意象」（整體含個別）來說，屬於綜合思維之範疇，是合形象思維與邏輯思維為一的。

最後是風格學，一般說來，風格是多方面的，而文學風格更是如此，有文體、作家、流派、時代、地域、民族和作品等風格之異[31]。即以一篇作品而言，又有內容與形式（藝術）風格的不同，即以內容來說，就關涉到主題（主旨、意象），而形式（藝術），則與文（語）法、修辭和章法等有關。而一篇作品之風格，就是結合內容與形式（藝術）所產生有關整個機體所顯示的審美風貌[32]，這是合作者之形象思維與邏輯思維為一而形成，可以統攝主題、文（語）法、修辭和章法等種種個別風格，呈現整體風格之美。如果從根本來說，風格離不開「剛」與「柔」，而這種由「陰陽二元對待」所形成之「剛」與「柔」，可說是各種風格之母。而我國涉及此「剛」與「柔」的特性來談風格的，雖然很早，但真正明明白白地提到「剛」與「柔」，而

---

30 陳鵬翔：《主題學理論與實踐》（臺北市：萬卷樓圖書公司，2001年5月初版），頁238。

31 黎運漢：《漢語風格學》（廣州市：廣東教育出版社，2000年2月一版一刷），頁3。又，周振甫：《文學風格例話》（上海市：上海教育出版社，1989年7月一版一刷），頁1-290。

32 顧祖釗：「風格的成因並不是作品中的個別因素，而是從作品中的內容與形式的有機整體的統一性中所顯示的一種總體的審美風貌。」見《文學原理新釋》（北京市：人民文學出版社，2001年5月一版二刷），頁184。

又強調用它們來概括各種風格的，首推清姚鼐的〈復魯絜非書〉。它「把各種不同風格的稱謂，作了高度的概括，概括為陽剛、陰柔兩大類。像雄渾、勁健、豪放、壯麗等都歸入陽剛類，含蓄、委屈、淡雅、高遠、飄逸等都可歸入陰柔類。」[33] 由於「剛」與「柔」之呈現，主要靠同樣由「陰陽二元對待」所形成章法與章法結構[34]，因此透過章法結構分析，是可以看出「剛」與「柔」之「多寡進絀」（姚鼐〈復魯絜非書〉）的。由於它涉及篇章之內容材料，足以反映作品之篇章風格，乃綜合思維之範疇，也是合形象思維與邏輯思維而為一的。

以上這些辭章的內涵，都是針對辭章用科學之方法作模式之探索加以確定的。它們分別與形象思維、邏輯思維或綜合思維有著密切的關係。其中有偏於字句範圍的，主要為詞彙、修辭、文（語）法與意象（個別）；有偏於章與篇的，主要為意象（整體含個別）與章法；有偏於篇的，主要為主旨與風格。因此辭章的篇章，是主要以意象（個別到整體）與章法為其內涵，而以主旨與風格來「一以貫之」的。

換另一個角度看，辭章是離不開「意象」的。而「意象」有廣義與狹義之別：廣義者指全篇，屬於整體，可以析分為「意」與「象」，形成「二元」；狹義者指個別，屬於局部，往往合「意」與「象」為一來稱呼。而整體是局部的總括、局部是整體的條分，所以兩者關係密切。不過，必須一提的是，狹義之「意象」，亦即個別之「意象」，雖往往合「意」與「象」為一來稱呼，卻大都用其偏義，

---

33 周振甫：《文學風格例話》，頁13。

34 章法可分陰陽剛柔，而由章法結構，藉其移位、轉位、調和、對比等變化，可粗略透過公式推算出其陰陽剛柔消長之「勢」，以見其風格之梗概。見陳滿銘：〈章法風格論——以「多、二、一（0）」結構作考察〉，《成大中文學報》12期（2005年7月），頁147-164。

造成「包孕」的效果，譬如草木或桃花的意象，用的是偏於「意象」之「意」，因為草木或桃花都偏於「象」；如「桃花」的意象之一為愛情，而愛情是「意」；而團圓或流浪的意象，則用的是偏於「意象」之「象」，因為團圓或流浪，都偏於「意」；如「流浪」的意象之一為浮雲，而浮雲是「象」。因此前者往往是一「象」多「意」，後者則為一「意」多「象」[35]。而它們無論是偏於「意」或偏於「象」，通常都通稱為「意象」。如著眼於整體（含個別）的「意象」（意與象）來看，則它應於綜合思維，能統合形象思維與邏輯思維，並貫穿辭章的各主要內涵，以見意象在辭章上之地位。

先從「意象」之形成與表現來看，是都與形象思維有關的，因為形象思維所涉及的，是「意」（情、理）與「象」（事、景）之結合及其表現。其中探討「意」（情、理）與「象」（事、景〔物〕）之結合者，為「意象學」，這是就意象之形成來說的。而探討「意」（情、理）與「象」（事、景〔物〕）本身之表現者，如就原型求其符號化的，是「詞彙學」；如就變型求其生動化的，則為「修辭學」。再從「意象」之組織來看，是與邏輯思維有關的，而邏輯思維所涉及的，則是意象（意與意、象與象、意與象、意象與意象）之排列組合，其中屬篇章者為「章法學」，屬語句者為「文法學」。至於綜合思維所涉及的，乃是核心之「意」（情、理），即一篇之中心意旨：「主旨」（統合內容材料）與審美風貌：「風格」。

由此看來，形象思維、邏輯思維與綜合思維三者，涵蓋了辭章的各主要內涵，而都離不開「意象」。如單由「象」與「意」來說，如涉及後天之「辭章研究」（讀：有法 → 無法），所循的是「由象而

35 陳滿銘：〈意、象互動論──以「一意多象」與「一象多意」為考察範圍〉，中山大學《文與哲》學報11期（2007年12月），頁435-480。

意」逆向邏輯結構；如涉及先天之「語文能力」（寫：無法 → 有法）而言，所循的則是「由意而象」順向邏輯結構。

總結上述，在創造性之思維（意象）系統下，結合語文能力與辭章內涵，其「無法（陰：隱）」（文無定法）與「有法（陽：顯）」（文成法立）之雙螺旋互動關係可呈現如下圖：

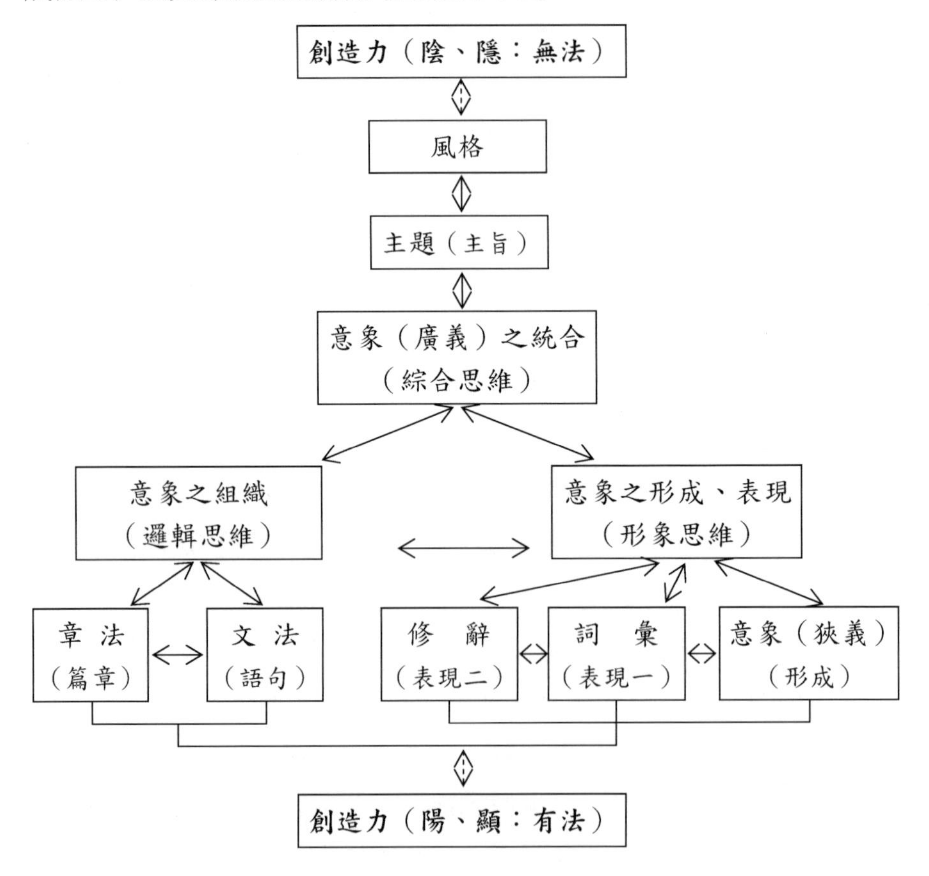

這些內涵，如就順向之邏輯結構而言，是「無法」（陰、隱：文無定法）到「有法」（陽、顯：文有定法）的過程；如就逆向之邏輯結構來說，為「有法」（陽、顯：文有定法）到「無法」（陰、隱：文無定法）的過程。就在兩者之雙螺旋互動作用下，首先是由「個別意

象」、「詞彙」、「修辭」、「文（語）法」、與「章法」等所呈現之藝術形式（善）；其間藉「形象思維」與「邏輯思維」，來產生徹下徹上之中介作用；然後是藉「綜合思維」所凸顯出來的「整體意象」（含主題、主旨）與「風格」等，這涉及了「修辭立其誠」《易・乾》之「誠」（真）與篇章有機整體之「美」，乃辭章之核心所在。這樣在創造性思維（意象）系統的牢籠下，回歸語文能力來看待辭章內涵，就能凸顯「形象思維」與「邏輯思維」這「二元」的居間作用，使辭章之呈現合乎「善」之要求，逐層將「個別意象」、「詞彙」、「修辭」、「文（語）法」與「章法」等統一於「整體意象」（含主題、主旨）與「風格」，以臻於「真、善、美」的最高境界[36]。而這些都是「科學研究」（有法）以反映「客觀存在」（無法）之成果，是不宜輕忽的。

第三節　「無法（陰）⟷有法（陽）」之辭章表現

如上所述，辭章先由意象觸動思維力，再經由聯想或想像的推展，在形象、邏輯、綜合等三種思維交錯、融貫之作用下，形成層次邏輯系統，這是可用辭章成品予以檢驗的。在此，限於篇幅，僅舉白居易的〈長相思〉詞一首為例，加以說明，以見一斑：

> 汴水流，泗水流，流到瓜州古渡頭。吳山點點愁。　思悠悠，恨悠悠，恨到歸時方始休。月明人倚樓。

這闋詞採民歌形式寫成，用語平淺自然，節奏和緩流暢，而所敘

36 陳滿銘：〈論「真」、「善」、「美」的螺旋結構——以章法「多」、「二」、「一（0）」結構作對應考察〉，臺灣師大《中國學術年刊》27期春季號（2005年3月），頁151-188。

者為遊子之別恨，是用「先染後點」[37] 的「篇結構」（上層）寫成的。

就「染」的部分（上層）而言，乃用「先象（景）後意（情）」的「章結構」（次層）所寫成。首先以「象（景）」的部分（次層）來說，它先用開篇三句，寫所見「水景（象一）」（底層），初步用二水之長流象徵或譬喻一份悠悠之恨。其中「汴水流」兩句，都是由「先主後謂」之結構所形成的敘事句，疊敘在一起，以增強纏綿效果。而以水之流來象徵或譬喻恨之多，是歷來詞章家所慣用的手法，如李白〈太原早秋〉詩云：

思歸若汾水，無日不悠悠。

又如賈至〈巴陵夜別王八員外〉詩云：

世情已逐浮雲散，離恨空隨江水長。

此外，作者又以「流到瓜州古渡頭」來承接「泗水流」，採頂真法來增強它的情味力量。這種修辭法也常見於各類作品，如《詩·大雅·既醉》說：

威儀孔時，君子有孝子。孝子不匱，永錫爾類。

又如佚名的〈飲馬長城窟行〉說：

37 「點染」本用於繪畫，指基本技巧。其中「點」，指時、空的一個落足點，僅僅用作敘事、寫景、抒情或說理的引子、橋樑或收尾；而「染」，則指真正用來敘事、寫景、抒情或說理的主體。也就是說，「點」只是一個切入或固定點，而「染」則是各種內容本身。見陳滿銘：〈論幾種特殊的章法〉，臺灣師大《國文學報》31期（2002年6月），頁181-187。

長跪讀素書，書中竟何如？

這樣用頂真法來修辭，自然把上下句聯成一氣，起了統調、連綿的作用。況且這個調子，上下片的頭兩句，又均為疊韻之形式，就以上片起三句而言，便一連用了三個「流」字，使所寫的水流更顯得綿延不盡，造成了纏綿的特殊效果。

作者如此寫所見「水」景後，再用「吳山點點愁」一句寫所見「山景（象二）（底層）。在這兒，作者以「先主後謂」的表態句來呈現。其中「點點」兩字，一方面用來形容小而多的吳山（江南一帶的山），一方面也用來象徵或譬喻「愁」之多。南宋的辛棄疾有題作「登建康賞心亭」的〈水龍吟〉詞說：

楚天千里清秋，水隨天去秋無際。遙岑遠目，獻愁供恨，玉簪（尖形之山）螺髻（圓形之山）。

很顯然地，就是由此化出。而且用山來象徵或譬喻「愁」，也不是從白居易才開始的，如王昌齡〈從軍行〉詩云：

琵琶起舞換新聲，總是關山離別情。

這樣，水既以其「悠悠」帶出愁，山又以其「點點」擬作愁之多，所謂「山牽別恨和腸斷，水帶離聲入夢流」（羅隱〈綿谷迴寄蔡氏昆仲〉詩），情韻便格外深長。

其次以「意（情）」的部分（次層）來說，它用「意一、意二」（底層），藉「思悠悠」三句，即景抒情，來寫見山水之景後所湧生的悠悠長恨。在此，作者特意在「思悠悠」兩句（意一）裡，以「悠悠」形成疊字與疊韻，回應上片所寫汴水、泗水之長流與吳山之「點點」，造成統一，以加強纏綿之效果；並且又冠以「思」（指的是情緒，亦即「恨」）和「恨」，直接收拾上片見山水之景（象）所生之「愁」（意），表達了自己長期未歸之恨。而「恨到歸時方始休」一句（意二），則不僅和上二句產生了等於是「頂真」的作用，以增強纏綿感，又將時間由現在（實）推向未來（虛），把「恨」更推深一層。這種寫法也見於杜甫〈月夜〉詩：

> 何時倚虛幌，雙照淚痕乾。

這兩句寫異日月下重逢之喜（虛），以反襯出眼前相思之苦（實）來，所表達的不正是「恨到歸時方始休」的意思嗎？所以白居易如此將時間推向未來，如同杜詩一樣，是會增強許多情味力量的。

就「點」的部分（上層）而言，僅「月明人倚樓」一句，寫的是「象（景、事）」。這一句，就文法來說，由「月明」（象三）之表態句與「人倚樓」（象四）之敘事句，同以「先主後謂」的結構組成，只不過後者之「謂語」，乃含述語加處所賓語，有所不同而已。而「月明人倚樓」，雖是一句，卻足以牢籠全詞，使人想見主人翁這個「人」在「月明」之下「倚樓」，面對山和水而有所「思」、有所「恨」的情景，大大地起了「以景（事）結情」的最佳作用。大家都知道「以景結情」是詞章收結的好方法之一，譬如周邦彥的〈瑞龍吟〉（章臺路）詞在第三疊末用「探春盡是，傷離意緒」，將「探春」經過作個總結，並點明主旨之後，又寫道：

> 官柳低金縷，歸騎晚、纖纖池塘飛雨，斷腸院落，一簾風絮。

這顯然是藉「歸騎」上所見暮春黃昏的寥落景象（象）來象徵或譬喻「傷離意緒」（意）。這樣「以景（象）結情（意）」，當然令人倍感悲悽。所以白居易以「月明人倚樓」來收結，是能增添作品的情韻的。何況他在這裡又特地用「月明」之「象」來連結別恨之「意」，更加強了效果。因為「月」自古以來就被用以象徵或譬喻「相思」（別情），如李白〈聞王昌齡左遷龍標遙有此寄〉詩云：

　　我寄愁心與明月，隨風直到夜郎西。

又如孟郊〈古怨別〉詩云：

　　別後唯有思，天涯共明月。

這類例子，不勝枚舉。

　　作者就這樣以「先染『象（景）、意（情）』後點『象（景－事）』」的結構，將「水」、「山」、「月」、「人」等「象」排列組合，也就是透過主人翁在月下倚樓所見、所為之「象」，把他所感之「意」（恨），融成一體來寫，使意味顯得特別深長，令人咀嚼不盡。有人以為它寫的是閨婦相思之情，也說得通，但一樣無損於它的美。附意象（含章法）結構系統表如下：

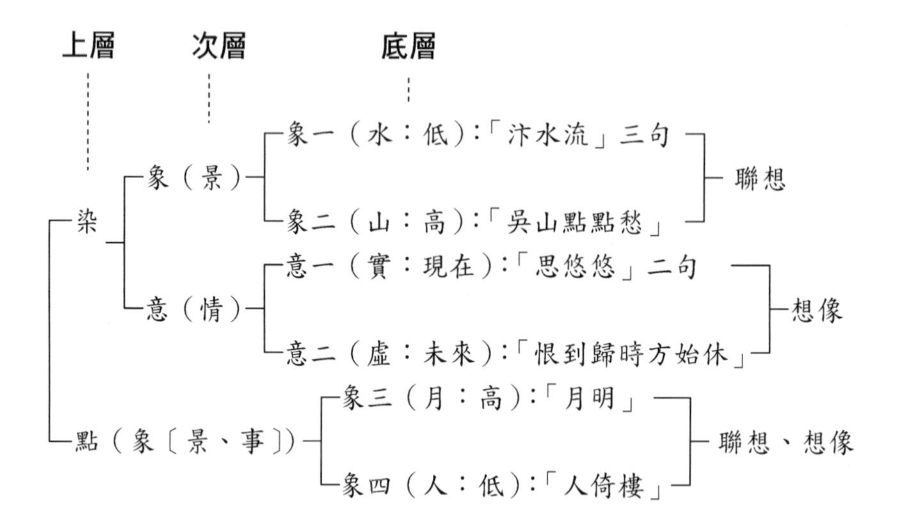

如凸顯其風格中的剛柔成分[38]，則可分層表示如下：

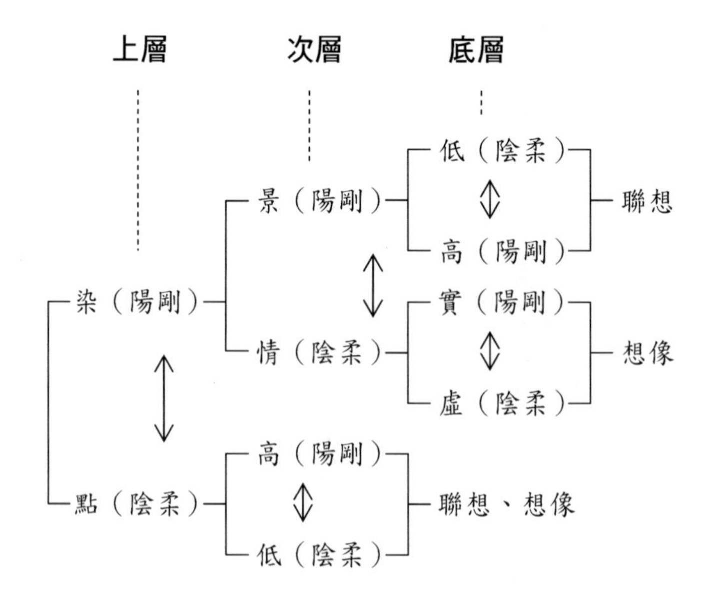

38 陳滿銘：〈章法風格論——以「多、二、一（0）」結構作考察〉，頁147-164。

此詞之主旨為「悠悠」離恨，置於篇腹；而所形成的是偏於「陰柔」的風格，因為各層結構的剛柔之「勢」，除底層之「先低後高」趨於「陽剛」外，其餘的都趨於「陰柔」，尤其是其核心結構[39]「先景後情」更如此。如此使「勢」很強烈地趨於「陰柔」[40]，是很自然的事。

這樣，此詞用語文之三層能力寫作而成，如就「意象」之形成、表現、組織、統合與聯想、想像的互動而言，則可歸結成如下重點：

（一）**以「意象」之形成來看：**主要用「水流」、「山點點」、「月明」、「人樓」等，先後形成個別意象，而以「悠悠」之「恨」來統合它們，由此可以看出作者運用偏於主觀的聯想力與想像力觸動形象思維，在意象形成上形成特色。

（二）**以「意象」之表現來看：**首先看「詞彙」部分，它將所生「情」（意）、所見「景（事）」（象），形成各個詞彙，如「水」（流）、「瓜州」、「渡頭」（古）、「山」（點點）、「思」（悠悠）、「恨」（悠悠）、「月」（明）、「人」（倚）、「樓」等，為進一步之「修辭」奠定基礎。然後看「修辭」，它主要用「頂真」法來表現「水」之個別意象，用「類疊」法、「擬人」法等來表現「山」之個別意象，使「水」與「山」都含情，而連綿不盡，以增強作品的感染力。足以看

---

39 陳滿銘：〈辭章章法「多、二、一（0）」的核心結構〉，《阜陽師範學院學報》總9期（2003年11月），頁1-5。

40 此詞含三層結構：底層以「先低後高（順）」、「先實後虛」（逆）形成移位結構，其「勢」之數為「陰5陽4」；次層以「先景後情（逆）」、「先高後低（逆）」形成移位結構，其「勢」之數為「陰16陽8」；上層以「先染後點（逆）」形成移位結構，其「勢」之數為「陰4陽2」；這樣累積成篇，其「勢」之數的總和為「陰25陽14」，如換算成百分比（四捨五入），則為「陰64陽36」，乃接近「至陰」的作品。這樣，顯然已初步能為此詞充分地將「恨悠悠」之一篇主旨與「音調諧婉，流美如珠」這種接近「至陰」之風格凸顯出來，使人領會到它的美，在「自由心證」或「直覺」之外，提供「有理可說」之一些空間。這是先天的直觀表現與後天的模式探討兩相會通的一種嘗試。見陳滿銘：〈論思維系統與文學創作〉，《中山人文學報》29期（2010年7月），頁127-153。

出作者運用偏於主觀的聯想與想像觸動形象思維，所形成在意象表現上之特色。

（三）**以「意象」之組織來看：**首先看「文法」，所謂「水流」、「山點點」、「月明」、「人倚樓」等，無論屬敘事句或屬表態句，用的全是主謂結構，將個別概念組合成不同之意象，以呈現字句之邏輯結構。然後看「章法」，它主要用了「點染」、「景情」、「高低」、「虛實」等章法，把各個個別意象先後排列在一起，以形成篇章之邏輯結構。這足以看出作者運用偏於客觀的聯想與想像觸動邏輯思維，所形成在意象組織上之特色。

（四）以「意象」之統合來看：綜合以上「意象」（個別）、「詞彙」、「修辭」、「文法」與「章法」等精心的設計安排，充分地將「恨悠悠」之一篇主旨與「音調諧婉，流美如珠」這種偏於「陰柔」[41]之風格凸顯出來，使人領會到它的美；這樣可看出作者運用主、客觀的聯想與想像觸動綜合思維，所形成在意象統合上之特色。

在此統合當中，值得一提的是意象之連結，這關係到「異質同構」理論。這套理論，由格式塔心理學家所提出。這一派學者認為：審美體驗就是對象的表現性及其力的結構（外在世界：象），與人的神經系統中相同的力的結構（內在世界：意）的同型契合。由於事物表現性的基礎在於力的結構，「所以一塊突兀的峭石、一株搖曳的垂柳、一抹燦爛的夕陽餘暉、一片飄零的落葉……都可以和人體具有同樣的表現性，在藝術家的眼裡也都具有和人體同樣的表現價值，有時甚至比人體還更有用。」[42] 基於此，魯道夫．安海姆（Rudolf Amheim）提

41 趙仁圭、李建英、杜媛萍：「整首詞借流水寄情，含情綿邈。疊字、疊韻的頻繁使用，使詞句音調諧婉，流美如珠。」見《唐五代詞三百首譯析》（長春市：吉林文史出版社，1997年1月一版一刷），頁148。

42 蔣孔陽、朱立元主編：《西洋美學通史》第六卷（上海市：上海文藝出版社，1999年11月一版一刷），頁714。

出了「藝術品的力的結構與人類情感的結構是同構」之論點，以為推動我們自己情感活動起來的力，與那些作用於整個宇宙的普遍性的力，實際上是同一種力。他說：「我們自己心中生起的諸力，只不過是在遍宇宙之內同樣活動的諸力之個人的例子罷了。」[43] 也就是說：現實世界存在之本質乃一種力，它統合著客觀存在之「物理力」與主觀世界的「心理力」，在審美過程中，這種力使人類知覺扮演中介的角色，將作品中之「物理力」與人類情感的「心理力」因「同構」而結合為一。如果用這種科學理論來看白居易這首詞：則它主要用「水流」、「山點點」、「月明」、「人樓」等，先後形成個別意象，而以「悠悠」之「恨」來統合它們，也就是以「悠悠」（不斷）為「構」，來連結「水」之「流、流」（不斷）與「山」之「點點」（不斷）產生，「異質同構」之莫大效果。這種「構」用簡圖表示如下：

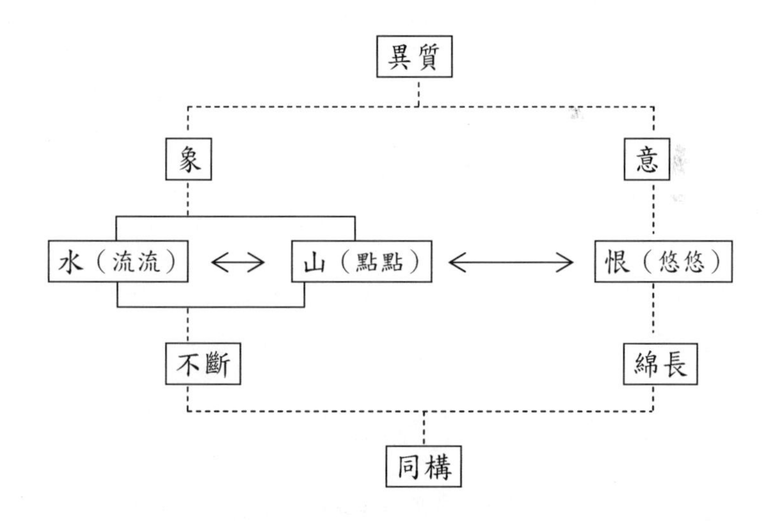

如此，「意」（悠悠離恨）與「象」（綿延不斷之山、水）便直接在篇內

43 安海姆著，李長俊譯：《藝術與視知覺心理學》（臺北市：雄獅圖書公司，1982年9月再版），頁444。

統合為一了。可見一篇作品之意象所以能統合，一以貫之，在主旨與風格之外，還是靠這種意象之連結，以產生「異質同構」之效果的。

由此看來，辭章在聯想、想像互動之作用下，確實離不開「意象」之形成、表現與其組織，此即「多」；而藉「形象思維」（陰柔）與「邏輯思維」（陽剛）帶動「綜合思維」（柔中寓剛、剛中寓柔），在聯想、想像互動之作用下加以統合，此即「二」；並由此而凸顯出一篇主旨與風格來，此即「一（0）」；這是就整篇來講的。如再由此下徹一步，落到「篇章邏輯」的層面來看，則白居易之〈長相思〉詞的意象結構可換成章法結構，呈現如下的「0 一二多」雙螺旋結構系統：

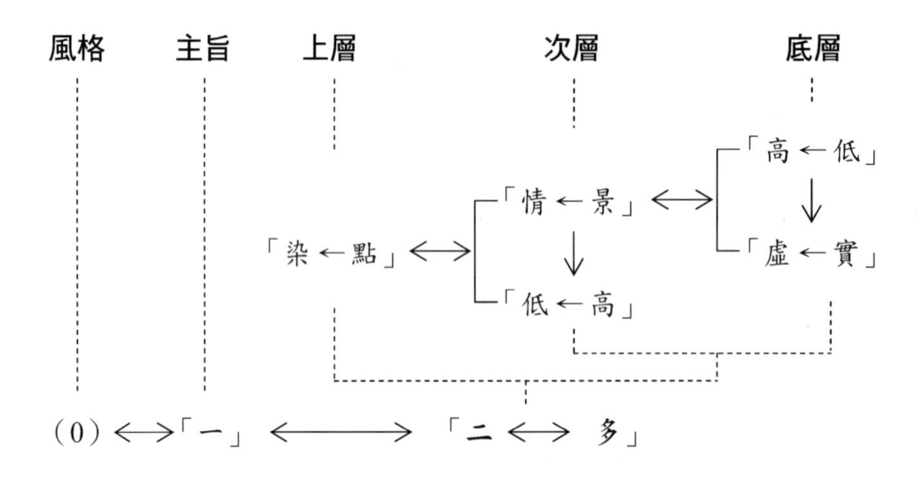

如此以「0 一二多」呈現，由「點染」（〔象〕←〔意、象〕）、「虛實」（「意二←意一」）各一疊與「高低」（「象二←象一」、「象四←象三」）二疊所形成之移位性結構，可視為「多」，以呈現客體之「美」；由「情景」（意←象）自為陰陽徹下徹上所形成之調和性結構，可視為關鍵性之「二」，藉以統括輔助性結構，形成一篇規律，

以呈現「善」；而由此呈現一篇主旨與風格，則可視為「一 0」，以呈現「真」（含主體之美感）。這樣對作品之整體掌握與瞭解而言，顯然是大有幫助的。

整體而言，這種「0 一二多」的雙螺旋螺旋結構，不但融合了「有法（陽）」與「無法（陰）」，也含容了各層能力與系統思維在內。如從「寫」（創作）一面來看，形成是「0→一→二→多」的順向過程，是與「無法」（隱：文無定法）到「有法」（顯：文成法立）相對應的；若從「讀」（鑑賞）一面而言，形成是「多→二→一→0」的逆向過程，是與「有法」（顯：文成法立）到「無法」（隱：文無定法）是雙螺旋互動的。這樣子的互動，通常都可以促使「讀」（鑑賞）與「寫」（創作）產生「互動、循環、提升」的螺旋作用，逐漸深入、擴展，而達到最佳效果。由此足以看出由「有法（陽）」（科學研究）以反映「無法（陰）」（客觀存在）的重要性。

第四節　「無法（陰）⟷有法（陽）」之美學詮釋

「無法（陰）⟷有法（陽）」之美，主要涉及「虛實的互動」與「多樣而統一」，茲分述如下：

（一）虛實的互動

「無法（陰）」為「虛」為「本」、「有法（陽）」為「實」為「末」，而思維系統中隱性的「創造力」為「虛」為「本」、顯性的「創造力」為「實」為「末」，至於「0 一二多」雙螺旋結構中的「0」或「0 一」為「虛」為「本」、「多、二、一」或「多、二」為「實」為「末」。這種「虛」與「實」是本末互動的。對此，陳望衡在《中國古典美學史》中說：

> 中國美學講形神。……「形神」與虛實相關，形為實、神為虛。……形在象內，神在象外。只有借象內之形（實），通象外之神（虛），方為高明。……中國美學最為推崇的意境理論，同樣是以虛无為本的。……它由實與虛構成，重在虛。……實指向虛，通向虛；虛擴大實；虛以實而存在，實以虛而靈光，以實見虛，為虛寫實，以虛為本，虛實相彰，這就是意境說的精髓。[44]

從美學上的「形神」與「意境」兩方面來詮釋，很能凸顯「虛實」本末互動的關係。也由此可見「虛實互動」是中國古典美學中一條重要的原則，概括了中國古典藝術的美學特點。

而「虛實」是能彼此相生而結合的，這是由於「虛實」能互動的緣故。曾祖蔭在《中國古代文藝美學範疇》說：

> 從藝術創作上來講，所謂虛實相生，是指虛和實二者相互聯繫，相互滲透，相互轉化，使藝術形象生生不窮，從而具有很高的審美價值。[45]

而葉太平在《中國文學的精神世界》一書中則認為：

> 藝術形象必須「虛實結合」，才能真實地反映有生命的世界。如果沒有物象之外的虛空，藝術品就失去了生命。[46]

---

44 陳望衡：《中國古典美學史》（長沙市：湖南教育出版社，1998年8月一版一刷），頁42-43。

45 曾祖蔭：《中國古代文藝美學範疇》，頁177。

46 葉太平：《中國文學的精神世界》（臺北市：正中書局，1994年版），頁290。

因此藝術作品由「虛實互動」而相生，絕不是死板的結合，或是將各部分硬湊在一起，互無關聯，反而是有機的、自然的融合在一起，生發出渾成的和諧之美。

就在這種「虛實」互動而相生、結合的過程當中，還存有「化虛為實」、「化實為虛」的順、逆邏輯。以「化虛為實」來說，曾祖蔭在《中國古代文藝美學範疇》，便明確地以此作為虛實論的一種美學特徵，他說：

> 「化虛為實」突出地表現為將心境物化。把看不見、摸不著的思想感情、心理變化等，用具體的或直觀的感性形態表現出來，也就是說，要變無形為有形。從這個意義上說，具體的或直觀的物象為實，無形的思想感情、心理變化等為虛。「化虛為實」就是把無形的思想、情趣、心理等轉化為具體生動的藝術形象。[47]

所謂「將心境物化」，就是把抽象的思想、情意、心理等加以轉化，而以具體的藝術形象來抒發，如此「變無形為有形」，是能強化作品「象有盡而意無窮」之美感效果的。

以「化實為虛」來說，曾祖蔭也在《中國古代文藝美學範疇》中，特別針對「化實為虛」的美學特徵作了說明：

> 就藝術反映生活的特點來看，如果說現實景物是「實」，通過景物所體現的思想感情是「虛」，那末，「化實為虛」就是要化景物為情思，這在我國詩詞中表現得尤為突出。[48]

---

47 曾祖蔭：《中國古代文藝美學範疇》，頁172。

48 曾祖蔭：《中國古代文藝美學範疇》，頁167。

其中，「化景物為情思」，即引自於范晞文的《對床夜語》，它引周伯弜的〈四虛序〉說：「不以虛為虛，而以實為虛，化景物為情思，從首到尾，自然如行雲流水，此其難也。否則偏於枯瘠、流於輕俗，而不足采矣。」[49] 很明顯地，當辭章家在創作時，將眼前實有的景物轉化為情感來表達者，即所謂的「以實為虛」。

由此可見由「實」導入「虛」，將「實」抽象化，能使文章的意涵擴大、深化，而不會只停留於淺層的實相，落入僵化、死硬的「以實寫實」，反能藉此獲得一種抽象而自由的美感與較高的藝術境界。

由「有法」而「有法」、由隱性的「創造力」而顯性的「創造力」、由「0」而「一、二、多」或由「0 一」而「二、多」，都是由「本」而「末」，呈現的是「順向」邏輯，這就是「化虛為實」的過程；反之則為「逆向」，這就是「化實為虛」。這種順逆的「虛實互動」之雙螺旋美學特徵，是可有此覘得的。

（二）多樣而統一

由「有法（陽）」到「無法（陰）」、由顯性的「創造力」到隱性的「創造力」、由「多、二、一」到「0」或由「多、二」到「一 0」，是由「多樣」逆向上徹到「統一」的過程，這可以說是偏於「化實為虛」這一面來著眼的，通常說成「多樣的統一」；如從偏於「化虛為實」這一面來著眼，則剛好相反，是由「統一」順向下徹到「多樣」的過程，可以說成「統一的多樣」。這樣，無論是由「本」、「虛」化而為「末」、「實」或由「末」、「實」歸根於或「本」、「虛」，所造成的多是「多樣而統一」之美。

對這種「美」，陳雪帆（望道）在其《美學概論》裡說：

---

49 丁福保輯：《歷代詩話續編》卷二（臺北市：木鐸出版社，1983年初版），頁421。

> 所謂形式原理，就是繁多的統一。我們對於美的形式，雖不一定其如此如彼，只是四分五裂、雜亂無章，總覺得是與審美的心情不合的。所以第一，「統一」實為對象所不可不具的一個要質。而且它所統一的又該不止是簡單的一二個要素。如止是一二個要素，則統一固易成就，卻頗不免使人覺得單調。所以第二，繁多又為對象所不可不具的一個要質。我們覺得美的對象最好一面有著鮮明的統一，同時構成它的要素又是異常的繁多。卻又不是甚麼統一與否定了統一的繁多相並列，而是統一即現在繁多的要素之中的。如此，則所謂有機的統一就成立。能夠「統一為繁多的統一，而繁多又為統一的分化」。既沒有統一的流弊的單調板滯，也沒有繁多的流弊的厭煩與雜亂。所以古來所公認的形式原理，就是所謂繁多的統一（Unity in Variety），或譯為「多樣的統一」，亦稱「變化的統一」。[50]

所謂「統一為繁多的統一，而繁多又為統一的分化」，將「多」（變化）與「統一」（和諧）不可分的關係，說得很明白。歐陽周、顧建華、宋凡聖等在其《美學新編》裡，也闡釋說：

> 所謂統一，是指各個部分在形式上的某些共同特徵以及它們之間的某種關聯、呼應、襯托、協調的關係，也就是說，各個部分都要服從整體的要求，為整體的和諧、一致服務。有多樣而無統一，就會使人感到支離破碎、雜亂無章、缺乏整體感；有統一而無多樣，又會使人感到刻板、單調和乏味，美感也難以

---

50 陳望道：《美學概論》（臺北市：文鏡文化事業公司，1984年12月重排初版），頁77-78。

> 持久。而在多樣與統一中，同中有異，異中求同，寓「多」於「一」，「一」中見「多」，雜而不越，違而不犯；既不為「一」而排斥「多」，也不為「多」而捨棄「一」；而是把兩個對立方面有機結合起來，這樣從多樣中求統一，從統一中見多樣，追求「不齊之齊」、「無秩序之秩序」，就能造成高度的形式美。……多樣與統一，一般表現為兩種基本型態：一是對比，二是調和。……無論對比還是調和，其本身都要要求在統一中有變化，在變化中求統一，把兩者巧妙地結合在一起，就能顯示出多樣與統一的美來。[51]

這所謂「多樣與統一之美」，就是「和諧」之美。對此，楊辛、甘霖《美學原理》指出：

> 多樣統一，這是形式美法則的高級形式，也叫和諧。從單純齊一、對稱均衡到多樣統一，類似一生二、二生三、三生萬物。多樣統一體現了生活、自然界中對立（含調和）統一的規律，整個宇宙就是一個多樣統一的和諧的整體。「多樣」體現了各個事物的個性的千差萬別，「統一」體現了各個事物的共性或整體聯繫。[52]

而夏放《美學：苦惱的追求》談到總體組合關係時也說：

> 從構成形式美的物質材料的總體關係來說，最基本的規律是多

51 歐陽周、顧建華、宋凡聖等：《美學新編》（杭州市：浙江大學出版社，2001年5月一版九刷），頁80-81。

52 楊辛、甘霖：《美學原理》（北京市：北京大學出版社，1989年一版四刷），頁161。

> 樣的統一。平時所謂的和諧美，意即是多樣而統一。……多樣的統一包括兩種基本類型：一種是多種非對立因素相互聯繫的統一，形成一種不太顯著的變化，謂之調和式統一，一種是各種對立因素之間的相反相成，對立造成和諧，形成對立式統一。[53]

無獨有偶地，蔡運桂《藝術情感學》中談到「藝術情感的和諧性」時，也分「對立中的和諧」和「統一中的和諧」來加以論述[54]。

這些說法，有機地將「多樣」（變化）與「統一」（和諧）結合在一起。在此，最值得注意的是他們特將這種屬於「二元互動」的「調和」（陰）與「對比」（陽），結合「多」（變化）與「統一」（和諧）作說明，凸顯出「二」（「調和」〔陰〕）與「對比」〔陽〕）徹下徹上的居間作用。這對意象「0 一二多」雙奪璇結構及其所產生美感方面的認識而言，有相當大的幫助。

而這個「一」中的「0」，是對應於老子「道生一」、「有生於无」的「道」或「无」來說的[55]。如落在辭章中，則指的是風格、韻律、氣象、境界等辭章之抽象力量。這些抽象力量，是與「剛」（對比）、「柔」（調和）息息相關的。就以風格而言，即可用「剛」（對比）、「柔」（調和）」來概括。關於這點，姚鼐在其〈復魯絜非書〉中就已提出，大致是「姚鼐把各種不同風格的稱謂，作了高度的概括，概括為陽剛、陰柔兩大類。像雄渾、勁健、豪放、壯麗等都可歸入陽剛類；含蓄、委屈，淡雅、高遠、飄逸等都可歸入陰柔類。就這兩類

---

53 夏放：《美學：苦惱的追求》（福州市：海峽文藝出版社，1988年5月初版），頁108。
54 蔡運桂：《藝術情感學》（廣州市：三環出版社，1989年12月初版），頁73-80。
55 陳滿銘：〈論「多」、「二」、「一（0）」的螺旋結構——以《周易》與《老子》為考察重心〉。

看，認為『為文者之性情形狀舉以殊焉』，性情指作者的性格，跟陽剛、陰柔有關；形狀指作品的文辭，跟陽剛、陰柔有關。又指出這兩者『糅而氣有多寡進絀』，即陽剛和陰柔可以混雜，在混雜中，陰陽之氣可以有的多，有的少，有的消，有的長，這就造成風格的各種變化」[56]。據此，則陽剛（對比）和陰柔（調和），不但與風格有關，而為各種風格之母；也一樣與作者性情與作品文辭有關，而為韻律、氣象、境界等的決定因素。

對這種道理，吳功正在其《中國文學美學》裡，以美學的觀點，從「陰陽」這一範疇切入闡釋說：

> 由一個最簡括的範疇方式：陰陽，繁孵衍化出眾多的美學範疇：言與意、情與景、文與質、濃與淡、奇與正、虛與實、真與假、巧與拙等等，顯示出中國美學的一個顯著特徵：擴散型；又顯示出中國美學的另一個顯著特徵：本源不變性。這兩個特徵的組合，便顯示出中國美學在機制上的特性。如劉勰的《文心雕龍》就以此作為理論的結構框架。關於審美的主客體關係，劉勰認為，心（主體）「隨物以宛轉」，物（客體）「與心而徘徊」。關於情與物的關係：「情以物興，故義必明雅；物以情觀，故詞必巧麗」。其他關於文質、情文、通變等範疇和問題，也都是兩兩對舉，都有著陰陽二元的基本因子的構成模式。[57]

在此，他提出了兩個重要觀點：一是指出心（意）與物（象）、文與

56 周振甫：《文學風格例話》，頁13。

57 吳功正：《中國文學美學》下卷（南京市：江蘇教育出版社，2001年9月一版一刷），頁785-786。

質、情與文、通與變等等範疇，都與「陰陽二元」有關。二為「陰陽二元」的特徵，既是「擴散」（徹下）的（屬於局部），也是「本源不變」（徹上）的（屬於整體）。也正由於「陰陽二元」，是諸多範疇構成的基本因子，有著擴散（徹下）、本源不變（徹上）的特徵，所以既能繁衍為「多」，也能歸本於「一 0」。由此可知，陽剛（對比）和陰柔（調和）之重要，因而也凸顯了「二」（陽剛、陰柔或調和、對比）在「多」與「一 0」之間不可或缺的地位。這樣辭章意象聯貫藝術之美，就可由「0 一二多」雙螺旋螺旋結構予以完整凸顯了。

結語

綜上所述，「無法（陰）」與「有法（陽）」，不但可用「無極（周敦頤〈太極圖說〉）、太極生兩儀……（《周易》）」或「道生一……」（《老子》）與顯隱「創造力」、「本末」、「虛實」、「多樣、統一」……等層面表明其互動作用，更可用「0 一二多」的雙螺旋結構呈現其「互動、循環而提升」之完整歷程。這樣從「哲學意涵」、「思維系統」、「辭章內涵」、「辭章表現」與「美學詮釋」的不同層面切入，對應於「客觀存在」（自然而然）與「科學研究」（知所以然）分別加以探討，得出初步的結果：「無法（陰）」（客觀存在）與「有法（陽）」（科學研究」）所形成的是「互動、循環而提升」的雙螺旋互動。非常盼望能藉此來凸顯「無法」（陰：隱）與「有法」（陽：顯）、「客觀存在」（陰：隱）與「科學研究」（陽：顯）的密切關係，使文學或藝術相關的研究能逐步走上「以『有法』（陽：顯：知所以然）歸跟『無法』（陰：隱：自然而然）」、「以『科學研究』（陽：顯：知所以然）反映『客觀存在』（陰：隱：自然而然）」的一條康莊大道。

第八章
完形「形（陽）⟷質（陰）」雙螺旋互動

辭章之四大要素為「情」、「理」、「景（物）」、「事」，其中「情」與「理」為「意」，是「質（陰）」，「景（物）」與「事」為「象」，是「形（陽）」。而「意」與「象」之所以能互動，自來雖有「移情」、「投射」之理論加以解釋，卻不夠圓滿；於是有「格式塔」心理學派「異質同構」或「同形說」之出現。因此特參酌這種學說，分別就意象互動之理論基礎、類型及其美學詮釋，進行延伸探討，並特別將其類型，依據辭章四大要素之連結，除了就個別意象由「異質同構」推擴至「同質同構」外，再就整體意象拓大到「異形同構」與「同形同構」，加以論證，這樣呈現「形（陽）⟷質（陰）」雙螺旋之互動作用，顯然較能周遍地呈現意象互動之各個面向。

「形（陽）⟷質（陰）」雙螺旋互動涉及「意象」。所謂「意象」，乃合「意」與「象」而成。它不只指狹義的個別意象而已，而是有廣義之整體意象的。廣義者指全篇，屬於整體，可以析分為「意」與「象」；狹義者指個別，屬於局部，往往合「意」與「象」為一來稱呼。而整體是局部的總括、局部是整體的條分，所以兩者關係密切。本文即著眼於此，以完形理論切入，先探討「形（陽）⟷質（陰）」雙螺旋互動之相關理論，再分別就個別意象互動之「同質同構」、「異質同構」與整體意象連結之「同形同構」、「異形同構」等，探討其類型，並舉例說明；然後作美學之詮釋[1]，以見「形（陽）⟷質（陰）」雙螺旋互動之奧妙於一斑。

第一節　「形（陽）⟷質（陰）」雙螺旋互動之相關理論

「意象」乃合「意」與「象」而成。由於它有哲學層面之基礎，所以運用在辭章層面上便能切合無間。

從哲學層面來看，意象與心、物之合一是有關的，但因它牽扯甚廣，而爭議也多，所以在此略而不論，只直接落到「意」與「象」來說。而論述「象」與「意」最精要的，要推《易傳》，其〈繫辭上〉云：

> 聖人有以見天下之賾，而擬諸其形容，象其物宜，是故謂之象。

1　陳滿銘：〈意象「多」、「二」、「一（0）」螺旋結構論——以哲學、文學、美學作對應考察〉，濟南《濟南大學學報·社會科學版》17卷3期（2007年5月），頁47-53。

而〈繫辭下〉又云：

> 《易》者，象也。象也者，像也。……是故吉凶生而悔吝著也。

對此，孔穎達在《周易正義》卷八中解釋道：

> 《易》卦者，寫萬物之形象，故《易》者，象也。象也者，像也，謂卦為萬物象者，法象萬物，猶若乾卦之象法像於天也。[2]

可見在此，「象」是指近取諸身、遠取諸物而得來的卦象，可藉以表示人事之吉凶悔吝。廣義地說，即藉具體形象來表達抽象事理，以達到象徵（或譬喻）的作用。因此陳望衡說：

> 《周易》的「觀物取象」以及「象者，像也」，其實並不通向模仿，而是通向象徵。這一點，對中國藝術的品格影響是極為深遠的。[3]

而所謂「象徵」，就其表出而言，就是一種符號，所以馮友蘭說：

> 〈繫辭傳〉說：「易者，象也。」又說：「聖人有以見天下之賾，而擬諸其形容，象其物宜，是故謂之象。」照這個說法，「象」是模擬客觀事物的複雜（賾）情況的。又說「象也者，象此者也」；象就是客觀世界的形象。但是這個模擬和形象並

2　孔穎達：《周易正義》卷八（臺北市：廣文書局，1972年1月版），頁77。

3　陳望衡：《中國古典美學史》（長沙市：湖南教育出版社，1998年8月一版一刷），頁202。

> 不是如照相那樣下來，如畫像那樣畫下來。它是一種符號，以符號表示事物的「道」或「理」。六十四卦和三百八十四爻都是這樣的符號。[4]

所謂「以符號表示事物的『道』或『理』」，和葉朗在《中國美學史大綱》所說的：〈繫辭傳〉認為整個《易經》都是「象」，都是以形象來表明義理，[5] 其道理是一樣的。

除了上文談到〈繫辭傳〉，指出了《易經》「象」的層面與「道或理」有關外，〈繫辭傳〉還進一步論及「立象以盡意」的問題。〈繫辭上〉云：

> 子曰：「書不盡言，言不盡意。」然則，聖人之意，其不可見乎？子曰：「聖人立象以盡意，設卦以盡情偽，繫辭焉以盡其言，變而通之以盡利，鼓之舞之以盡神。

一般而言，語言在表達思想情感時，會存在著某種侷限性，此即「言不盡意」的意思（這關涉到了「空白」、「補白」理論，當另文討論）。而在〈繫辭傳〉中，卻特地提出了「象可盡意、辭可盡言」的論點。王弼《周易略例．明象》對此曾說明云：

> 夫象者，出意者也；言者，明象者也。盡意莫若象，盡象莫若言。言生於象，故可尋言以觀象；象生於意，故可尋象以觀

4　馮友蘭：《馮友蘭選集》上卷（北京市：北京大學出版社，2000年7月一版一刷），頁394。

5　葉朗：《中國美學史大綱》（臺北市：滄浪出版社，1986年9月），頁66。

> 意。意以象盡，象以言著[6]

由此可知，「情意」可透過「言語」、「形象」來表現，並且可以表現得很具體。而前者（情意）是目的、後者（言語、形象）為工具。陳望衡《中國古典美學史》釋此云：

> 王弼將「言」、「象」、「意」排了一個次序，認為「言」生於「象」、「象」生於「意」。所以，尋言是為了觀象，觀象是為了得意。言—象—意，這是一個系列，前者均是後者的工具，後者均為前者的目的。[7]

他把「意」與「象」、「言」的前後關係，說得十分清楚。不過，他所謂的「言→象→意」，是就逆向的鑑賞（讀）一面來說的，如果從順向的創作（寫）一面而言，則是「意→象→言」了。此外，葉朗在《中國美學史大綱》裡，也從另一角度，將《易傳》所言之「象」與「意」闡釋得相當扼要而明白，他說：

> 「象」是具體的，切近的，顯露的，變化多端的，而「意」則是深遠的，幽隱的。〈繫辭傳〉的這段話接觸到了藝術形象以「個別」表現「一般」，以「單純」表現「豐富」，以「有限」表現「無限」的特點。[8]

---

6 王弼：《周易略例・明象》，收入《易經集成》149（臺北市：成文出版社，1976年出版），頁21-22。

7 陳望衡：《中國古典美學史》，頁207。

8 葉朗：《中國美學史大綱》，頁26。

所謂的「個別」與「一般」、「單純」(象)與「豐富」(意)、「有限」(象)與「無限」(意),說的就是「象」與「意」之相互關係。

由此看來,辭章中「意」與「象」之互動,其哲學層面之基礎就建立在這裡。而在文學理論中最早以合成詞的方式標舉出「意象」這一藝術概念的,是劉勰《文心雕龍・神思》:

> 是以陶鈞文思,貴在虛靜,疏瀹五藏,澡雪精神;積學以儲寶,酌理以富才,研閱以窮照,馴致以繹辭;然後使玄解之宰,尋聲律而定墨;獨照之匠,窺意象而運斤。此蓋馭文之首術,謀篇之大端。[9]

在此,劉勰指出作家須使內心虛靜,才能醞釀文思、經營意象。一個作家如能如此啟動思維力來經營意象,自然就能推陳出新,創造出新的意象,而產生美感。張紅雨在《寫作美學》中說:

> 人們之所以有了美感,是因為情緒產生了波動。這種波動與事物的形態常常是統一起來的,美感總是附著在一定的事物上。[10]

他更進一步地指出:事物之所以可以成為激情物,是因為它觸動人們的美感情緒,而使美感情緒產生波動,所以我們對事物形態的摹擬,實際上是對美感情緒波動狀態的摹擬,是雕琢美感情緒的必要手段。因此,所謂靜態、動態的摹擬,也並不是對無生命的事物純粹作外形,或停留在事物動的表面現象上作摹狀,而是要挖掘出它更本質、

9 劉勰著,黃叔琳注:《增訂文心雕龍校注》卷六(北京市:中華書局,2000年8月一版一刷),頁369。

10 張紅雨:《寫作美學》(高雄市:麗文文化出版社,1996年10月初版),頁311。

更形象的內容，來寄託和流洩美感的波動。[11]

他所說的「情緒波動」，即主體之「意」；而「事物形態」之「更本質、更形象的內容」，則為客體之「象」。對這種意與象之互動關係，格式塔心理學家用「同形同構」或「異質同構」來解釋。他們認為：審美體驗就是對象的表現性及其力的結構（外在世界：象），與人的神經系統中相同的力的結構（內在世界：意）的同型契合。由於事物表現性的基礎在於力的結構，「所以一塊突兀的峭石、一株搖曳的垂柳、一抹燦爛的夕陽餘暉、一片飄零的落葉……都可以和人體具有同樣的表現性，在藝術家的眼裡也都具有和人體同樣的表現價值，有時甚至比人體還更有用。」[12] 基於此，魯道夫・安海姆（Rudolf Amheim）提出了「藝術品的力的結構與人類情感的結構是同構」之論點，以為推動我們自己情感活動起來的力，與那些作用於整個宇宙的普遍性的力，實際上是同一種力。他說：

> 我們自己心中生起的諸力，只不過是在遍宇宙之內同樣活動的諸力之個人的例子罷了。[13]

也就是說：現實世界存在之本質乃一種力，它統合著客觀存在之「物理力」與主觀世界的「心理力」，在審美過程中，這種力使人類知覺扮演中介的角色，將作品中之「物理力」與人類情感的「心理力」因「同構」而結合為一。

11 張紅雨：《寫作美學》，頁311-314。

12 蔣孔陽、朱立元主編：《西洋美學通史》第六卷（上海市：上海文藝出版社，1999年11月第一版），頁714。

13 安海姆著，李長俊譯：《藝術與視知覺心理學》（臺北市：雄獅圖書公司，1982年9月再版），頁444。

對此，李澤厚在〈審美與形式感〉一文中說：

> 不僅是物質材料（聲、色、形等等）與視聽感官的聯繫，而更重要的是它們與人的運動感官的聯繫。對象（客）與感受（主），物質世界和心靈世界實際都處在不斷的運動過程中，即使看來是靜的東西，其實也有動的因素……其中就有一種形式結構上巧妙的對應關係和感染作用……格式塔心理學家則把這種現象歸結為外在世界的力（物理）與內在世界的力（心理）在形式結構上的「同形同構」，或者說是「異質同構」，就是說質料雖異而形式結構相同，它們在大腦中所激起的電脈衝相同，所以才主客協調，物我同一，外在對象與內在情感合拍一致，從而在相映對的對稱、均衡、節奏、韻律、秩序、和諧……中，產生美感愉快。[14]

而歐陽周、顧建華、宋凡聖等在《美學新編》中也指出：

> 完形心理學美學依據「場」的概念去解釋「力」的樣式在審美知覺中的形成，並從中引申出了著名的「同形論」或稱為「異質同構」的理論。按照這種理論，他們認為外部事物、藝術樣式、人物的生理活動和心理活動，在結構形式方面，都是相同的，它們都是「力」的作用模式。在安海姆看來，自然物雖有不同的形狀，但都是「物理力作用之後留下的痕跡」。藝術作品雖有不同的形式，卻是運用內在力量對客觀現實進行再創造

14 李澤厚：《李澤厚哲學美學文選》（臺北市：谷風出版社，1987年5月初版），頁503-504。

> 的過程。所以，「書法一般被看作是心理力的活的圖解」。總之，世界上的一切事物，其基本結構最後都可歸結為「力的圖式」。正是在這種「異質同構」的作用下，人們才在外部事物和藝術作品中，直接感受到某種「活力」、「生命」、「運動」和「動態平衡」等性質。……所以，事物的形體結構和運動本身就包含著情感的表現，具有審美的意義。[15]

他們這把「意」與「象」之所以形成、互動、趨於統一，而產生美感的原因、過程與結果，都簡要地交代清楚了。

若單從辭章層面來看，則意象和辭章的內容是融為一體的。而辭章內容的主要成分，不外情、理與事、物（景）。其中情與理為「意」，屬核心成分；事與物（景）乃「象」，為外圍成分[16]。它可用下圖來表示：

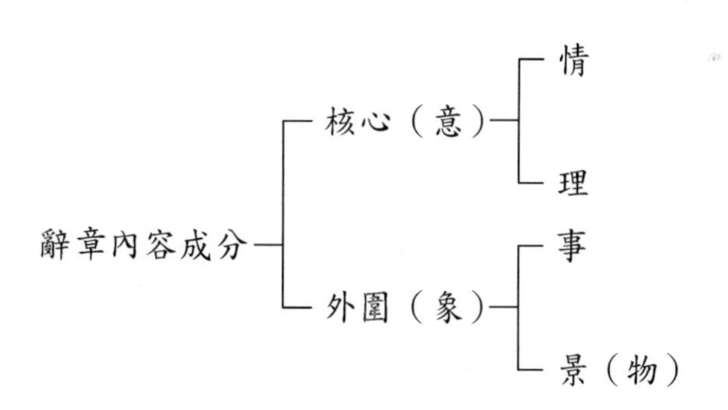

而此情、理與事、物（景）之辭章內容成分，就其情、理而言，是

15 歐陽周、顧建華、宋凡聖等：《美學新編》（杭州市：浙江大學出版社，2001年5月一版九刷），頁253。安海姆之「同形論」或「同形說」，參見蔣孔陽、朱立元主編：《西方美學通史》第六卷，頁715-717。

16 陳滿銘：〈談篇章的縱向結構〉，臺灣師大《中國學術年刊》22期（2001年5月），頁259-300。

「意」；就其事、物（景）而言，是「象」。

所謂核心成分，為「情」或「理」，乃一篇之主旨所在。它安排在篇內時，都以「情語」或「理語」來呈現，既可置於篇首，也可置於篇腹，更可置於篇末[17]，以統合各個事、物（景）之「象」。而如果核心成分之「情」或「理」（主旨）未安置於篇內，就要從篇外去尋找，這是讀者要特別費心的。但無論是「理」或「情」，皆指「意象」之「意」來說。

所謂外圍成分，則以事語或物（景）語來表出。也就是說，形成外圍結構的，不外「景」（物）材與「事」材而已。先就「景」（物）材來說，凡是存於天地宇宙之間的實物或東西都可以成為文章的材料。以較大的物類而言，如天（空）、地、人、日、月、星、山（陸）、水（川、江、河）、雲、風、雨、雷、電、煙、嵐、花、草、竹、木（樹）、泉、石、鳥、獸、蟲、魚、室、亭、珠、玉、朝、夕、晝、夜、酒、餚……等就是；以個別的對象而言，如桃、杏、梅、柳、菊、蘭、蓮、茶、麥、梨、棗、鶴、雁、鶯、鷗、鷺、鶗鴂、鷓鴣、杜鵑、蟬、蛙、鱸、蚊、蟻、馬、猿、笛、笙、琴、瑟、琵琶、船、旗、轎……等就是。這些物材可說無奇不有，不可勝數。大抵說來，作者在處理內容成分時，大都將個別的物材予以組合而形成結構。

再就「事」材來說，凡是發生在天地宇宙之間的事情都可以成為文章的材料。以抽象的事類而言，如取捨、公私、出入、聚散、得失、逢別、迎送、仕隱、悲喜、苦樂、歌舞、來（還）往（去）、成敗、視聽、醒醉、動靜，甚至入夢、弔古、傷今、閒居、出遊、感

---

17 陳滿銘：〈談安排辭章主旨（綱領）的幾種基本形式〉，臺灣師大《國文學報》14期（1985年6月），頁201-224。

時、恨別、雪恥、滅恨、修身、齊家、治國、平天下，泛論、舉證、經過、結果……等就是；以具體的事件而言，如乘船、折荷、繞室、讀書、醉酒、離鄉、還家、邀約、赴約、生病、吃糠、遊山、落淚、彈箏、倚杖、聽蟬、接信、拆信、羅酒漿、備飯菜、甚至行孝、行悌、致敬……等就是。這些事材，可說俯拾皆是，多得數也數不清。作者通常都用具體的事件來寫，卻在無形中可由抽象的事類予以統括。[18]

以上所舉的「景」（物）材，主要用於寫「景（物）」；而「事材」則主要用於敘「事」。所敘寫的無論是「景（物）」或「事」，皆指「意象」之「象」而言。茲舉馬致遠題作「秋思」的〈天淨沙〉曲為例：

> 枯藤、老樹、昏鴉。小橋、流水、人家。古道、西風、瘦馬。夕陽西下。斷腸人在天涯。

本曲旨在寫浪天涯之苦。它先就空間，以「枯藤」兩句寫道旁所見，以「古道」句寫道中所見；再就時間，以「夕陽」句指出是黃昏，以增強它的情味力量；然後由景轉情，點明浪跡天涯者「人生如寄」、「漂泊無定」的悲痛[19]，亦即「斷腸」作結。

就在這首曲裡，可說一句一意象（狹義），形成了豐富之「意象」群，其中以「枯藤」、「老樹」、「昏鴉」、「古道」、「西風」、「瘦

---

18 陳滿銘：《章法學綜論》（臺北市：萬卷樓圖書公司，2003年6月初版），頁107-119。

19 楊棟：「這首小令通過一幅秋野夕照圖的描繪，抒寫了一位浪跡天涯的遊子對『家』的思念，以及由此生發出的漂泊無定的厭倦及悲涼情緒，強烈地表現出人類普遍存在的內在孤獨感與無歸宿感。」見《中國古代文學名篇選讀》（天津市：南開大學出版社，2001年3月一版一刷），頁62。

馬」、「夕陽西下」（黃昏）等「物」（景）與「人在天涯」之「事」，針對著「斷腸」之「意」，透過「異質同構」（正：淒涼）之作用，而形成正面「意象」，很技巧地與「小橋」、「流水」、「人家」（反：溫馨）等「物」所形成的反面「意象」，把流浪的孤苦與團圓的溫馨作成強烈對比，以推深作者「人在天涯」的悲痛來。很顯然地，這種意象之互動，是可以還原到作者構思之際加以確定的。

因此，意象之形成、互動，就像《文心雕龍．神思》所說的，確是「馭文之首術、謀篇之大端」。

如同上述，所謂的「意象」，乃合「意」與「象」而成。它除指狹義的個別意象外，也指廣義之整體意象。廣義者指全篇，屬於整體，可以析分為「意」與「象」；狹義者指個別，屬於局部，往往合「意」與「象」為一來稱呼。而整體是局部的總括、局部是整體的條分，所以兩者關係密切。不過，必須一提的是：意象有廣義與狹義之別。而狹義之「意象」，亦即個別之「意象」，雖往往合「意」與「象」為一來稱呼，卻大都用其偏義，譬如草木或桃花的意象，用的是偏於「意象」之「意」，因為草木或桃花都偏於「象」；如「桃花」的意象之一為愛情，而愛情是「意」；而團圓或流浪的意象，則用的是偏於「意象」之「象」，因為團圓或流浪，都偏於「意」；如「流浪」的意象之一為浮雲，而浮雲是「象」。因此前者往往是一「象」多「意」，後者則為一「意」多「象」。而它們無論是偏於「意」或偏於「象」，通常都通稱為「意象」[20]。

而這種「意」與「象」，看來雖是對待的「二元」，卻有形質、主從之分。其中「情」與「理」，是「質」是「主」；而「景」（物）與

20 陳滿銘：〈意、象互動論——以「一意多象」與「一象多意」為考察範圍〉，中山大學《文與哲》學報11期（2007年12月），頁253-280。

「事」，為「形」為「從」。這可藉王國維的「一切景語皆情語」[21]一語加以擴充，那就是：

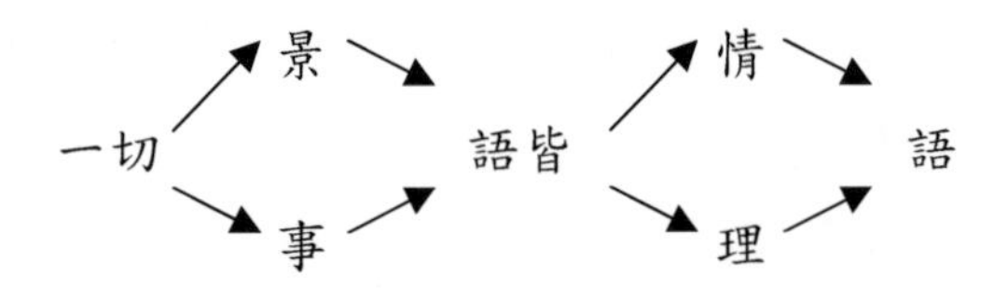

也就是說，作者用「景」（物）、「事」來寫，是手段，而藉以充分凸顯「情」與「理」，才是目的。因此「景」（物）、「事」之形是以「理」或「情」為質的。

如果進一步以「質」與「構」切入探討，則大體而言，主體之「情」與客體之「理」是「質」（本質）、主體之「事」（人為）與客體之「景」（自然）為「形」（現象），而主、客體交互由「外在世界的力（物理）與內在世界的力（心理）」作用所連接起來的「形式結構」，則為「構」。它們的關係可用下圖來表示：

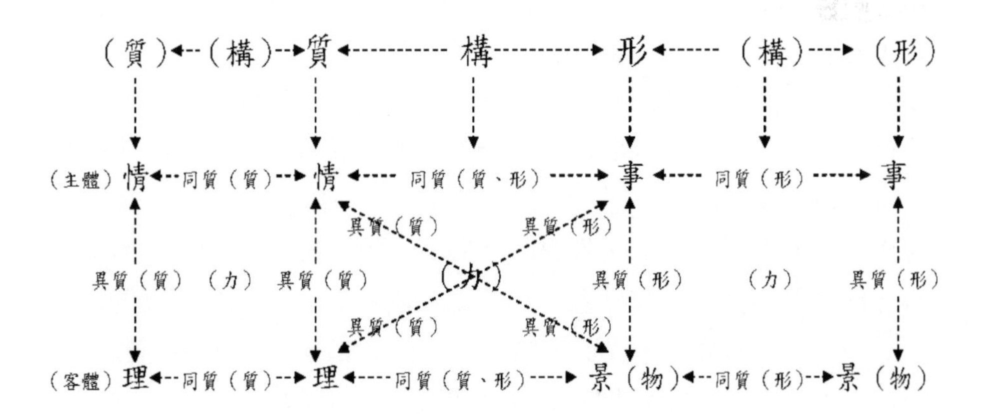

21 王國維：《人間詞話刪稿》，《詞話叢編》五（臺北市：新文豐出版公司，1988年2月臺一版），頁4257。

其中主體為「人類」、客體為「自然」，兩者是不同質的，卻可透過「力」的作用形成「構」，搭起連結的橋樑。而主體與客體，又所謂「誠於中（質）而形於外（形）」，是各有其「形（陽）」、「質（陰）」的：就主體的人類來說，「情」是「質（陰）」、「事」（含人事景）是「形（陽）」；就客體的自然而言，「理」是「質（陰）」、「景（物）」（含自然事）是「形（陽）」[22]。

因此完整說來，主與客、主與主、客與客、質與質、質與形、形與形之間，都可以形成「構」（力），而連結在一起，產生互動之作用。其中連結「情」（意）與「情」（意）、「情」（意）與「事」（象）、「理」（意）與「理」（意）、「理」（意）與「景（物）」（象）的，為「同質同構」類型；連結「情」（意）與「理」（意）、「情」（意）與「景（物）」（象）、「理」（意）與「事」（象）的，為「異質同構」類型；連結「景」（象）與「景（物）」（象）、「事」（象）與「事」（象）的，為「同形同構」類型，這是特別從「同質同構」中分出來的；連結「景」（象）與「事」（象）的，為「異形同構」類型，這是特別從「異質同構」中分出來的。如此來看待意象形成之類型，是會比較周全的。而這種類型，如果單著眼於「意」與「象」之連結，則可呈現如下：首先為「意」與「意」類型：（一）情與情（同質）、（二）情與理（同質）、（三）理與理（同質）；其次為「意」與「象」類型：（一）情與事（同質、形與質）、（二）情與景（異質、形與質）、（三）理與景（同質、形與質）、（四理與事（異質、形與質）；又其次為「象」與「象」類型：（一）事與事（同質、同形）、（二）事與景（異質、異形）、（三）景與景（同質、同形）。這樣兩相對照，它們互動的關係是可以清楚看出來的。

22 陳滿銘：〈以「構」連結「意象」成軌之幾種類型——以格式塔「異質同構」說切入作考察〉，《平頂山學院學報》21卷6期（2006年12月），頁68-72。

以上類型，除「形（陽）⟷質（陰）」或「質（陰）⟷形（陽）」互動外，也都可以形成「陰⟷陽」的雙螺旋互動，如「情」與「理」為「陽⟷陰」互動、「事」與「景」為「陰⟷陽」互動，又如「情」與「情」、「理」與「理」、「事」與「事」、「景」與「景」，都可因為涉及深淺、顯隱、古今、遠近或因果、點染、凡目、虛實……的章法而呈現「陰⟷陽」互動；因此「陰⟷陽」的雙螺旋互動，是無所不在的。

第二節　「同質同構」類型的「陰⟷陽」雙螺旋互動

「同質同構」，是指藉「構」（力）為橋樑，連結「人」這個主體之「情」（意）與「情」（意）、「情」（意）與「事」（象）、連結「物」那個客體之「理」（意）與「理」（意）、「理」（意）與「景」（象）的一種類型。

首先是「情」（意）與「情」（意）互動所產生的「同構」，如杜甫的〈旅夜書懷〉詩：

> 細草微風岸，危檣獨夜舟。星垂平野闊，月湧大江流。名豈文章著，官應老病休。飄飄何所似？天地一沙鷗。

此詩為泊舟江邊、觸景生情之作。起聯藉孤舟、風岸、細草，寫江邊的寂寥；頷聯藉星月、平野、江流，寫天地的高曠；這是寫景的部分，為「實」。頸聯就文章與功業，寫自己事與願違、老病交迫的苦惱；尾聯就旅舟與沙鷗，寫自己到處飄泊的悲哀；這是抒情的部分，為「虛」。就這樣一實一虛地產生相糅相襯的效果，使得滿紙盈溢著悲愴的情緒[23]。其結構系統表為：

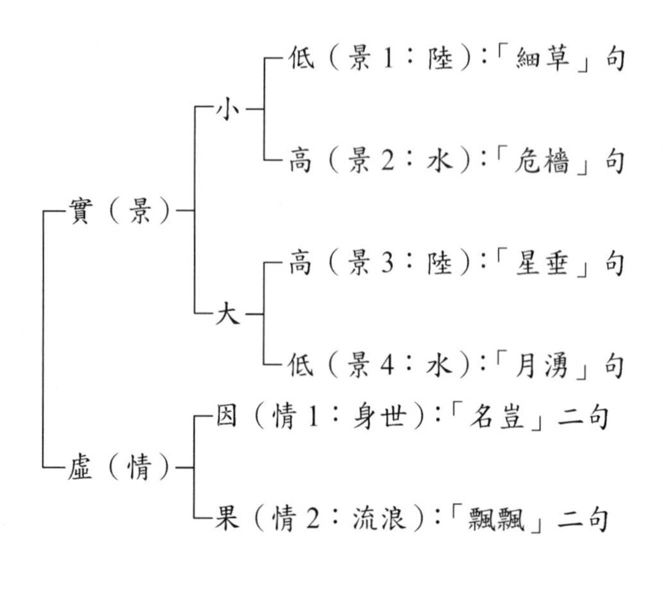

由上表可看出，作者寫這首詩，主要是用虛（情：1、2）實（景：1、2、3、4）與「小→大」（陰⟷陽）、「因→果」（陰⟷陽）、「低→高」（陰⟷陽）、「高→低」（陽⟷陰）等章法結構來組織其內容材料，以形成其篇章結構的。而其中的「篇結構」，即以「悲愴」為構，以連結「實（景）」與「虛（情）」而形成互動；而「虛（情）」的部分，又仍以「悲愴」為構，連結「身世之感」（情 1）與「流浪之苦」（情 2）而形成互動，由此統合成五疊「陰⟷陽」的雙螺旋互動。

其次是「情」（意）與「事」（象）互動所產生的「同構」，如李之儀的〈卜算子〉詞：

---

23 參見傅思均分析，見蕭滌非：《唐詩大觀》（香港：商務印書館香港分館，1986年1月香港一版二刷），頁564。

我在長江頭，君住長江尾。日日思君不見君，共飲長江水。

此水幾時休，此恨何時已。只願君心似我心，定不負相思意。

這闋相思詞，是用「先事後情」的形式寫成的。作者在上片，以起二句，寫相隔之遠，這是敘事的部分。以後二句，寫相思之久；換頭以後，則以前兩句，敘恨無已時；以結兩句，敘兩情不負；以上六句是抒情的部分。就這樣，以「長江」為媒介，以「不見」為根由，純用「虛」的材料，始終未雜以任何寫景的句子來襯托，卻將「思君」的情感表達得極其真切深長，無論從其韻味或用語來看，都像極了古樂府。唐圭璋說它「意新語妙，直類古樂府」[24]，是很有見地的。其結構系統表為：

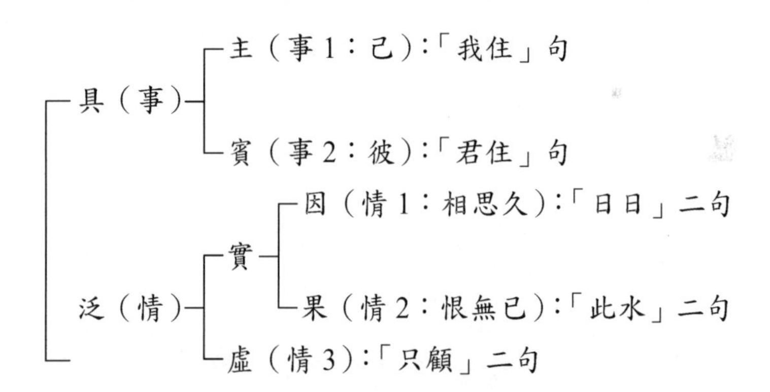

從上表可以看出，這闋詞主要是用泛（情：1、2、3）具（事 1、2）與「主 → 賓」（陰 ⟷ 陽）、「虛 → 實」（陰 ⟷ 陽）、「因 → 果」（陰 ⟷ 陽）等章法結構來組織其內容材料，以形成其篇章結構的。

24 唐圭璋：《唐宋詞簡釋》（臺北市：木鐸出版社，1982年3月初版），頁115。

而其中的「篇結構」，即以「無休、無已」為構，以連結「具（事）」與「泛（情）」而形成互動，由此統合成四疊「陰 ⟷ 陽」雙螺旋互動。

又其次是「理」（意）與「理」（意）互動所產生的「同構」，如《禮記．大學》的「經一章」：

> 大學之道：在明明德，在親民，在止於至善。知止而后有定，定而后能靜，靜而后能安，安而后能慮，慮而后能得。物有本末，事有終始，知所先後，則近道矣。
>
> 古之欲明明德於天下者，先治其國；欲治其國者，先齊其家；欲齊其家者，先修其身；欲修其身者，先正其心；欲正其心者，先誠其意；欲誠其意者，先致其知；致知在格物。物格而后知至，知至而后意誠，意誠而后心正，心正而后身修，身修而后家齊，家齊而后國治，國治而后天下平。
>
> 自天子以至於庶人，壹是皆以修身為本。其本亂，而末治者否矣；其所厚者薄，而其所薄者厚，未之有也。此謂知本，此謂知之至也。

這章文字總論「大學」的目標與方法。論其目標的，為「大學之道」四句，此即朱子所謂之「三綱」（見《大學章句》）。論其方法的，從「知止」句起至段末，在此，先泛泛地就步驟，論「知止」、「知先後」，既一面承上交代「三綱」之實施步驟，也一面啟下提明「八目」的實踐工夫。朱子《大學章句》在「則近道矣」句下注云：「此結上文兩節之意。」又在「國治而后天下平」句下注云：「『修身』以上，明明德之事也；『齊家』以下，新民之事也；物格知止，則知所至矣；『意誠』以下，皆得所止之序也。」[25]可見這節文字在內容上，是既承上又啟下的。接著實際地就「八目」來加以論述。《大學》的作者在這個部分，先以「平提」的方式，依序以「古之欲明明德」十三句，逆推八目，以「物格而后知至」七句，順推八目；然後以「側收」的方式，就「八目」中的「修身」一目，說「修身」為本，並說明所以如此的原因，朱子《大學章句》於「壹是皆以修身為本」句下注云：「『正心』以上，皆所以修身也；『齊家』以下，則舉此而錯之耳。」[26]又於「未之有也」句下注云：「本，謂身也；所厚，謂家也。此兩節（自「天子」句至「未之有也」）結上文兩節（自「古之欲明明德」句至「國治而后天下平」）之意。」[27]而孔穎達《禮記正義》在「此謂知之至也」句下云：「本，謂身也；既以身為本，若能自知其身，是知本也，是知之至極也。」[28]由此可知這一節文字，是採「側收」以回繳整體的手法來表達的。這樣，不僅回應了具論條目的部分，也回應了論步驟與目標的二節文字，產生了以簡（側）馭繁（平）的效果。其結構系統表為：

25 依朱子《大學章句》，下併同，《四書集註》（臺北市：學海出版社，1984年9月初版），頁4。

26 同上注。

27 同上注。

28 孔穎達：《十三經注疏・禮記》（臺北市：藝文印書館，1965年6月三版），頁984。

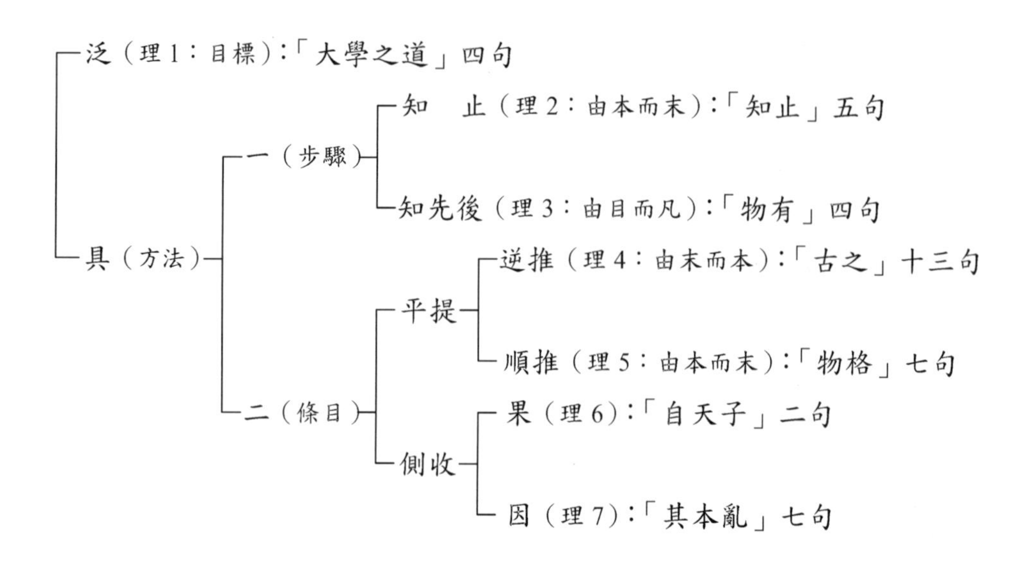

從上表可知，作者在此章文中，主要用了「泛→具」（陰 ⟷ 陽）、「並列一、二」（陰 ⟷ 陽）、「平→側」（陰 ⟷ 陽）、「本→末」（陰 ⟷ 陽）、「凡→目」（陰 ⟷ 陽）、「果→因」（陽 ⟷ 陰）等章法結構來組織其義理的內容材料，以形成其篇章結構，很合乎秩序、變化、聯貫、統一的原則[29]。而其中無論「篇」與「章」結構，全以「知先後」為構，以連結各部分「修己」（先）、「治人」（後）之道理而形成互動，由此統合成六疊「陰 ⟷ 陽」雙螺旋互動。

然後是「理」（意）與「景」（象）互動所產生的「同構」，如朱熹的〈觀書有感〉二首之一：

> 半畝方塘一鑑開，天光雲影共徘徊。問渠那得清如許？為有源頭活水來。

---

29 陳滿銘：〈談儒家思想體系中的螺旋結構〉，臺灣師大《國文學報》29期（2000年6月），頁12-23。

此詩先以開端二句，描寫反映著天光雲影的一面方塘，它的形象因為「能使人心情澄淨，心胸開朗」[30]，所以十分自然地帶出三、四兩句來。而三、四兩句，則採設問技巧，為「方塘」之所以能「清」得反映「天光雲影」，找到「源頭活水」這個答案，使得全詩充滿著理趣[31]。其結構分析表為：

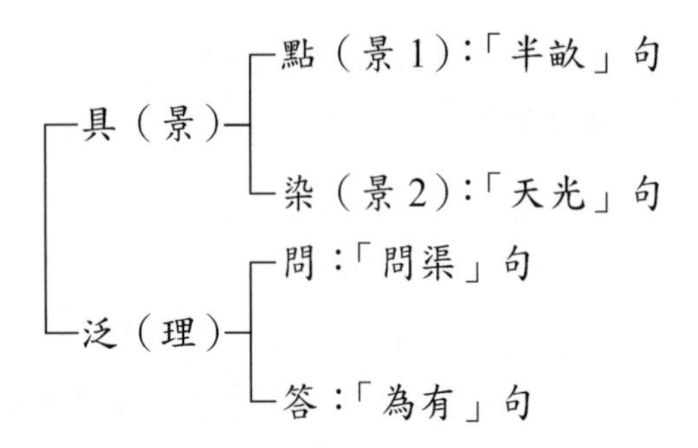

由上表可知，這首詩主要是用泛（理）具（景 1、2）與「點→染」（陰⟷陽）、「問→答」（陰⟷陽）等章法來組織其內容材料，以形成其篇章結構的。而其中的「篇結構」，即以「清如許」為構，以連結「具（景）」與「泛（理）」，而形成互動，由此統合成三疊「陰⟷陽」雙螺旋互動。

第三節　「異質同構」類型的「陰⟷陽」雙螺旋互動

「異質同構」，是指藉「構」（力）為橋樑，連結「情」與

30 霍松林語，見蕭滌非：《宋詩大觀》，頁1119。
31 參見霍松林分析，頁1118。

「理」、「情」（意）與「景」（象）、「理」（意）與「事」（象）的一種類型。

首先是「情」與「理」互動所產生的「同構」，如秦觀的〈鵲橋仙〉：

> 纖雲弄巧，飛星傳恨，銀漢迢迢暗度。金風玉露一相逢，便勝卻人間無數。　　柔情似水，佳期如夢，忍顧鵲橋歸路。兩情若是久長時，又豈在朝朝暮暮。

這首詞藉牛郎織女相會的故事，來歌頌歷久不渝的愛情，是用「先實後虛」的「篇結構」寫成的。「實」的部分，自篇首至「金風」句止。其中「纖雲」句，暗用織女巧手善織雲錦的典實，描繪出空中彩雲變幻的景象，為下面的敘事安排一個良好環境。「飛星」三句，直寫牛郎織女在七夕，懷著別恨，暗中渡河相會的本事。而「虛」的部分，則自「便勝卻」句起至篇末。其中「便勝卻」句，即事（景）說理，歌頌牛郎織女的真情摯意。「柔情」三句，由「因」而「果」，寫牛郎織女由於兩情綢繆、相聚甜美，所以依依不捨，不忍踏上歸路，從正面抒情，有著無盡的酸辛。「兩情」二句，忽又轉情為論，從酸辛中超拔而出，給真情者以莫大的安慰。

從表面上看來，此詞似寫牛郎織女，而實際上卻未離自己。其結構系統表為：

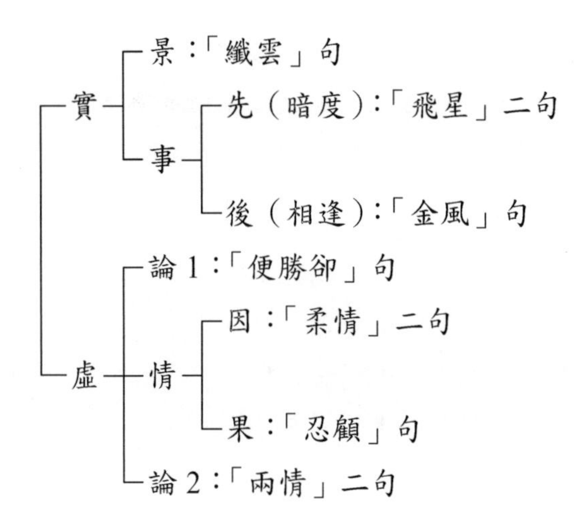

顯然地，這首詞主要是用「實→虛」（陽⟷陰）、「景→事」（陽⟷陰）、「論→情→論」（陰⟷陽⟷陰）、「先→後」（陰⟷陽）、「因→果」（陰⟷陽）等章法結構來組織其內容材料，以形成其篇章結構的。而其中「論、情、論」的「章結構」，乃以「久長」為「構」，連結「情」與「理」而形成互動，由此統合成五疊「陰⟷陽」雙螺旋互動。

其次是「情」（意）與「景」（象）互動所產生的「同構」，如李煜的〈望江南〉詞：

> 多少恨，昨夜夢魂中。還似舊時遊上苑，車如流水馬如龍。花月正春風。

這闋詞首先以起二句，直接將自己夢後的滿腔怨恨傾洩而出；其次以次句，交代他「怨恨之由」[32]；然後以「還似」三句，寫溫馨之

32 參見王沛霖、傅正谷分析，見唐圭璋主編：《唐宋詞鑑賞集成》（香港：中華書局香港分局，1987年7月初版），頁119。

夢境，以反襯「怨恨」之情。這樣以「先情後景」的結構來寫，篇幅雖短，卻充分地抒發了他亡國之痛[33]。其結構系統表為：

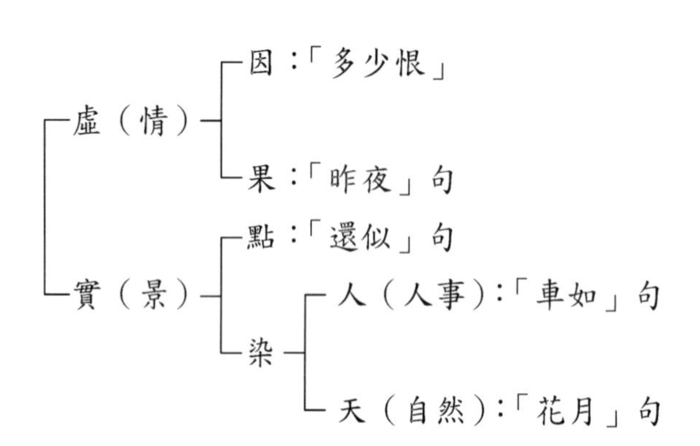

從上表可知，作者在此，主要是用「虛（情）→實（景）」（陰←→陽）、「因→果」（陰←→陽）、「點→染」（陰←→陽）、「人→天」（陽←→陰）[34]等章法結構來組織其內容材料，以形成其篇章結構的。而其中的「篇」結構，即以「怨恨（正）、溫馨（反）」為構，以連結「虛（情）」與「實（景）」而形成互動，由此統合成四疊「陰←→陽」雙螺旋互動。

然後是「理」（意）與「事」（象）互動所產生的「同構」，如劉蓉的〈習慣說〉：

---

33 參見王沛霖、傅正谷分析，頁120。

34 天，指自然；人指人事；都屬於材料。在寫景時，這種著眼於材料，將「天」與「人」並呈，以形成結構的情形很普遍，因此，把「天人」視為章法，是相當合理的。如馬致遠的套曲〈題西湖〉，便是著例。見陳滿銘：《文章結構分析——以中學國文課文為例》（臺北市：萬卷樓圖書公司，1999年5月初版），頁295-297。又參見陳滿銘：〈論幾種特殊的章法〉，臺灣師大《國文學報》31期（2002年6月），頁187-191。

> 蓉少時，讀書養晦堂之西偏一室。俛而讀，仰而思；思而弗得，輒起，繞室以旋。室有窪徑尺，浸淫日廣。每履之，足苦躓焉；既久而遂安之。
> 一日，父來室中，顧而笑曰：「一室之不治，何以天下國家為？」命童子取土平之。
> 後蓉履其地，蹴然以驚，如土忽隆起者；俯視地，坦然則既平矣。已而復然；又久而後安之。
> 噫！習之中人甚矣哉！足履平地，不與窪適也；及其久，而窪者若平。至使久而即乎其故，則反窒焉而不寧。故君子之學貴慎始。

此文旨在說明習慣對人影響之大，藉以讓人體會「學貴慎始」的道理。它就結構而言，可大別為「敘」與「論」兩大部分。其中「敘」屬「目」（條分）而「論」屬「凡」（總括）。屬「目」之敘，先以「蓉少時」七句，敘述自己繞室以旋的習慣，作為引子，以領出下面兩軌文字來。再以「室有窪徑尺」五句，敘述室有窪而足苦躓，卻久而安的情事，這是第一軌；然後以「一日」十三句，敘述自己因父親取土平而蹴然以驚，卻又久而後安的經過，這是第二軌。而屬「凡」之論，則先以「噫！習之中人也甚矣哉」，為習慣對人之影響而發出感歎；再以「足履平地」四句，呼應屬「目」之第一軌加以論述；接著以「至使久而即乎其故」二句，呼應屬「目」之第二軌加以論述；最後以「故君子之學貴慎始」一句，由習慣轉入為學，將一篇主意點明作結。此文誠如宋廓所說「文章以『思』為經，貫穿始末。因『思』而『繞室以旋』，從『旋』而極其自然地引渡到主題的闡發」[35]，這樣所闡發的主題，便更為明皙，而富於說服力了。其結構系統表為：

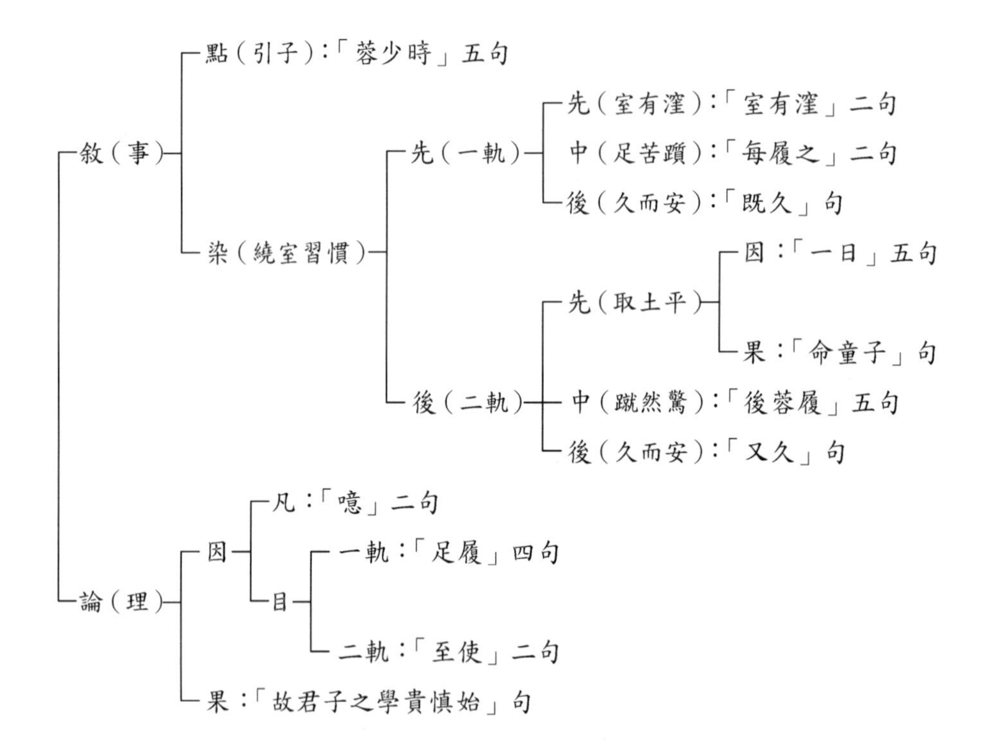

由上表可看出，這篇文章主要是用「敘→論」（陽⟷陰）「點→染」（陰⟷陽）、「因→果」（陰⟷陽）、「凡→目」（陰⟷陽）、「先→後」（陰⟷陽）、「並列一、二」（陰⟷陽）等章法結構來組織其內容材料，以形成其結構的。而其中的「篇」結構，即以「慎始（習慣）」為構，以連結「敘（事）」與「論（理）」而形成互動，由此統合成九疊「陰⟷陽」雙螺旋互動。

35　宋廓語，見《古文鑑賞辭典》下（上海市：上海辭書出版社，1998年4月一版三刷），頁2004。

第四節　「同形同構」與「異形同構」類型的「陰⟷陽」雙螺旋互動

「同形同構」，是指藉「構」（力）為橋樑，連結「景」（象）與「景」（象）、「事」（象）與「事」（象）的一種類型。而「異形同構」，則是指藉「構」（力）為橋樑，連結「景」（象）與「事」（象）的一種類型。本來，這兩種類型，乃屬於「同質同構」或「異質同構」的範圍，可分別歸入上兩類型之內，但為了凸顯形與質之「二元」關係，在此特地抽離出來單獨探討，以見「象」（形）以「意」（質）為「構」的特點。

首先是「景」（象）與「景」（象）互動所產生的「同構」，如歐陽脩〈采桑子〉詞：

> 春深雨過西湖好，百卉爭妍，蝶亂蜂喧，晴日催花暖欲然。
>
> 　　蘭橈畫舸悠悠去，疑是神仙。返照波間，水闊風高颺管絃。

這是作者詠西湖十三調中的一首，旨在詠雨過春深的潁州西湖好景，以襯托作者閑適的心情。作者在此，先以起句「春深雨過西湖好」作一總敘，再以「百卉爭妍」三句，藉花卉、蜂蝶、晴日等自然景物，寫西湖堤上的春深好景，然後以「蘭橈畫舸悠悠去」四句，以畫船、返照、水闊、風高與管絃等糅合自然與人事的景物，寫西湖水上的春深好景。敘次由凡而目，將西湖的春深好景，描寫得異常生動。其結構系統表為：

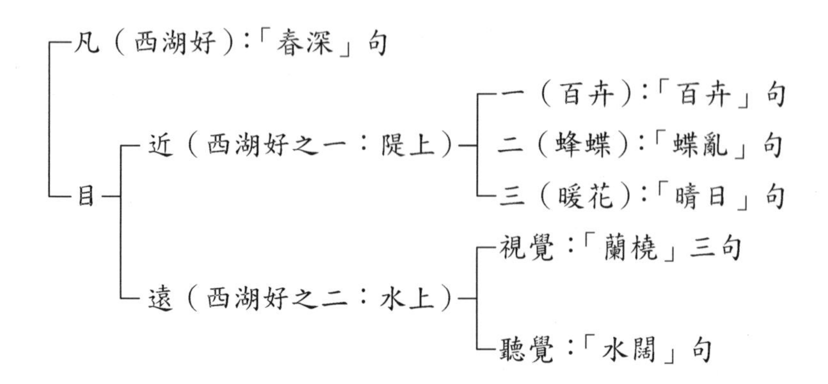

由上表可看出，作者寫潁州西湖「春深」好景，主要用了「凡→目」（陰←陽）、「近→遠」（陰←陽）、知覺轉換[36]「視→聽」（陰←陽）與「並列一、二、三」（陰←陽）等章法結構來組織其內容材料，以形成它的篇章結構，敘次井然。而其中的「章」（目）結構，即以「春好」為構，以連結一近一遠之「景」（象）而形成互動，由此統合成四疊「陰⟷陽」雙螺旋互動。

其次是「事」（象）與「事」（象）互動所產生的「同構」，如《列子》的〈愚公移山〉：

> 太形、王屋二山，方七百里，高萬仞，本在冀州之南、河陽之北。北山愚公者，年且九十，面山而居。懲北山之塞，出入之迂也，聚室而謀曰：「吾與汝畢力平險，指通豫南，達於漢陰，可乎？」雜然相許。
>
> 其妻獻疑曰：「以君之力，曾不能損魁父之丘，如太形、王屋何？且焉置土石？」雜曰：「投諸渤海之尾、隱土之北。」遂

36 仇小屏：《篇章結構類型論》（臺北市：萬卷樓圖書公司，2005年7月再版），頁149-157。

率子孫荷擔者三夫，叩石墾壤，箕畚運於渤海之尾；鄰人京城氏之孀妻有遺男，始齔，跳往助之；寒暑易節，始一反焉。河曲智叟笑而止之曰：「甚矣，汝之不慧！以殘年遺力，曾不能毀山之一毛，其如土石何？」北山愚公長息曰：「汝心之固，固不可徹，曾不若孀妻弱子。雖我之死，有子存焉；子又生孫，孫又生子；子又有子，子又有孫；子子孫孫，無窮匱也。而山不增，何苦而不平？」河曲智叟亡以應。操蛇之神聞之，懼其不已也，告之於帝，帝感其誠，命夸娥氏二子負二山，一厝朔東，一厝雍南。自此冀之北、漢之陰，無隴斷焉。

這是藉一則寓言故事，以說明有志竟成、人助天助的道理。作者在此，直接以開端四句，交代這個故事發生的地點與原因，屬此文之「引子」，為「因」；而以結尾二句，才應起交代這個故事的結局，乃本文之「收尾」，為「果」。至於「北山愚公者」句起至「一厝雍南」句止，則正式用具體的情節來呈現這件故事發生的經過；這對開端四句的「因」而言，是「果」的部分。這個部分，作者用「先因後果」的順序加以組合：其中「北山愚公者」句起至「河曲智叟亡以應」句止，敘述愚公決意「移山」，贏得家人、鄰居的贊可與幫助，無視於河曲智叟之嘲笑，努力率眾去「移山」的始末，此為「因」；而「操蛇之神聞之」起至「一厝雍南」句止，敘述愚公的這番努力，終於感動了天帝，而命大力神去助其完成「移山」的最後結果；此為「果」。其結構系統表為：

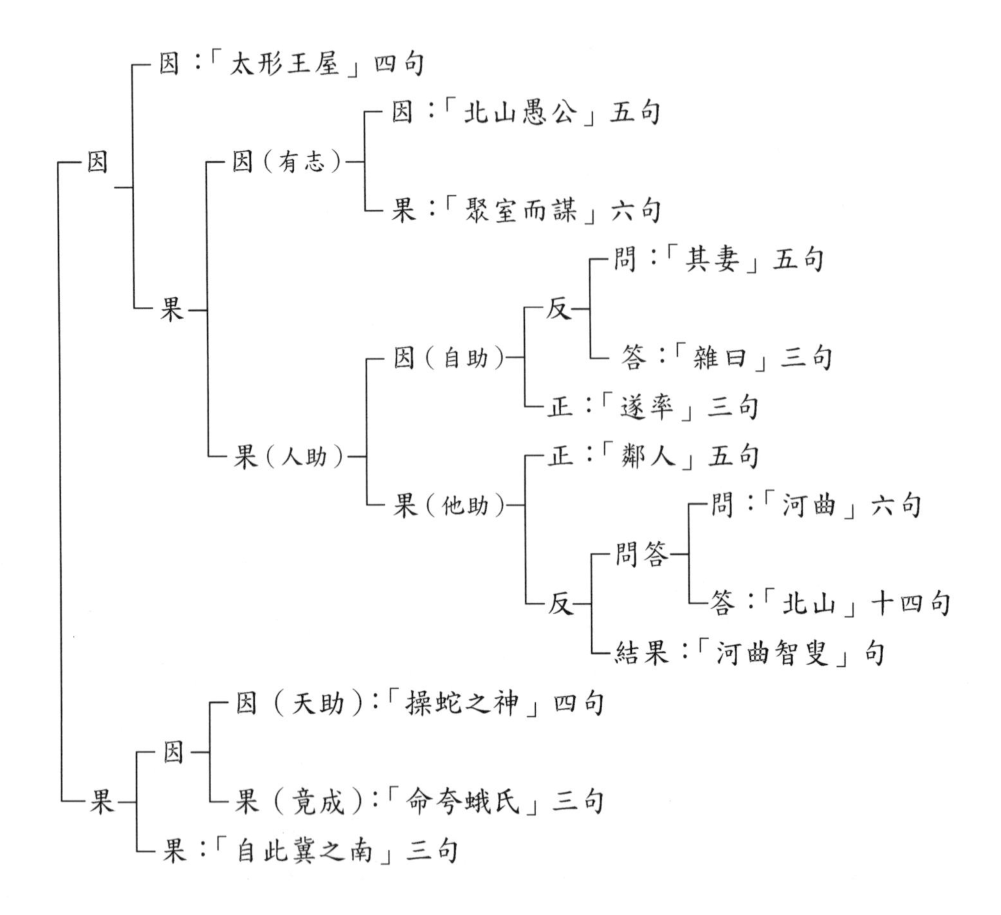

由上表可看出，作者敘述這一神話故事，用了「因→果」（陰 ⟷ 陽）、「反 → 正」（陽 ⟷ 陰）、「正 → 反」（陰 ⟷ 陽）、「問 → 答」（陰 ⟷ 陽）等章法結構來組織其內容材料，以形成篇章結構，如果拿掉了這些章法，是很難形成完整結構的。而其中的篇章結構，即以「有志（人助）、竟成（天助）」為構，以連結各種人為與天工之「事」（象）而形成互動，由此統合成十二疊「陰 ⟷ 陽」雙螺旋互動。

然後是「景」（象）與「事」（象）互動所產生的「同構」，如王維的〈輞川閒居贈裴秀才迪〉詩：

寒山轉蒼翠，秋水日潺湲。倚杖柴門外，臨風聽暮蟬。渡頭餘落日，墟里上孤煙。復值接輿醉，狂歌五柳前。

這首詩是王維和裴迪秀才相酬為樂之作，旨在藉自然景物與人物形象的刻畫，以寫作者閒逸之趣。它在首、頸兩聯，特地採「先高後低」、「先視覺後聽覺」之結構，描繪了「輞川」附近的水陸秋景與暮色，勾勒出一幅有色彩、音響和動靜結合的和諧畫面。而在頷、末兩聯，則用「先遠後近」、「先視覺後聽覺」之結構，於一派悠閑的自然圖案中，嵌入了作者自己倚杖聽蟬和裴迪狂歌而至的人事象，兩兩相映成趣，形成物我一體的藝術境界，將「輞川閒居」之樂作了具體的表達[37]。其結構系統表為：

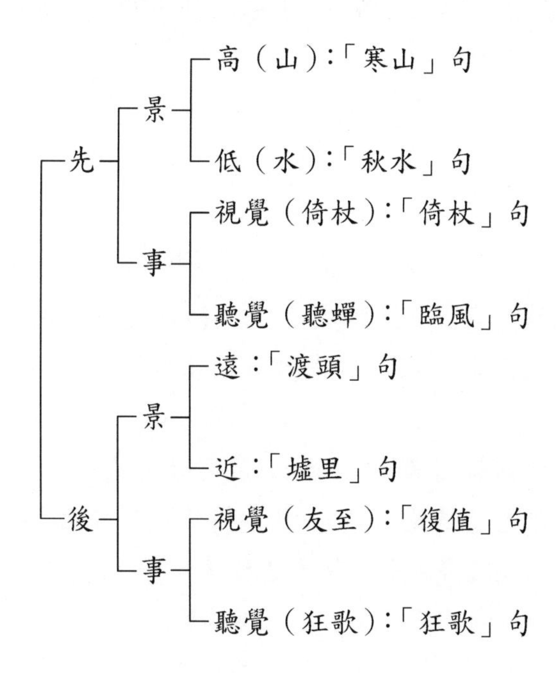

37 參見趙慶培分析，見蕭滌非：《唐詩大觀》，頁149。

由上表可知，此詩主要是用全「先→後」（陰⟷陽）、「景→事」（陽⟷陰）、「高→低」（陽⟷陰）、「遠→近」（陽⟷陰）、知覺轉換「視→聽」（陰⟷陽）等章法結構來組織其內容材料，以形成其篇章結構的。而其中的第一層「章」結構，即以「閑逸」為構，以連結兩疊「景」（象）與「事」（象）而形成互動，由此統合成七疊「陰⟷陽」雙螺旋互動。

第五節　「形（陽）⟷質（陰）」雙螺旋互動之美學詮釋

經由「構」將「形（陽）」與「質（陰）」加以連結而形成雙螺旋互動，所涉及的是「虛實」與「映襯」、「聯貫」與「統一」等，而美感就從中產生。茲分述如下：

（一）虛實與映襯

「形（陽）」與「質（陰）」是「一虛一實」的關係，而「虛」與「實」又形成「二元互動」。從形式上看，「意」與「象」之形成、互動，無論是「以虛化實」或「以實化虛」，都可以產生「虛實相生」之美感。曾祖蔭即指出這種「虛實」一種美學特徵說：

> 就藝術反映生活的特點來看，如果說現實景物是「實」，通過景物所體現的思想感情是「虛」，那末，化實為虛就是要化景物為情思，這在我國詩詞中表現得尤為突出。……化虛為實突出地表現為將心境物化。把看不見、摸不著的思想感情、心理變化等，用具體的或直觀的感性形態表現出來，也就是說，要變無形為有形。從這個意義上說，具體的或直觀的物象為實，

> 無形的思想感情、心理變化等為虛。化虛為實就是把無形的思想、情趣、心理等轉化為具體生動的藝術形象。[38]

如此透過「同構」，將「心境物化」、「物境心化」，確實可以解釋「質（虛）」與「形（實）」互動的藝術特色。也正因為它們能由互動而結合，便成為中國美學一條重要的原則，概括了中國藝術的美學特點。葉太平即認為：

> 藝術形象必須「虛實結合」，才能真實地反映有生命的世界。如果沒有物象之外的虛空，藝術品就失去了生命。[39]

而這種「轉化」或「結合」，如對應於生理、心理來說，則建立在「兩兩相對」之基礎上。對此，宗白華便說：

> 有謂節奏為生理、心理的根本感覺，因人之生理，均兩兩相對，故於對稱形體，最易感人。[40]

而「兩兩相對」形成藝術，即兩兩「映襯」或「襯托」之意。董小玉說：

> 襯托，原係中國繪畫的一種技法，它是只用墨或淡彩在物象的外廓進行渲染，使其明顯、凸出。這種技法運用於文學創作，

38 曾祖蔭：《中國古代文藝美學範疇》（臺北市：文津出版社，1987年8月初版），頁167-172。

39 葉太平：《中國文學的精神世界》（臺北市：正中書局，1994年12月臺初版），頁290。

40 林同華主編：《宗白華全集》1（合肥市：安徽教育出版社，1996年9月一版二刷），頁506。

> 則是指從側面著意描繪或烘托，用一種事物襯托另一種事物，使所要表現的主體在互相映照下，更加生動、鮮明。襯托之所以成為文學創作中一種重要的表現手法，是由於生活中多種事物都是互為襯托而存在的，作為真實地表現生活的文學，也就不能孤立地進行描寫，而必然要在襯托中加以表現。[41]

既然「生活中多種事物都是互為襯托而存在」，而「襯托」的主（質）客（形）雙方，所呈現的就是「二元互動」的現象。這種現象，形成「調和」的，相當於襯托中的「對稱」；而形成「對比」的，則相當於襯托中的「對立」。

以「對稱」而言，陳望道在《美學概論》中論述「美的形式」時，列有「對稱與均衡」一項：

> 對稱（symmetry）是與幾何學上所說的對稱指稱同一的事實。都是將一條線（這一條線實際並不存在，也可假定其如此），為軸作中心，其左右或上下所列方向各異，形象相同的狀態。……所謂均衡（balance）雖與它（按：指對稱的形式）極類似，就比它活潑得多；……均衡是左右的形體不必相同，而左右形體的份量卻是相等的一種形式。[42]

這種「美的形式」運用在辭章時，則不必如幾何學那麼嚴密，只要達到均衡的狀態即可。因此落到「質（陰）」與「形（陽）」之虛實來說，則一樣可凸顯出其對稱（均衡）美。

41 董小玉：《文學創作與審美心理》（成都市：四川教育出版社，1992年12月一版一刷），頁338。

42 陳望道：《美學概論》（臺北市：文鏡文化事業公司，1984年重排出版），頁43-45。

以「對立」而言，張少康說：

> 任何藝術作品的內部都包含著許多矛盾因素的對立統一。例如我國古代文藝理論中所說的形與神、假與真、一與萬、虛與實、情與理、情與景、意與勢、文與質、通與變等等。每一件藝術品，每一個藝術形象，都是這一組組矛盾關係的統一，是它們的綜合產物。[43]

而邱明正也表示：

> 這種既對立又統一的原則體現了矛盾著的雙方相互對立、相互排斥，又在一定條件下相互轉化、相互統一的矛盾運動法則，是宇宙萬物對立統一的普遍規律、共同法則在審美心理上的反映。[44]

可見「意」與「象」所形成的是「虛實」二元，而所形成「映襯」之互動關係，無論為「對稱」或「對立」，均可趨向一種和諧統一的狀態，而獲得「相生相成」之美感效果。

（二）聯貫與統一

由「虛實」二元互動而形成「映襯」，如同上述，必然產生「相生相成」之結果。而其中之「構」，就像表現物體輪廓之「線」（或明或暗）一樣，會產生「聯貫」的作用，以聯貫如「點」之「質

43 張少康：《中國古代文學創作論》（臺北市：文史哲出版社，1991年6月初版），頁173。
44 邱明正：《審美心理學》（上海市：復旦大學出版社，1993年4月一版一刷），頁95。

（陰）」和「形（陽）」。歐陽周、顧建華、宋凡聖等在其《美學新編》裡即指出：

> 線是點的運動軌跡，起貫穿空間的作用。在形式美諸要素中，線占有特別重要的地位。[45]

這樣聯貫各「形質」二元（含映襯雙方），就形成了所謂之「多」，而「多」必又涉及「統一」的問題。因為：「聯貫」是「統一」的下徹過程，以連結成「多」；而「統一」是「聯貫」的上徹結果，以歸根於「一」；這自然就和「多樣的統一」有關。對此，陳望道從「形式原理」加以解釋說：

> 所謂形式原理，就是繁多的統一。我們對於美的形式，雖不一定其如此如彼，只是四分五裂、雜亂無章，總覺得是與審美的心情不合的。所以第一，「統一」實為對象所不可不具的一個要質。而且它所統一的又該不止是簡單的一二個要素。如止是一二個要素，則統一固易成就，卻頗不免使人覺得單調。所以第二，繁多又為對象所不可不具的一個要質。我們覺得美的對象最好一面有著鮮明的統一，同時構成它的要素又是異常的繁多。卻又不是甚麼統一與否定了統一的繁多相並列，而是統一即現在繁多的要素之中的。如此，則所謂有機的統一就成立。能夠「統一為繁多的統一，而繁多又為統一的分化」。既沒有統一的流弊的單調板滯，也沒有繁多的流弊的厭煩與雜亂。所以古來所公認的形式原理，就是所謂繁多的統一（Unity in

45 歐陽周、顧建華、宋凡聖等：《美學新編》，頁73。

Variety），或譯為多樣的統一，亦稱變化的統一。[46]

所謂「統一為繁多的統一，而繁多又為統一的分化」，將「多」與「一」不可分的關係，說得很明白。對此，楊辛、甘霖也認為：

> 多樣統一，這是形式美法則的高級形式，也叫和諧。從單純齊一、對稱均衡到多樣統一，類似「一生二、二生三、三生萬物」。多樣統一體現了生活、自然界中對立統一的規律，整個宇宙就是一個多樣統一的和諧的整體。「多樣」體現了各個事物的個性的千差萬別。「統一」體現了各個事物的共性的整體聯繫。[47]

由事物之「個性」與「共性」來觀察「多」與「一」，很能凸顯兩者「一而二、二而一」的關係。而歐陽周、顧建華、宋凡聖等在其《美學新編》裡，又加以闡釋說：

> 所謂統一，是指各個部分在形式上的某些共同特徵以及它們之間的某種關聯、呼應、襯托、協調的關係，也就是說，各個部分都要服從整體的要求，為整體的和諧、一致服務。有多樣而無統一，就會使人感到支離破碎、雜亂無章、缺乏整體感；有統一而無多樣，又會使人感到刻板、單調和乏味，美感也難以持久。而在多樣與統一中，同中有異，異中求同，寓「多」於「一」，「一」中見「多」，雜而不越，違而不犯；既不為

46 陳望道：《美學概論》，頁77-78。

47 楊辛、甘霖：《美學原理》（北京市：北京大學出版社，1989年2月一版四刷），頁161。

> 「一」而排斥「多」，也不為「多」而捨棄「一」；而是把兩個對立方面有機結合起來，這樣從多樣中求統一，從統一中見多樣，追求「不齊之齊」、「無秩序之秩序」，就能造成高度的形式美。……多樣與統一，一般表現為兩種基本型態：一是對比，二是調和。……無論對比還是調和，其本身都要要求在統一中有變化，在變化中求統一，把兩者巧妙地結合在一起，就能顯示出多樣與統一的美來。[48]

可見「一」與「多」能形成「二元互動」，有機地結合在一起。也就是說，「一」之美，需要奠基在「多」之上；而「多」之美，也必須仰仗「一」來統合。

這樣看來，無論是如上所述之各種「質（形）構類型」，都可以因「同構」產生互動，而經由「虛實二元互動（對稱、對立）」以形成「多」，再由「統一中見多樣」，而融成一體，以產生感染力，獲致美感效果。

結語

綜上所述，可知格式塔「「形（陽）⟷質（陰）」之雙螺旋互動，依據辭章「情」、「理」、「事」、「景（物）」之四大要素，加以梳理、擴展，可大分為「同質同構」（情與情、理與理、情與事、理與景）、「異質同構」（情與理、情與景、理與事）、「同形同構」（景與景、事與事）、「異形同構」（景與事）等類型，都可形成「陰⟷陽」雙螺旋互動。而這些類型，都可經由舉例，藉其「篇章結構」進

48 歐陽周、顧建華、宋凡聖等：《美學新編》，頁80-81。

行驗證，已充分見出個別與整體形成「陰⟷陽」時「構」之作用，與篇章之間所產生「虛實、映襯」、「聯貫、統一」之美感。

第九章
《老子》「二（陰陽）⟷三（陰陽轉化）」雙螺旋互動

歷來對《老子》「二生三」有關詞意詮釋與義理邏輯的論述極多，而涉及其螺旋互動而以專題論述的，卻一直未見到。因此本文即以此為軸心，論定「二」為「陰陽」、「三」為「陰陽轉化」（移位、轉位、對比與調和、包孕），並上徹於「道生一」、下徹於「三生萬物」，用「0 一二多」（哲學）、「DNA」（科學）雙螺旋系統作對應、統合觀察，以見「二生三」螺旋互動的運作內容，以及它在「0 一二多」雙螺旋系統中的關鍵地位。

《老子‧四十二章》簡要地用了幾句話，反映出宇宙人生萬事萬物由創始而不斷轉化的雙螺旋運作規律，自來受到世人重視。因此，對其詞意與義理邏輯詮釋的就很多；其中較重要的，古代如《文子》、《老子河上公注》、《淮南子》、嚴遵《老子指歸》、《老子王弼注》……等，現代如馮友蘭、牟宗三、陳鼓應、劉笑傲、張祥龍、林安梧……等；都各有所見，值得參考。就以其中的「二生三」而言，亦是如此，但可惜的是：全未以「雙螺旋互動」切入作討論，因此本文特著眼於此，先探討「《老子》『二生三』雙螺旋互動的內涵」，然後對應、統合於哲學「0 一二多」與科學「DNA」雙螺旋，討論「《老子》『二生三』在『0 一二多』雙螺旋系統中的地位」，以期凸顯用「雙螺旋互動」來詮釋《老子》「二生三」之妥當性。

第一節 《老子》「二生三」雙螺旋互動的內涵

在此，先探討「二」（陰陽），再探討「三」（陰陽轉化：移位、轉位、對比與調和、包孕），然後論「二生三」的雙螺旋互動：

（一）關於「二」（陰陽）

以「陰（柔）陽（剛）」來看待「二」，自古以來，是少有異議的。《老子》一書中處處可見到「二」的相關論述。首先看：

> 天下皆知美之為美，斯惡已；皆知善之為善，斯不善已。故有無相生，難易相成，長短相較，高下相傾，音聲相和，前後相隨。（二章）
>
> 夫唯弗居，是以不去。（二章）
>
> 不尚賢，使民不爭；不貴難得之貨，使民不為盜；不見可欲，始民心不亂。（三章）

寵辱若驚，貴大患若身。何謂寵辱若驚？寵為下，得之若驚，失之若驚，是謂寵辱若驚。（十三章）

曲則全，枉則直，窪則盈，敝則新，少則得、多則惑，是以聖人抱一，為天下式。（二十二章）

知其雄，守其雌，為天下谿；為天下谿，常德不離，復歸於嬰兒。知其白，守其黑，為天下式；為天下式，常德不忒，復歸於無極。知其榮，守其辱，為天下谷；為天下谷，常德乃足，復歸於樸。（二十八章）

將欲歙之，必固張之；將欲弱之，必固強之；將欲廢之，必固興之；將欲奪之，必固與之；是謂微明。（三十六章）

故貴以賤為本，高以下為基，是以侯王自謂孤寡不穀，此非以賤為本耶？（三十九章）

明道若昧，進道若退，夷道若纇。（四十一章）

大直若曲，大巧若拙，大辯若訥。躁勝寒，靜勝熱，清靜為天下正。（四十五章）

禍兮福之所倚，福兮禍知所伏。（五十八章）

正言若反。（七十八章）

這些「陰陽二元」，大抵而論，屬於本、先、靜、低、內、小、近……的，為「陰」為「柔」，屬於末、後、動、高、外、大、遠……的，為「陽」為「剛」[1]。而「陰陽」是由「對比」[2] 或「調

---

1 陳望衡：《中國古典美學史》（長沙市：湖南教育出版社，1998年8月一版一刷），頁184。

2 「對比」為「異類互動」式，而「調和」則為「同類互動」式，而「調和」則為「同類互動」式，相類論述，可見於《易傳》。戴璉璋：「依〈序卦傳〉，〈屯〉與〈蒙〉都是代表事物始生、幼稚時期的情況，〈雜卦傳〉作者用『見而不失其居』、『雜而著』來描述〈屯〉、〈蒙〉兩卦的特性，也都是就始生的事物而言。此外引〈大

和」方式產生互動的[3]。如上所引，偏於「對比」者，如：「美（喜）」（陰）與「惡（怒）」（陽）、「善（是）」（陰）與「不善（非）[4]」（陽）、「有」（陽）與「無」（陰）、「難」（陽）與「易」（陰）、「寵（榮）」（陽）與「辱」（陰）、「得」（陽）與「失」（陰）、「枉（曲）」（陽）與「直」（陰）、「靜」（陰）與「躁」」（陽）、「雄」（陽）與「雌」（陰）、「白」（陽）與「黑」（陰）、「弱」（陰）與「強」（陽）、「廢」（陰）與「興」（陽）、「奪」（陽）與「與」（陰）、「貴」（陽）與「賤」（陰）、「明」（陽）與「昧」（陰）、「進」（陽）與「退」（陰）、「夷」（平）（陰）與「纇」（陽）（不平）、「巧」（陽）與「拙」（陰）、「辯」（陽）與「訥」（陰）、「寒」（陰）與「熱」（陽）、「禍」（陽）與「福」（陰）、「正」（陰）與「反」（陽）……等；偏於「調和」者，如「長（陽）」」與「短（陰）」、「曲（偏）」（陽）與「全（陰）」「高（上）」（陽）（陽）與「下」（陰）、「前」（陽）與「後」（陰）、「窪」（陰）與「盈」（陽）、「敝」（陰）與「新」（陽）、「少」（陰）與「多」（陽）、「重」（陽）與「輕」（陰）、「左」（陰）與「右」（陽）、「歙」（陰）與「張」（陽）……等。而這

壯〉以下各卦的『止』和『退』、『眾』和『親』，就始生的事物而言。此外引大壯以下各卦的『止』和『退』、『眾』和『親』、『寡』和『不處』、『不進』和『不親』、『女之終』和『女歸待男行』，都是同類相從的聯繫。……剛和柔、樂和憂、與和求、起和止、盛和衰等等，都是異類相應的聯繫。」見《易傳之形成及其思想》（臺北市：文津出版社，1989年6月臺灣初版），頁195-196。

3 歐陽周、顧建華、宋凡聖編著：《美學新編》（杭州市：浙江大學出版社，2001年5月一版九刷），頁81。又，仇小屏：《古典詩詞時空設計美學》（臺北市：文津出版社，2002年11月初版一刷），頁332。

4 王弼注二章：「美者，人心之所進樂也；惡者，人心之所惡疾也。美、惡，猶喜、怒也；善、不善，猶是、非也。喜、怒同根，是、非同門；故不得而偏舉也。此六者，皆陳自然不可偏舉之名數。」見《老子王弼注》（臺北市：河洛圖書出版社，1974年10月臺景印初版），頁3。

種多樣的「二」，統合起來說，無論是「對比」性或「調和」性的「陰陽」，乃藉由「運動」而「互相轉化」，而形成「雙螺旋互動」，是可由局部逐步擴展到整體，以至於形成「統一」（包孕）的。

可見老子的「二」，就「同」的觀點而言，與《周易》是彼此相容的[5]，而且《周易．說卦傳》更由「陰陽」推擴說：「立天之道，曰陰與陽；立地之道，曰剛與柔；立人之道，曰仁與義；兼三才而兩之。」如此由「陰陽」（天）而「剛柔」（地）而「仁義」（人），可見這「二」可以通貫天、地、人，而成為一個縱向的螺旋層次系統。

（二）「三」（移位、轉位、對比與調和、包孕）

對「三」而言，自來在詮釋上是頗多爭議的，對此，林光華以《老子》四十二章為範圍，列出十四種（位）主要詮釋者（《文子》、河上公、《淮南子》、嚴遵、王弼、馮友蘭、張岱年、牟宗三、傅偉勳、陳鼓應、劉笑傲、張祥龍、林安梧、陳榮灼），並分成三類說：

> 《老子》第四十二章歷來有許多不同的解讀，大致可分為三類：一是以河上公為代表的宇宙論解釋；二是以王弼為代表的語言論解釋；三是當代牟宗三的境界論解釋。。……縱觀以上三種解釋，王弼的解釋最契合老子。但是，其他各種解釋都為我們照亮《老子》的不同側面、全面深刻地理解《老子》提供了豐富的參考資料，同樣彌足珍貴。[6]

---

5 陳滿銘：〈論「多」、「二」、「一（0）」的螺旋結構──以《周易》與《老子》為考察重心〉，臺灣師大《師大學報．人文與社會類》48卷1期（2003年7月），頁1-20。

6 林光華：〈《老子》第四十二章之解讀及方法論初探〉，《中國哲學史》2012年第1期，頁38-47。

而本文為節省篇幅並集中焦點，僅列出其中六位[7]，為下文的討論供作對照、參考：

詮釋者	道	一	二	三	生
河上公	創生者	元氣	陰陽	和、清、濁氣	創生
《淮南子》		元氣	乾坤／陰陽	和氣	通流而生
王弼	无	无	无、一	无、一、二	衍生
牟宗三	境界	无	有	玄	一體呈現
陳鼓應	本原	道	對立兩面	和氣	產生、形成
林安梧	場域	整全、根源	對偶	對象	同有

以下特舉其中的林安梧與其他兩位現代學者的看法，再稍作綜合討論，然後提出拙見，以供參考。首先是林安梧指出：

---

7 林文原注：淮南子：何寧《淮南子集釋》下冊（中華書局，2010年），頁505。《精神訓》曰：「夫精神者，所受於天也，而形體者，所稟於地也。故曰：「一生二，二生三，三生萬物。萬物背陰而抱陽，沖氣以為和。」《淮南子》的解釋比較簡單，高誘注曰：「一謂道也。二曰神明也。三曰和氣也。或說：一者元氣也。生二者乾坤也。二生三，三生萬物，天地設位，陰陽通流，萬物乃生。」筆者對高誘的兩種說法進行了整合。但高誘說「一謂道也」與「道生一」相牴觸，故不取。「道」的含義保留空白；《天文訓》中亦有對《老子》第四十二章的解釋：「道曰規始於一，一而不生，故分而為陰陽，陰陽合和而萬物生」（上冊，頁244），故「二」可指「乾坤」，也可指「陰陽」。王弼：〔魏〕王弼注，樓宇烈校釋：《老子道德經注》（中華書局，2008年），頁117。牟宗三：〈老子《道德經》演講錄〉，《鵝湖月刊》2003年第29卷，第4期，頁3-7。陳鼓應：陳鼓應《老子注譯及評介》修訂增補本（中華書局，2009年），頁226-228。陳鼓應列舉並分析了《淮南子》的解釋，他不同意用《淮南子》的「陰陽」來解釋老子的「陰陽」，而贊成用莊子的「天地」來解釋。林安梧：〈關於《老子道德經》「道、一地萬物、二、三及天」的幾點討論〉，發表於香港中文大學主辦的「道家經典詮釋──我注六經還是六經注我」國際學術研討會，2007年12月19-21日。

> 「道生一，一生二，二生三，三生萬物」，此所論「道」、「一」、「二」、「三」、「萬物」，素無善解。依《淮南子・天文》所說：一而不生，故分而為陰陽，陰陽合而萬物生，故曰：「一生二，二生三，三生萬物」。此置於自然哲學之向度，因以為解也，然此解釋並未完足，因彼未解「道生一」一句。又「一生二」之「生」解為「分」，而「三」則是「所分之陰陽」的和合，並即此「三」而說為「萬物」。依《老子・河上公注》所說：「道始所生者一也，一生陰與陽也。陰陽生和、清、濁三氣，分為天地人也。天地人共生萬物也，天施地化，人長養之。」此亦置於自然哲學之向度，因以為解也。此解勝於《淮南子》，彼於「道生一」有所解，於「生」亦有較貼近之解釋。此亦只是就生發之次序，順而言之，至於此次序如何開展，「道」何所指，「一」何所指，則未明言。「一」生「陰、陽」，而「陰陽」則生「和、清、濁」，此似以「陰陽」和合而氣分清濁，清屬之於天，濁屬之於地，人則清濁和合。進一步言之，則天施地化，人長養之，而說天地人之共生萬物也。此說雖未為盡善，但就自然哲學之詮釋言之，大體不差。[8]

其次是林建德認為：

> 其中一、二、三的內涵，可如前所述，道是獨立無偶的一，由此統一體蘊涵無有兩面而為二，再藉有無相生而成三，以此而生萬物。但如此的解釋，即與後面的「萬物負陰而抱陽」作切

8　林安梧：〈關於《老子道德經》「道、一、二、三及天地萬物」的幾點討論〉，《東華漢學》7期（2008年6月），頁3-4。

> 割。因此，如果接著「萬物負陰而抱陽，沖氣以為和」作連貫式理解，則相對以道與有無間的關係，來解釋萬物的生成；也可以藉由道與陰陽的關係，來理解萬物生起的過程。如同《淮南子．天文》中，註解四十二章即表示「一」指陰陽未分的混沌狀態，「二」指的是陰陽二氣，「三」是陰陽二氣的沖和交感，而由陰陽交感以生萬物。所以《老子》也可說以陰陽的概念，解釋道生萬物的過程。如此以陰陽來解釋天下萬物，與藉有無解釋天下萬物，其間道理並無二致，由此也看出陰陽與有無間一定的共通性。[9]

然後是郝東生跨領域地說：

> 古人論「三」者並不多見，其實「三」理應是一個非常重要的哲學概念。在先秦時代，「三」一般僅指眾數、多數。但是老子的「三」已然超越了同代人對「三」的理解。從道的「玄覽」角度講，「三」能生萬物，反過來講「三」一定有其不同尋常的神能。……「三」之所以神奇，這是因為：在時空闊域內，第一它有了結構，第二它成了一個系統，第三它能演變成一個完整的生命體。站在宇宙之外觀宇宙（道觀玄覽），宇宙萬物同根同宗，地球上數百萬種生物，具有相同的起源期，大約在 40 億年的進化中逐漸完成現有的物種。所有種屬的「DNA」中含有相同種類的核苷酸。無論是微生物、植物還是動物都存在並具有相近的氨基酸序列和類似的立體結構，而

9　林建德：〈《老子》有無觀之哲學新解〉，《長庚人文社會學報》1卷2期（2008年10月），頁375-388。

> 這個結構高度穩定，才使得物種各屬其性各歸其命。……生命之神總體表現為本性本能的物質代謝、能量轉換、光合作用、神經傳導、免疫功能和細胞間通訊以及遺傳、資訊代代相傳等，其功勞全依賴於「三」也。正因如此，生命之形態才如此千差萬別、儀態萬方、豐富多彩以及出神入化。[10]

以上詮釋，單就「三」來看，林安梧根據河上公注，以為是指「所分之陰陽」的「和合」；而林建德則依據《淮南子》，以為是指「陰陽二氣」的「沖和交感」。此兩說，一說「和」，一說「沖和」，指的是「狀態」；一說「合」（參合[11]），一說「交感」（交通[12]），指的是「作用」。而林安梧另文又指出：「三」為「定向性」，並作說明：「『二』為對偶、『三』為對象（化），『二』為『分而未定』、『三』為『定而未執』，『二生三』者，由此『分而未定的對偶兩端』和合辯證開顯為『定而未執的對象』。」[13] 如此略加綜合，從其邏輯層次來看，則「陰陽」先由「三」表「定向」（定而未執），為起點；再產生「交感」（合）作用，為過程；然後呈現「沖和」（和）之狀態[14]，為終點。如此，則「交感」（合），應指「互動」而言。至於

---

10 郝東生：〈論道一二三〉，《邯鄲職業技術學院學報》24卷3期（2011年9月），頁8-10。

11 黃釗：「愚意以為『一』指元氣（從朱謙之說），『二』指陰陽二氣（從大田晴軒說），『三』即『叁』，『參』也。若木《薊下漫筆》『陰陽三合』為『陰陽參合』。『三生萬物』即陰陽二氣參合產生萬物。」見《帛書老子校注析》（臺北市：學生書局，1991年10月初版），頁231。

12 大田晴軒之詮釋，見朱謙之：《老子校釋》（臺北市：華正書局，1986年1月初版），頁174。

13 林安梧：〈關於老子哲學詮釋典範的一些省察——以王弼《老子注》暨牟宗三《才性與玄理》為對比暨進一步的展開〉，《臺北大學中文學報》第5期（2008年9月），頁47-70。

14 陳鼓應：「『三』應是指陰陽兩氣互相激盪而形成的均適狀態，每個新的和諧體就在

郝東生之說，顯然已將「三」由哲學（假設性演繹）層面落到科學（實證性歸納）層面，以「DNA」來作對應性之檢驗，雖然對「三」之內涵沒作說明，卻也提供了延伸探討的一個對象；對此，於下文論「0一二多」時再作研討。

「互動」，簡單地說，是「相互作用」、「循環推進」的意思[15]，而「相互作用」、「循環推進」是有「雙螺旋」意涵的[16]。底下就從《老子》一書中尋找「二生三」的「雙螺旋互動」（移位、轉位、對比與調和、包孕）的相關論述。

先以「移位」來看，《老子》一書，是以「反」字為中心的，所謂「反者道之動」（四十章），就構建起他對立面相互依賴、相互轉化的基本思想。如：

> 天下皆知美之為美，斯惡已；皆知善之為善，斯不善已。故有無相生，難易相成，長短相較，高下相傾，音聲相和，前後相隨。（二章）
>
> 曲則全，枉則直，窪則盈，敝則新，少則得、多則惑，是以聖人抱一，為天下式。（二十二章）
>
> 知其雄，守其雌，為天下谿；為天下谿，常德不離，復歸於嬰

這種狀態中產生出來。」見《老子今注今譯及評介》（臺北市：臺灣商務印書館，1985年2月修訂十版），頁106。

15 陳滿銘：〈淺談自誠明與自明誠的關係〉，《孔孟月刊》15卷1期（1976年9月），頁12-15。又，陳滿銘：〈從天人互動看《中庸》的誠明思想〉，《孔孟月刊》42卷4期（2003年12月），頁6-10。又，陳滿銘：〈意、象互動論──以「一意多象」與「一象多意」為考察範圍〉，中山大學《文與哲》學報11期（2007年12月），頁435-480。

16 陳滿銘：〈談儒家思想體系中的螺旋結構──以仁與智、明明德與親民、天與人為例〉，臺灣師大《國文學報》29期（2000年6月），頁1-34。又，陳滿銘：〈論仁義之道與真、善、美──以「(0)一二多」螺旋結構切入作對應考察〉，《國文天地》29卷10期（2014年3月），頁87-91。

兒。知其白，守其黑，為天下式；為天下式，常德不忒，復歸於無極。知其榮，守其辱，為天下谷；為天下谷，常德乃足，復歸於樸。（二十八章）

將欲歙之，必固張之；將欲弱之，必固強之；將欲廢之，必固興之；將欲奪之，必固與之；是謂微明。（三十六章）

故貴以賤為本，高以下為基，是以侯王自謂孤寡不穀，此非以賤為本耶？（三十九章）

明道若昧，進道若退，夷道若纇。（四十一章）

大直若曲，大巧若拙，大辯若訥。躁勝寒，靜勝熱，清靜為天下正。（四十五章）

禍兮福之所倚，福兮禍知所伏。（五十八章）

正言若反。（七十八章）

他認為天地萬物的產生、運動與變化，不是來自外力的推動，而是內動力的驅使。由於「萬物將自化」的「反」的作用，在運動、變化中，互動雙方既相反（對比）又相成（調和），恆各向其對立面轉化[17]，而形成「移位」（含順：調和、逆：對比）。馮友蘭以為「凡此皆事物變化自然之通則，老子特發現而敍述之」[18]。

由於事物發展至極點，必一變而為其反面。故在向其對待面轉化的階段過程中，「有無」可以「相生」，「難易」可以「相成」，「長短」可以「相較」，「高下」可以相傾，「音聲」可以相和，「前後」可

17 姜國柱：《中國歷代思想史．先秦卷》（臺北市：文津出版社，1993年12月初版一刷），頁60。

18 馮友蘭：《馮友蘭選集》上（北京市：北京大學出版社，2000年7月一版一刷），頁88。

以「相隨」，相反而相成，相轉（逆向移位）而相生（順向移位）[19]；故產生了由「美」而「惡」（順）或「惡」而「美」（逆），由「善」而「不善」（順）或由「不善」而「善」（逆），由「有」而「無」（逆）或由「無」而「有」（順），由「難」而「易」（逆）或「易」而「難」（順），由「長」而「短」（逆）或由「短」而「長」（順），由「上」而「下」（逆）或由「下」而「上」（順），由「前」而「後」（順）或由「後」而「前」（逆），由「曲」而「全」（順）或由「全」而「曲」（逆），由「枉」而「直」（逆）或由「直」而「枉」（順），……由「貴」而「賤」（逆）或由「賤」而「貴」（順），由「明」而「昧」（逆）或由「昧」而「明」（順），由「進」而「退」（逆）或由「退」而「進」（順），由「夷（平）」而「纇（不平）」（順）或由「纇（不平）」而「夷（平）」（逆），由「巧」而「拙」（逆）或由「拙」而「巧（平）」（順），由「辯」而「訥」（逆）或由「訥」而「辯」（順），由「寒」而「熱」（順）或由「熱」而「寒」（逆），由「禍」而「福」（逆）或由「福」而「禍」（順），由「正」而「反」（順）或由「反」而「正」（逆）[20] ……等的順向移位或逆向移位。這都是由於「反」的作用，使一方向另一方推移產生「移位」的緣故[21]。而此「移位」回歸到「陰陽」來說，可表示如下列簡圖：

順向：陰 ⟶ 陽

逆向：陽 ⟶ 陰

19 「相生」為「順向移位」；「相轉」為「逆向移位」；這是就階段性歷程而言。若合整個歷程來看，則是一個大「轉位」。

20 這一部分的《老子》原文，可參見上文。

21 方立天引用恩格斯的說法來解釋「運動」，見《中國古代問題發展史》（臺北市：洪葉文化事業公司，1995年4月初版一刷），頁183。

總之，事物之所以能不斷地運動變化而產生「移位」，是由於陰陽兩種對立趨勢的相互作用，促使事物運動不息，變化不止。因此，《老子》再三申明「相反（對比）相成（調和）」與「每一事物或性質皆可變至其反面」（正⟷反）之理[22]。

再以「轉位」來看，「反」，也包含「反本歸根」、「循環交變」之義。因為萬有變逝無常，唯「道」為「常」：

> 致虛極，守靜篤，萬物並作，吾以觀復。夫物芸芸，各復歸其根。歸根曰靜，是謂復命；復命曰常，知常曰明。不知常，妄作凶。（十六章）
>
> 有物混成，先天地生，寂兮寥兮，獨立而不改，周行而不殆，可以為天下母。吾不知其名，字之曰道，強為之名曰大，大曰逝，逝曰遠，遠曰反。（二十五章）
>
> 常德乃足，復歸於樸。（二十八章）

萬物運動變化的形式，是一個「互動螺旋」的無窮發展過程。因為「道」的動，既以「反」為原則，周而復始，自化不息，生一，生二，生三，生萬物。發展到極端、窮途，必會發生轉化，這轉化在現象上好像是走向反面，實質上是向更高的境界前進，呈現出否定之螺旋式上升的進程[23]。於是，萬物再復歸於「道」、復歸於「一」，然後再二再三再萬物。這樣「循環、往復而上昇」的螺旋變化，常久而不息，以混成始，亦以混成終[24]，形成一個由「無⟷有⟷無」、

---

22 勞思光：《新編中國哲學史》一（臺北市：三民書局，1984年1月增訂修版），頁186。

23 陳望衡：《中國古典美學史》，頁190。又，羅光：《中國哲學大綱》（臺北市：臺灣商務印書館，1999年11月二次修訂版第一次印刷），頁286-287。

24 唐君毅：《中國哲學原論．導論篇》（臺北市：學生書局，1993年2月校訂版第二刷），頁417。

「有 ⟷ 無 ⟷ 有」的整個螺旋變動歷程[25]，周而復始地產生順向移位與逆向移位的交互作用，而呈現了所謂「宏觀」的「轉位」。

在形成宏觀「轉位」的層層過程中，由「難→易→難」或由「易→難→易」，由「長→短→長」或由「短→長→短」，由「高→下→高」或由「下→高→下」，由「音→聲→音」或由「聲→音→聲」，由「前→後→前」或由「後→前→後」，由「曲→全→曲」或由「全→曲→全」，由「枉→直→枉」或由「直→枉→直」，由「窪→盈→窪」或由「盈→窪→盈」，由「敝→新→敝」或由「新→敝→新」，由「少→多→少」或由「多→少→多」，由「歙→張→歙」或由「張→歙→張」，由「弱→強→弱」或由「強→弱→強」，由「廢→興→廢」或由「興→廢→興」，由「奪→與→奪」或由「與→奪→與」，由「損→益→損」或由「益→損→益」，由「直→屈→直」或由「屈→直→屈」，由「巧→拙→巧」或由「拙→巧→拙」，由「辯→訥→辯」或由「訥→辯→訥」……等，一樣由於順向移位與逆向移位的交互作用，便形成了「中觀 ⟷ 微觀」的「轉位」。

而此「轉位」回歸到「陰陽」來說，可表示如下列簡圖：而此「轉位」回歸到「陰陽」來說，可表示如下列簡圖：

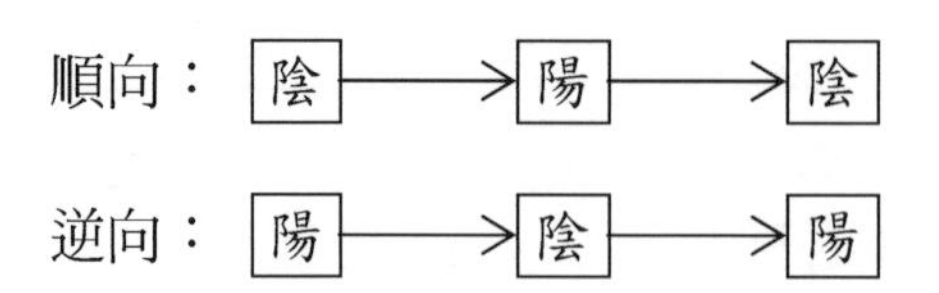

然後以「對比」、「調和」來看，兩者不僅是「陰陽二元」互動的方式，也是始終流貫於「移位、轉位」與「包孕」之間作層層統合

25 羅光：《中國哲學大綱》，頁283-284。

的。因為「陰陽」在相對、相交、相和之「互動」作用下，變而通之，通而久之，經由「秩序（移位）⟷變化（轉位）⟷聯貫（對比⟷調和：下徹、上徹）」的之「轉化」過程，臻於「統一（包孕；下徹）」的創造了天地萬物（含人類）之境地。而這種「調和⟷對比」的「轉化」，是由「同」的觀念發展出來的。它始於春秋時之史伯，他從四支（肢）、五味、六律、七體（竅）、八索（體）、九紀（臟）到十數、百體、千品、萬方、億事、兆物、經入、姟極，提出「和」的觀點[26]，「作為對事物的多樣性、多元性衝突融合的體認」[27]，而後到了晏子，則作進一步之論述，認為「和」是指兩種相對事物之融而為一，即所謂「清濁、小大、短長、疾徐、哀樂、剛柔、遲速、高下、出入、周疏，以相濟也」[28]。如此由「多樣的和」（史伯）進展到「兩樣（對待）的和」（晏子），再進一層從對待多數的「兩樣」中提煉出源頭的「剛柔」（和），而成為「統一」的憑藉，形成了「『多』（多樣事物、多樣對待）→『二』（剛柔：和）→『一』（統一）」的邏輯層次及其美感[29]，進程是由「委」（有象）而逐漸追

26 易中天：《國語・鄭語》，《新譯國語讀本》（臺北市：三民書局，1995年11月初版），頁707-708。

27 張立文：《中國哲學邏輯結構論》（北京市：中國社會科學出版社，2002年1月一版一刷），頁22。

28 楊伯俊：《左傳・昭公二十年》，《春秋左傳注》（臺北市：源流文化公司，1982年4月再版），頁1419-1420。

29 歐陽周、顧建華、宋凡聖等：「對比，指的是具有顯著差異的形式因素的對立一如色彩的濃與淡、冷與暖，光線的明與暗，線條的粗和細、直與曲，體積的大與小，體量的重與輕，聲音的長與短、強與弱等，有規則地組合排列，就會相互對照、比較，形成變化，又相互映襯、協調一致。這種對立因素的統一，可收到相反相成、相得益彰的效果；……造成的形式美，一般屬於陽剛之美。調和，指的是沒有顯著差異的形式因素之間的對立統一。它只有量的區別，是一種漸變的協調，並不構成強烈的對比。如果說，對比是差異中趨向於『異』，那麼，調和則是在差異中趨向於『同』；……造成的形式美，一般屬於陰柔美。見《美學新編》，頁81。

溯到「源」（無象），很合於歷史發展的軌跡。

然後以「包孕」來看，「陰陽」不僅是互相對待，而且是互相含融、互相統一的。《老子・四十二章》所謂「萬物負陰而抱陽，沖氣以為和」，就直接指出「陰」可以包孕「陽」，即「陰／陽」，第一章的「玄之又玄」，就是這種結構。而五十八章說：「禍兮福之所倚，福兮禍知所伏」，所謂「禍」是「陽」、「福」是「陰」，就形成了「陽／陰」（上徹）與「陰／陽」（下徹）的兩種包孕結構。又第一章說：「無，名天地之始；有，名萬物之母」、十六章說：「致虛極，守靜篤，萬物並作，吾以觀復。夫物芸芸，各復歸其根」，如此由「無」而「有」，又由「有」而「無」，則形成「陰／陽／陰」或「陽／陰／陽」的合上徹與下徹之兩種包孕結構。而這種合上徹與下徹之三層包孕結構，可見於第二十五章：

> 故道大，天大，地大，王亦大。域中有四大，而王居其一焉。王法地，地法天，天法道，道法自然。

對此內容，張默生認為「四大事顯然有差等的，也好像各有各的範圍的」[30]，並以圖表是如下：

30 張默生：《老子章句新解》（臺北市：樂天出版社，1972年10月再版），頁30-32。

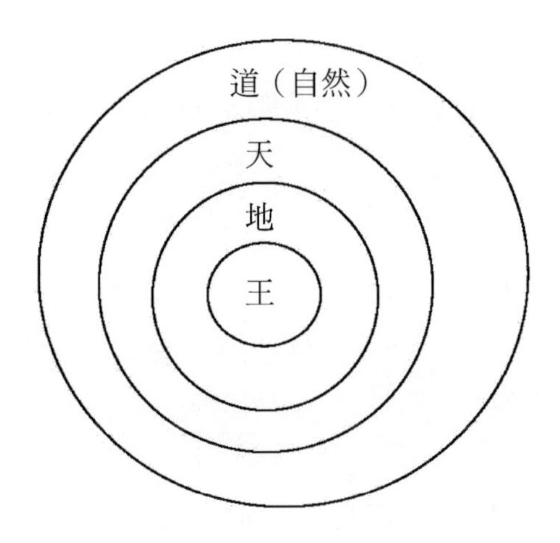

所謂「差等」、「範圍」，就是「包孕」形成的。茲將此「道」、「天」、「地」、「王」的「陰陽」與「包孕」的雙螺旋互動關係表示如下圖：

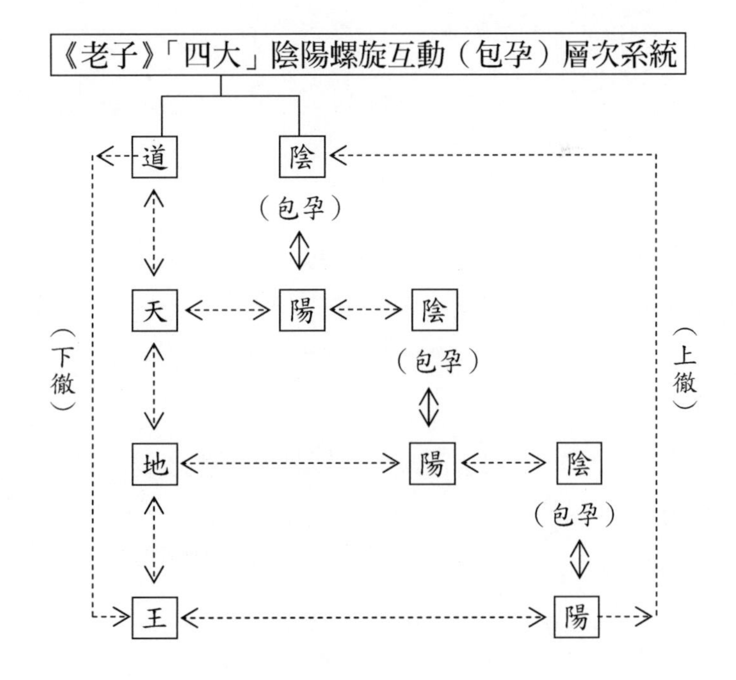

這種「陰陽」之「包孕」互動，如鎖定單一結構，擴及全面，對應於《易傳》之說，以「陽／陰或陽」而言，則可形成下列三種不同的包孕式結構：

```
            ┌陽                    ┌陰                    ┌陽
（一）陽 ─┤         （二）陽 ─┤         （三）陽 ─┤ 陰
            └陰                    └陽                    └陽
```

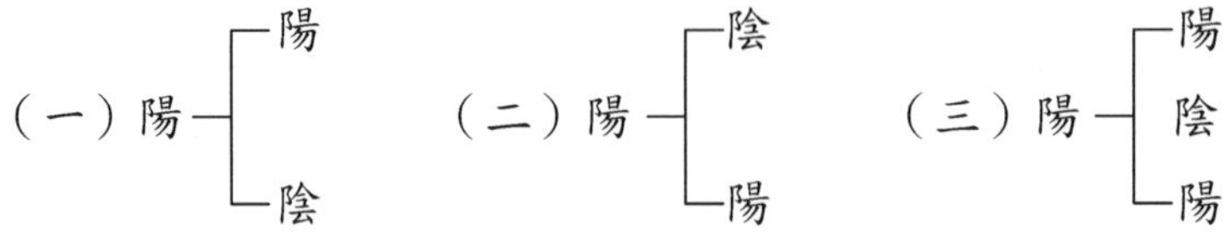

其中（一）、（二）兩種，可形成「移位」結構外，（三）又可合而形成「轉位」結構。

以「陰／陽或陰」而言，則可形成下列三種不同的包孕式結構：

```
            ┌陽                    ┌陰                    ┌陰
（一）陰 ─┤         （二）陰 ─┤         （三）陽 ─┤ 陽
            └陰                    └陽                    └陰
```

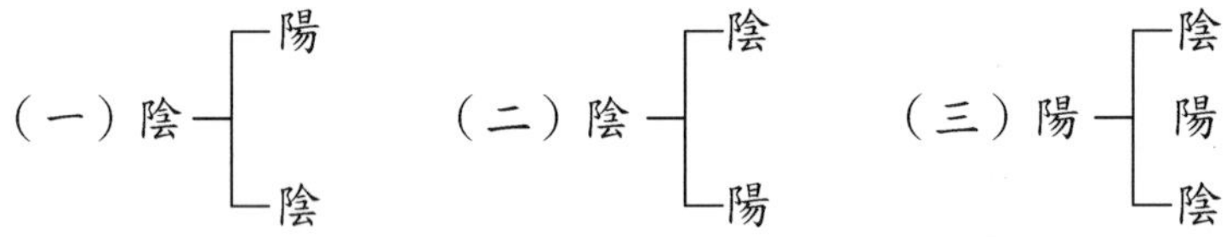

其中（一）、（二）兩種，一樣各可形成「移位」結構外，（三）又可合而形成「轉位」結構[31]。

「包孕」可以說是形成雙螺旋層次系統的唯一憑藉，其重要性可知。

總結上論，可知整個宇宙人生的雙螺旋轉化運動，是由「陰陽二元」互動促成「移位」（秩序）、「轉位」（變化）、「對比、調和（徹

31 其中有關於《易傳》的論述，詳見陳滿銘：〈章法包孕式結構論——以「多」、「二」、「一（0）」螺旋結構切入作考察〉，《江南大學學報．人文社會科學版》5卷4期（2006年8月），頁85-90。又，陳滿銘：〈論章法包孕結構之陰陽變化——以蘇辛詞為例作觀察〉，臺北大學《中文學報》15期〔特稿〕（2014年3月），頁1-24。

上、徹下）」（聯貫）與「包孕（下徹）」（統一）之作用而形成的。這是所有層次邏輯系統（「0 一二多」）由「初程」走向「終程」之雙螺旋互動歷程。其過程與關係，以「秩序、變化、聯貫、統一」四大規律[32]加以整合，可表示如下簡圖：

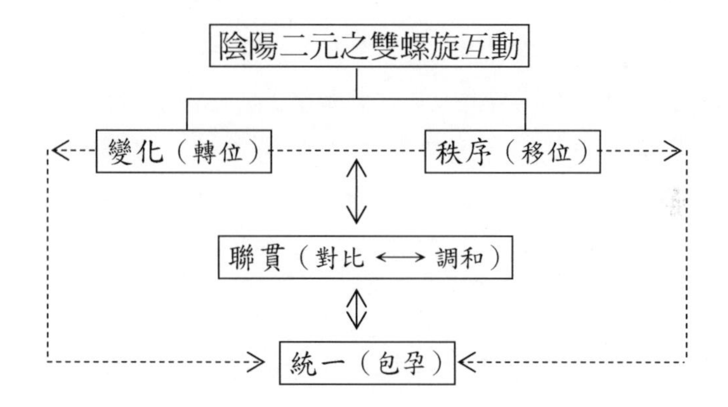

第二節 《老子》「二生三」互動在「0 一二多」雙螺旋系統中的地位

就目前可靠的資料而言，關於「0 一二多」的雙螺旋系統的相關論述，最早見於《老子》一書，如：

> 道可道，非常道；名可名，非常名。无，名天地之始；有，名萬物之母。（一章）
>
> 致虛極，守靜篤，萬物並作，吾以觀復。凡物芸芸，各復歸其

32 陳滿銘：〈論章法四大律之方法論原則—以多二一（0）螺旋結構作系統探討〉，臺灣師大《中國學術年刊》33期春季號（2011年3月），頁87-118。

> 根。歸根曰靜，是謂復命，復命曰常。知常曰明。（十六章）
>
> 道之為物，惟恍惟惚。惚兮恍兮，其中有象。恍兮惚兮，其中有物。窈兮冥兮，其中又精。其精甚真，其中有信。（二十一章）
>
> 有物混成，先天地生，寂兮寞兮，獨立不改，周行而不殆，可以為天下母，吾不知其名，字之曰道，強為之名曰大。大曰逝，逝曰遠，遠曰反。（二十五章）
>
> 知其雄，守其雌，為天下谿；常德不離，復歸於嬰兒。知其白，守其黑，為天下式；為天下式，常德不忒，復歸於無極。知其榮，守其辱，為天下谷；為天下谷，常德乃足，復歸於樸。（二十八章）
>
> 反者道之動，弱者道之用。天下萬物，生於有，有生於无。（四十章）
>
> 道生一，一生二，二生三，三生萬物。萬物負陰而抱陽，沖氣以為和。（四十二章）

從上引各章裡，不難看出老子由「无（無）」而「有」而「无（無）」的核心主張。所謂「道可道非常道」、「道之為物，惟恍惟惚」、「道生一，一生二，二生三，三生萬物」、「有生於无」、「有物混成，先天地生，……可以為天下母」等，都是就「由无（無）而有」的順向過程來說的。而所謂「反者道之動」、「復歸於無極」、「復歸於樸」，是就「有」而「无（無）」的逆向過程來說的。而這個「道」，乃「創生宇宙萬物的一種基本動力」，如就本末整體而言，是「无」（無）與「有」的統一體；如單就「本」（根源）而言，則因為它「不可得聞見」（《韓非子・解老》），「所以老子用一個『無（无）』字來作為他所說的道的特性」[33]。而「由无（無）而有」，所說的就是「由一而多」之宇宙萬物創生的動態過程，所以宗白華說：

> 道的作用是自然的動力、母力，非人為的，非有目的及意志的。「萬物生於有，有生於无」這個素樸混沌一團的道體，運轉不已，化分而成萬有。故曰：「大道氾兮，其可左右。」（三十四章）「周行而不殆。」（二十五章）「反者道之動。」（四十章）「樸散則為器。聖人用之，則為官長。」（廿八章）道體化分而成萬有的過程是由一而多，由无形而有形。[34]

而徐復觀也說：

> 宇宙萬物創生的過程，乃表明道由無形無質以落向有形有質的過程。但道是全，是一。道的創生，應當是由全而分，由一而多的過程。[35]

如就「有」而「无（無）」，亦即「多而一」來看，老子在此是以「反」作橋樑加以說明的。而這個「反」，除了「相反」、「返回」之外，還有「循環交變」的意思。勞思光闡釋「反者道之用」說：

> 「動」即「運行」，「反」則包含循環交變之義。「反」即

33 徐復觀：《中國人性論史・先秦篇》（臺北市：臺灣商務印書館，1978年10月四版），頁329。

34 林同華主編：《宗白華全集》2（合肥市：安徽教育出版社，1994年12月一版二刷），頁810。

35 徐復觀：《中國人性論史・先秦篇》，頁337。

> 「道」之內容。就循環交變之義而言，「反」以狀「道」，故老子在《道德經》中再三說明「相反相成」與「每一事物或性質皆可變至其反面」之理。[36]

而姜國柱也說：

> 「道」的運動是周行不殆，循環往復的圓圈運動。運動的最終結果是返回其根：「復歸其根」、「復歸於樸」。這裡所說的「根」、「樸」都是指「道」而言。「道」產生、變化成萬物，萬物經過周而復始的循環運動，又返回、復歸於「道」。老子的這個思想帶有循環論的色彩。[37]

他們所強調的是「循環交變」或「循環往復」，乃結合「相反」之義來加以說明的。而由此循環、往復、交變而進化，就產生「往復、提升（或下降）」含順、逆雙向的雙螺旋作用[38]。經由這種作用「相反相成」、循環、往復、交變而進化不已，說的就是「生滅轉化」，而「生滅轉化」的結果，就是「返回」至「道」的本身，這就形成了變化中有秩序、秩序中有變化之一個動態的雙螺旋進化歷程。

這樣，結合《易傳》來看，它們所主張的「道」，如僅著眼於其「同」，則它們主要透過「相反相成」、「返本復初」而轉化不已的作用，不但將「一、多」的順向歷程與「多、一」的逆向歷程前後銜接

---

36 勞思光：《新編中國哲學史》，頁240。

37 姜國柱：《中國歷代思想史．先秦卷》，頁63。

38 「螺旋」本在十七世紀用於教材排列的發展，採「循環、往復螺旋式提高的方法」來排列課程內容。見許建鉞編譯：《簡明國際教育百科全書》（北京市：新華書局北京發行所，1991年6月一版一刷），頁611。又，陳滿銘：〈談儒家思想體系中的螺旋結構——以仁與智、明明德與親民、天與人為例〉。

起來，更使它們層層推展，不斷循環、往復而進化不已，於是形成了雙螺旋結構，以呈現宇宙創生、轉化萬物之原始動態規律[39]。

就在這「由一而多」（順）、「多而一」（逆）的轉化過程中，是有「二」介於中間，以產生承「一」啟「多」的作用的。而這個「二」，從「道生一，一生二，二生三，三生萬物」的順序來看，應該就是「一生二，二生三」的「二」。雖然對這個「二」，歷代學者有不同的說法，大致說來，有認為只是「數字」而無特殊意思的，如蔣錫昌、任繼愈等便是；有認為是「天地」的，如奚侗、高亨等便是，有認為是「陰陽」的，如河上公、吳澄、朱謙之、大田晴軒等便是。其中以最後一種說法，似較合於原意，因為老子既說「萬物負陰而抱陽」，看來指的雖僅僅是「萬物的屬性」，但萬物既有此屬性，則所謂有其「委」（末）就有其「源」（本），作為創生源頭之「一」或「道」，也該有此屬性才對，所差的只是，老子沒有明確說出而已。所以陳鼓應解釋「道生一」章說：

> 本章為老子宇宙生成論。這裡所說的「一」、「二」、「三」乃是指「道」創生萬物時的活動歷程。「混而為一」的『道』，對於雜多的現象來說，它是獨立無偶，絕對對待的，老子用「一」來形容「道」向下落實一層的未分狀態。渾淪不分的『道』，實已稟賦陰陽兩氣；《易經》所說「一陰一陽之謂『道』」；「二」就是指「道」所稟賦的陰陽兩氣，而這陰陽兩氣便是構成萬物最基本的原質。「道」再向下落漸趨於分化，則陰陽兩氣的活動亦漸趨於頻繁。「三」應是指陰陽兩氣互相激盪而形

---

39 陳滿銘：〈論「多」、「二」、「一（0）」的螺旋結構——以《周易》與《老子》為考察重心〉，臺灣師大《師大學報．人文與社會類》。

> 成的均適狀態，每個新的和諧體就在這種狀態中產生出來。[40]

而黃釗也說：

> 愚意以為「一」指元氣（從朱謙之說），「二」指陰陽二氣（從大田晴軒說），「三」即「叁」，「參」也。若木《蓟下漫筆》「陰陽三合」為「陰陽參合」。「三生萬物」即陰陽二氣參合產生萬物。[41]

他們對「一」與「三」（多）的說法雖有一些不同，但都以為「二」是指「陰陽二（兩）氣」。而這種「陰陽二氣」的說法，其實也照樣可包含「天地」在內，因為「天」為「乾」為「陽」，而「地」則為「坤」為「陰」；所不同的，「天地」說的是偏於時空之形式，用於持載萬物[42]；而「陰陽」指的則是偏於「二氣之良能」（朱熹《中庸章句》），用於創生、轉化萬物。這樣看來，《老子》的「一」該等同於《易傳》之「太極」、「二」該等同於《易傳》之「兩儀」（陰陽），因此所呈現的，和《周易》（含《易傳》）一樣，是「一、二、多」與「多、二、一」之原始結構。不過，值得一提的是：（一）即使這「一」、「二」、「多」之內容，和《周易》（含《易傳》）有所不同，也無損於這種結構的存在。（二）「道生一」的「道」，既是「創生宇宙萬物的一種基本動力」，而它「本身又體現了無（无）」[43]，那

---

40 陳鼓應：《老子今注今譯及評介》，頁106。

41 以上諸家之說與引證，見黃釗：《帛書老子校注析》，頁231。

42 徐復觀：《中國人性論史・先秦篇》，頁335。

43 林啟彥：「『道』既是宇宙及自然的規律法則，『道』又是構成宇宙萬物的終極元素，『道』本身又體現了『無』。」見《中國學術思想史》（臺北市：書林書局，1999年9月一版四刷），頁34。

麼正如王弼所注「欲言無（无）耶，而物由以成；欲言有耶，而不見其形」[44]，老子的「道」可以說是「无」，卻不等於實際之「無」（實零）[45]，而是「恍惚」的「无」（虛零），以指在「一」之前的「虛理」[46]。這種「虛理」，如勉強以「數」來表示，則可以是「(0)」。這樣，順、逆雙向的結構，就可調整為「(0) 一 ⟷ 二 ⟷ 多」（順）與「多 ⟷ 二 ⟷ 一 (0)」（逆），並由此統合為「0 一二多」」（含順、逆雙向），以補《周易》（含《易傳》）之不足，這就使得宇宙萬物創生、轉化的順、逆向運動歷程與系統，更趨於完整而周延了。

可見《老子》「二生三」在「0 一二多」（含順、逆雙向）雙螺旋系統中是居於既可上徹又可下徹的關鍵性地位的。

這種由《老子》「二生三」形成之「0 一二多」雙螺旋系統，乃屬於哲學範疇，而上舉郝東生則指出「三」與基因「DNA」的生命體有「演變」的密切關聯：「『三』之所以神奇，這是因為在時空閾域內，第一它有了結構，第二它成了一個系統，第三它能演變成一個完整的生命體。……所有種屬的「DNA」中含有相同種類的核苷酸。無論是微生物、植物還是動物都存在並具有相近的氨基酸序列和類似的立體結構，而這個結構高度穩定，才使得物種各屬其性各歸其命。」[47]則落到科學範疇來看待。而很湊巧地，個人早在二〇〇三年即發表一

---

44 王弼：《老子王弼注》，頁16。

45 馮友蘭：「謂道即是无。不過此『无』乃對於具體事物之『有』而言的，非即是零。道乃天地萬物所以生之總原理，豈可謂為等於零之『无』。」見《馮友蘭選集》上卷，頁84。

46 唐君毅：「所謂萬物之共同之理，可為實理，亦可為一虛理。然今此所謂第一義之共同之理之道，應指虛理，非指實理。所謂虛理之虛，乃表狀此理之自身，無單獨之存在性，雖為事物之所依循、所表現，或所是所然，而並不可視同於一存在的實體。」見《中國哲學原論．導論篇》，頁350-351。

47 郝東生：〈論道一二三〉。

篇關涉「螺旋」之論文時，曾用附注方式觸及「0 一二多」與「DNA」之對應問題[48]，且於二〇〇七年正式推出《多二一（0）螺旋結構論》一書作比較詳細的探討[49]，然後於今年（2015）連續發表兩篇論文，由兩者之對應、貫通，擴展到「天體」（星球公轉、自轉與星雲、塵埃）作微觀與宏觀之討論[50]。在此，限於篇幅，僅聚焦於兩者之對應、貫通，以進行探討：

「DNA」發現於一九五三年，是近年來科學界最重大的成就之一。王淑鶯（2013）在〈DNA 雙股螺旋結構──跨領域之美麗結晶〉一文中指出：

---

48 附注：「所謂『螺旋』，本用於教育課程之理論上，早在十七世紀，即由捷克教育家夸美紐思所提出，乃『根據不同年齡階段（或年級），遵循由淺入深，由簡單到複雜，由具體而抽象的順序，用循環、往復螺旋式提高的方法排列德育內容。螺旋式亦稱圓周式』」，見《簡明國際教育百科全書》（北京市：新華書局北京發行所，1991年6月一版一刷），頁611。又，相對於人文，科技界亦發現生命之基因DNA……等都呈現螺旋結構。參見約翰．格里賓著，方玉珍等譯：《雙螺旋探密──量子物理學與生命》（上海市：上海科技教育出版社，2001年7月一版一刷），頁271-318。見陳滿銘：〈《中庸》「多」、「二」、「一（0）」螺旋結構論〉，《第三屆中國經學國際學術研討會論文集》（臺北市：臺灣師大國文系，2003年11月），頁214-265。

49 陳滿銘：《多二一（0）螺旋結構論──以哲學、文學、美學為研究範圍》（臺北市：文津出版社，2007年1月初版），頁1-5。

50 陳滿銘：〈論螺旋邏輯學的創立──以哲學螺旋與科學螺旋為鍵軸探討其體系之建構〉，《國文天地．學術論壇》31卷1期（2015年6月），頁116-136。又，陳滿銘：〈哲學螺旋與科學螺旋的對應、貫通──以「多二一（0）」與「DNA」雙螺旋結構為重心作探討〉，《南京曉庄學院學報》4期（2015年7月），頁19-22。又，戴維揚：「陳滿銘……『多、二、一（0）』及『（0）一、二、多』雙向的『邏輯結構』，筆者將其譯成英文的『DNA』的雙螺旋結構（in the form of a double helix）；一個超大超長變化萬千的大體系，其運作方式以兩兩（4基底），結合一再衍生的『DNA』譜系。其……驗基『DNA』的運作模式，**A** 常配 **T**；**G** 常配 **C**，兩兩、雙雙、對對構成天底下萬物的結構密碼；證之，星球的運轉也是如此遵照「普世法則」的大原理（Principles）以及彗星（如哈雷每76年穿梭其間的小插曲〔Parameters〕）。」見〈概論詞彙學（Lexicology）的體系架構〉，《國文天地》30卷5期（2014年10月），頁46-57。

> 西元 1953 年 4 月 25 日，來自英國劍橋卡文迪西實驗室的華生（James Watson）和克里克（Francis Crick）共同在國際知名期刊《自然》發表了完整的「DNA」雙股螺旋結構模型。……期間陸續有許多關於「DNA」物理化學本質的研究被發表，……華生和克里克從魏爾金手上看見了由富蘭克林（Rosalind Franklin）所拍攝的一張極為清晰的「DNA」X 光繞射圖，讓他們推論「DNA」是由兩條走向相反單鏈所組成的雙螺旋。而從化學的角度來看，為了能夠符合「A-T」和「G-C」的氫鍵鍵結，唯有鹼基朝內，醣一磷酸骨架在外，且兩條單鏈走向相反才能形成穩定的分子。綜合這些資料，華生和克里克構築完整的三維「DNA」分子模型並發表結果在期刊上，之後與魏爾金在 1962 年獲得諾貝爾生物醫學獎的榮耀，也成功引領生物學邁向更深入的分子生物學研究領域。[51]

可見「DNA」雙螺旋結構的發現，是值得大家大加歌頌並重視的。

對此偉大發現，約翰·格里賓（John Gribbin）著、方玉珍等譯（2001）《雙螺旋探密——量子物理學與生命》也說：「生命分子是雙螺旋這一發現為分子生物學揭開了新的一頁。」並附「DNA」分子的雙螺旋結構圖 [52] 如下：

---

51 王淑鶯：〈DNA雙股螺旋結構——跨領域之美麗結晶〉，《成大校刊》24期（2013年2月），頁48-49。

52 約翰·格里賓著，方玉珍等譯：《雙螺旋探密——量子物理學與生命》（上海市：上海科技教育出版社，2001年7月版），頁221-225。

其一、「DNA」四鹼（碱）基雙雙配對圖：

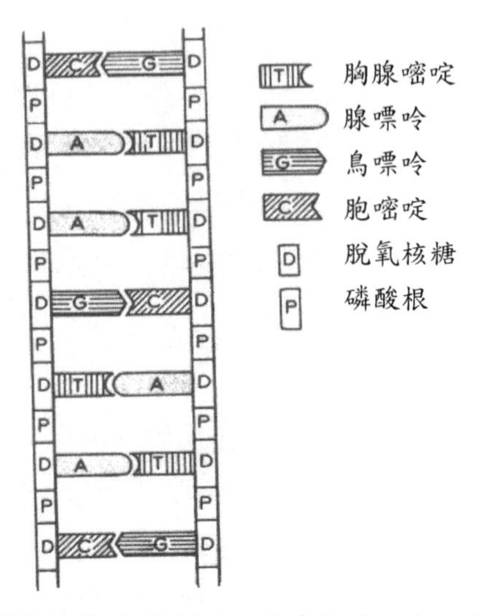

碱基之間的準確配對使兩條互補 DNA 鏈連接在一起，如該簡圖所示。因為 A 只與 T 配對，G 只與 C 配對，所以一條鏈上的碱基順序就決定了另外一條鏈上的碱基順序

其二、部分「DNA」雙螺旋近視圖：

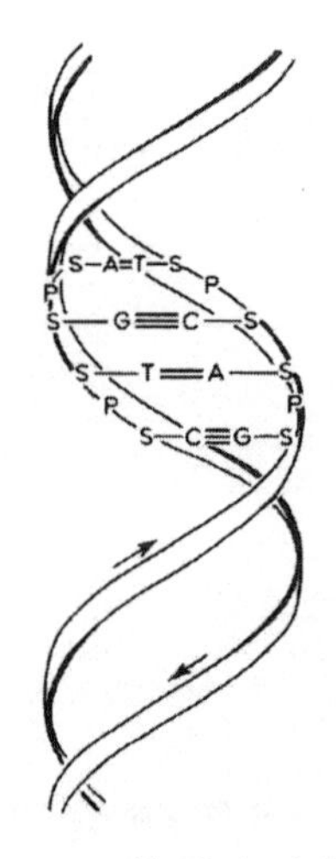

部分 DNA 雙螺旋近觀圖

對此，張大慶、韓啟德說明說：

> DNA 雙螺旋結構的模型有 4 個重要特點：① DNA 分子是由兩條成對的鏈，以雙螺旋方式按一定空間距離相互平行盤繞；DNA 分子中的兩條相對的平行鏈從頭至尾都嚴格遵守碱基配對原則。②兩條長鏈的方向是相反的。③腺嘌呤（A）與胸腺嘧啶（T）以兩個氫鍵聯結配對，胞嘧啶（C）與鳥嘌呤（G）以三個氫鍵聯結配對。比如，一條鏈上的碱基排列順序是TCGACTGA，那麼，另一條鏈上的碱基排列順序一定是AGCTGACT。這就意味著，DNA 中一條鏈的碱基順序一旦確定，那麼另一條鏈的碱基順序也就確定了。④ DNA 雙螺旋結構對碱基順序不存在任何限制。[53]

依據以上附圖並說明，試將鹼（碱）基雙雙配對「DNA」，用梯形配合「0一二多」呈現，可形成下圖：

53 張大慶、韓啟德：〈超越雙螺旋——DNA對科學與社會文化的影響〉，《醫學與哲學》（2003年7月），頁1-6。

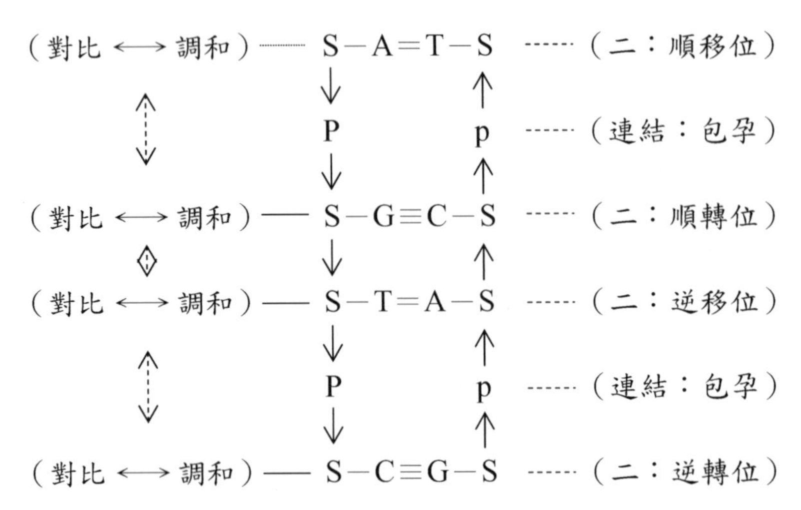

其中「A（Adenine：腺嘌呤）⟷ T（Thymine：胸腺嘧啶）」、「G（Guanine：鳥嘌呤）⟷ C（Cytosine：胞嘧啶）」為鹼基 4 密碼（雙雙形成陰陽互動）；「S」表示端點：「P」（磷酸根）表示連結（形成層次：涉及包孕）；「＝」表示兩組（對）「氫鍵」，力度較弱（涉及「移位」）、「≡」表示三組（對）「氫鍵」，力度較強（涉及「轉位」）。由此層層「包孕」，形成部分「DNA」的「0 一二多」雙螺旋結構，呈現如下簡表：

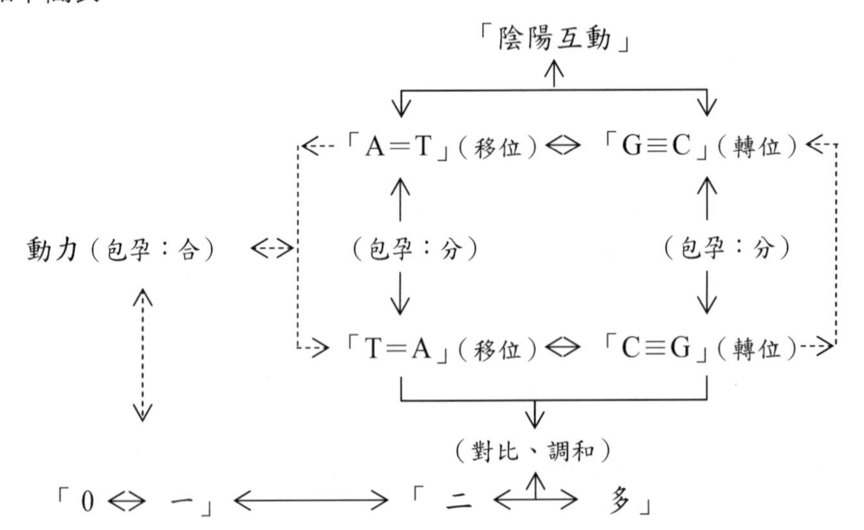

對這種「雙螺旋結構」，歐陽周、顧建華、宋凡聖（2001）編著的《美學新編》也從美學角度解釋說：

> 從微觀看，由於近代物理學與生物學、化學、數學、醫學等的相互交叉和滲透，對分子、原子和各種基本粒子的研究更加深入，並取得一系列的成果。……特別要指出的是，「DNA」分子的雙螺旋結構模式，體現了自然美的規律：兩條互補的細長的核苷酸鏈，彼此以一定的空間距離，在同一軸上互相盤旋起來，很像一個扭曲起來的梯子。由於每條核苷酸鏈的內側是扁平的盤狀碱基，當兩個相連的互補碱基 A 連著 P（應是 T），G 連著 C 時，宛若一級一級的梯子橫檔，排列整齊而美觀，十分奇妙。[54]

這樣，對應於「0 一二多」雙螺旋結構來看，所謂「宛若一級一級的梯子橫檔」，該是「二」產生作用的整個歷程與結果，亦即「多」；所謂「當兩個相連的互補碱基 A 連著 T，G 連著 C」，該是「二」；而「DNA」本身的質性與動力，則該為「一⟷0」。至於所謂「兩條互補的細長的核苷酸鏈，彼此以一定的空間距離，在同一軸上互相盤旋起來」，該是一順一逆、一陰一陽的雙螺旋結構。如果這種解釋合理，那麼，從極「微觀」（小到最小）到極「宏觀」（大到最大），都可由一順一逆的「0 一二多」雙螺旋結構加以層層組織，以體現自然創生、轉化的運動規律[55]。

由此可見哲學「0 一二多」與科學「DNA」雙螺旋系統是能互相對應、貫通的。

---

54 歐陽周、顧建華、宋凡聖編著：《美學新編》，頁303。

55 陳滿銘：《意象學廣論》（臺北市：萬卷樓圖書公司，2005年11月初版），頁2-6。

結語

綜上所述，可知用「雙螺旋互動」融入《老子》「二生三」作探討，論定它為「陰陽」的「雙螺旋互動」（移位、轉位、對比與調和、包孕），並上徹於「道生一」、下徹於「三生萬物」，用「0 一二多」（哲學）、「DNA」（科學）雙螺旋系統作對應、統合之觀察，以見「二生三」雙螺旋互動的運作內涵，看來是有其妥當性，是可以確定它在「0 一二多」雙螺旋系統中之關鍵地位的。

一般說來，從事學術研究，在開始時，先就某一層面作「移位」或「轉位」式的「求異」，有了結果之後，再提升到高一層面作「包孕」式的「求同」，且以高一層面之「求同」來檢查低一層面的「求異」；兩者就如此互動，加上「對比 ⟷ 調和」的雙螺旋作用下，繼續不斷地提升其層面，且逐漸地又由某一領域跨界到其他領域，譬如由「人文學科」跨到「社會學科」、「自然學科」，並由此層層提升到最高層面，自然就形成「以同包異」（順向：徹下）、「以異顯同」（逆向：徹上）的「雙螺旋層次系統」[56]，因此「移位、轉位、對比與調和、包孕」的適應面是極為廣泛的。

此外，必須在再作說明的有兩點，其一是：這種「移位、轉位、對比與調和、包孕」，強調的是其運動、作用與狀態。如從自然法則這一面來說，那就是「秩序」、「變化」、「聯貫」與「統一」四者，所反映的是宇宙人生萬事萬物層層「轉化」的動態規律。如落到「方法論」來說，則此四者，以個別而言，是「方法論原則」；合起來說，

56 陳滿銘：〈試論方法論原則之層次系統──以修辭與章法為考察範圍〉，中山大學《文與哲》學報20期（2012年6月），頁367-407。又，陳滿銘：楊晉龍《治學方法．序》（臺北市：萬卷樓圖書公司，2014年9月初版），頁1-4。

是「方法論系統」[57]，因此，從事任何學術研究，都不能捨此而不由。其二是：人類面對天、地、人所作之研究與觀察，其過程是一面由部分之「神學」而「哲學」而「科學」，主要藉「求異」以累積「已知」；另一面又由部分之「科學」而「哲學」而「神學」，主要藉「求同」以開發「未知」，形成「神學⟷哲學⟷科學」而進步不已的雙螺旋系統。一九五七年諾貝爾物理學獎得主楊振寧說：「科學的極致是哲學，哲學的極致是宗教。」[58] 假如用雙螺旋切入來說，則可呈現「科學⟷『極致』⟷哲學⟷『極致』⟷宗教（神學）」三者互動的雙螺旋關係。

由此可見：用「陰陽互動」（移位、轉位、對比與調和、包孕）融入《老子》「二生三」，用「0 一二多」（哲學）、「DNA」（科學）雙螺旋系統作對應、統合之探討，以見「二生三」雙螺旋互動的運作內涵，該是相當合理的。

---

57 王希杰：「法則太多，可能顯得繁瑣、瑣碎，使人難以把握的。可貴的是，陳滿銘教授……力圖建立統率這些比較具體的法則的更高的原則。……創建了四大原則：（1）秩序律，（2）變化律，（3）聯貫律，（4）統一律……這符合科學的最簡單性原則，而且也是變化無窮的。這其實就是《周易》的方法論原則，乾坤兩卦，生成六十四卦。所以他的章法學是一個具有生成轉化潛能的體系，或者說是具有生成性。因此是具有生命力的。」見〈陳滿銘教授和章法學〉，《畢節學院學報》2008年1期，頁1-6。又，陳滿銘：〈論章法四大律之方法論原則──以多二一（0）螺旋結構作系統探討〉，臺灣師大《中國學術年刊》33期春季號（2011年3月），頁87-118。

58 佚名：〈楊振寧&李政道：敢於質疑和挑戰權威〉，引自《蝌蚪五線譜》：http://story.kedo.gov.cn/kxjqw/351119.shtml。

第十章
《中庸》「誠（陰）⟷明（陽）」雙螺旋互動

由於「雙螺旋互動」所呈現的是宇宙人生萬事萬物「轉化」之「層次邏輯」關係，因此其適用面極廣，《中庸》所論自不例外。它的內容雖涉及「萬事萬物」，若由「雙螺旋互動」切入，卻不難發現全書所論的，不外是「由天而人」的「自誠明」（陰→陽）與「由人而天」的「自明誠」（陽→陰）而已。而這種「天」與「人」的關係有「偏」（陽）有「全」（陰），會不斷地產生「互動、循環、往復而提高」的作用，使「誠明互動（偏）⟷ 誠明合一（全）」形成「陰⟷陽」的「雙螺旋互動」系統，以此貫穿《中庸》全書。本文即由此探討，藉此一面凸顯《中庸》「誠（陰）⟷明（陽）」雙螺旋互動的層次邏輯系統。

宇宙萬物創生、含容的歷程，可以用「陰陽互動」所形成的「雙螺旋結構」來呈現。而這種結構形成之過程，在《周易》的〈序卦傳〉裡即約略地加以交代，雖然它們或許「因卦之次，託以明義」[1]，但由於卦、爻，均為象徵之性質，乃一種概念性符號，即一般所說的「象」，象徵著宇宙人生之變化之各種物類、事類。就以《周易》而言，它的六十四卦，從其排列次序看，就粗具這種特色[2]。而各種物類、事類在「轉化」過程中，如循「由天（天道）而人（人事）」（陰→陽）來說，所呈現的是順向的結構，這可說是〈序卦傳〉上篇的主要內容；如循「由人（人事）而天（天道）」（陽→陰）來說，則所呈現的是逆向的結構了，這可說是〈序卦傳〉下篇的主要內容。本文即用此「天人互動」（陰⟷陽）之雙螺旋結構切入，探討《中庸》之「誠（陰）⟷明（陽）」思想，先對「雙螺旋結構之形成」略作說明，再論「《中庸》『誠（陰）⟷明（陽）』思想的重心」與「《中庸》『誠（陰）⟷明（陽）』思想的融通」，然後論「《中庸》『誠（陰）⟷明（陽）思想的實踐」，以凸顯「自誠明（陰→陽」（由

1　戴璉璋：《易傳之形成及其思想》（臺北市：文津出版社，1989年6月臺灣初版），頁186-187。

2　徐復觀：「以三畫的倍數——六爻，演變而成為六十四卦。在此演變中出現有『數』的觀念。而易由兩個基本符號衍變為六十四卦，都是象徵的性質，這即是一般所謂的『象』。古人大概是以這六十四卦、三百八十四爻的相互衍變，來象徵，甚至是反映宇宙人生的變化；在這種變化中，找出一種規律，以成立吉凶悔吝的判斷，因而漸漸找出人生行為的規律。」見《中國人性論史．先秦篇》（臺北市：臺灣商務印書館，1978年10月四版），頁202。又，馮友蘭：「〈繫辭傳〉說：『易者，象也。』又說：『聖人有以見天下之賾，而擬諸其形容，象其物宜，是故謂之象。』照這個說法，『象』是模擬客觀事物的複雜（賾）情況的。又說『象也者，象此者也』；象就是客觀世界的形象。但是這個模擬和形象並不是如照像那樣下來，如畫像那樣畫下來。它是一種符號，以符號表示事物的『道』或『理』。六十四卦和三百八十四爻都是這樣的符號。」見《馮友蘭選集》上卷（北京市：北京大學出版社，2000年7月一版一刷），頁394。

天而人）與「自明誠（陽 → 陰）」（由人而天）兩者，由「偏」而「全」地產生「互動、循環、往復而提高」的雙螺旋互動作用，臻於「誠明合一（陰陽合）」的最高境界。

第一節　雙螺旋結構之形成

「雙螺旋結構」之形成，以「陰陽二元」為基礎，其中關涉得最密切的，莫過於「本末」[3]。就以中國哲學中的「理」與「氣」、「有」與「無」、「道」與「器」、「體」與「用」、「動」與「靜」、「一」與「兩」、「知」與「行」、「性」與「情」、「天」與「人」……等「陰陽二元」之範疇[4]而言，即有本有末。它們無論是「由本而末」或「由末而本」，均可形成「順」或「逆」的單向本末結構。而一般學者也都習慣以此單向來看待它們，卻往往忽略了它們所形成之「互動、循環、往復而提高」的雙螺旋關係。

而所謂「螺旋」，本用於教育課程之理論上，早在十七世紀，即由捷克教育家夸美紐斯（Comenius, John Amos, 1592-1670）所提出；而近代美國心理學家布魯納（J. S. Brunner, 1915-）更進一步提出任之學習理論，指出教材結構與學生的認知結構必須互相結合，以達到螺旋式提升的效果。《教育大辭典》說：

> 螺旋式課程（spiral curriculum）圓周式教材排列的發展，十七世紀捷克教育家夸美紐斯提出，教材排列採用圓周式，以適應

3　《大學》首章：「物有本末，事有終始；知所先後，則近道矣。」見朱熹：《四書集注》（臺北市：學海出版社，1984年9月初版），頁1。

4　葛榮晉：《中國哲學範疇導論》（臺北市：萬卷樓圖書公司，1993年4月初版一刷），頁1-650。

> 不同年齡階段的兒童學習。但這種提法，不能表達教材逐步擴大和加深的含義，故用螺旋式的排列代替。二十世紀六〇年代，美國心理學家布魯納也主張這樣設計分科教材：按照正在成長中的兒童的思想方法，以不太精確然而較為直觀的材料，儘早向學生介紹各科基本原理，使之在以後各年級有關學科的教材中螺旋式地擴展和加深。[5]

所謂「圓周」、「逐步擴大和加深」，指的正是「循環、往復、螺旋式提高」，《簡明國際教育百科全書》即指出：

> 螺旋式循環原則（Principle of Spiral Circulation）排列德育內容原則之一，即根據不同年齡階段（或年級），遵循由淺入深，由簡單到複雜，由具體而抽象的順序，用循環、往復螺旋式提高的方法排列德育內容。螺旋式亦稱圓周式」。[6]

可見「螺旋」就是「互動、循環、往復而提高」的意思。它可用下列簡圖來表示：

二元 → 互動 → 循環 → 往復 → 提高

這是著眼於「陰陽二元」，即「二」來說的，若以此「二」為基礎，徹上於「一 0」、徹下於「多」，則成為「0 一二多」之系統。而這種

5 顧明遠主編：《教育大辭典》（上海市：上海教育出版社，1990年6月一版一刷），頁276。

6 許建鉞編譯：《簡明國際教育百科全書》（北京市：新華書局北京發行所，1991年6月一版一刷），頁611。

系統可從《周易》與《老子》等古籍中獲知梗概，它們不但由「有象」而「無象」，找出「多→二→一 0」之逆向結構；也由「無象」而「有象」，尋得「0 一→二→多」之順向結構；並且透過《老子》「反者道之動」（四十章）、「夫物芸芸，各復歸其根」（十六章）與《周易・序卦》「既濟」而「未濟」之說，將順、逆向結構不僅前後連接在一起，更不息地產生「互動、循環、往復而提高」的作用，形成「0 一二多」雙螺旋結構，以呈現中國宇宙人生觀之精微奧妙[7]。

如此照應「0 一二多」整體，則「雙螺旋結構」之體系可用下圖來表示：

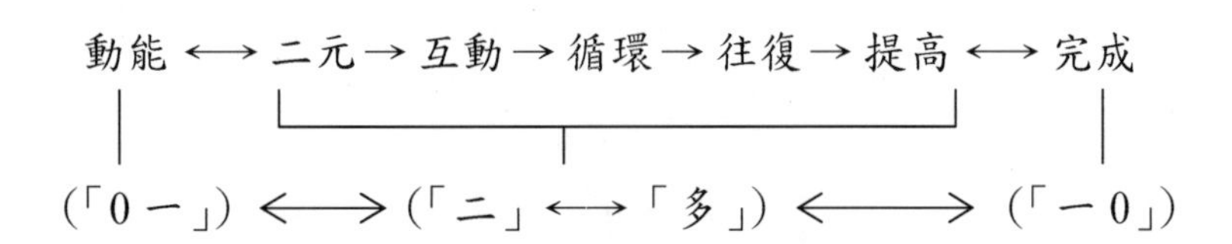

又如果再依其順逆向，將「多」、「二」、「一（0）」加以拆解，則可成如下兩式：

一、順向：「0 一」 ⟶ 「二」 ⟶ 「多」
二、逆向：「多」 ⟶ 「二」 ⟶ 「一 0」

而這兩式是可以不斷地彼此「循環、往復而提高」，而形成層層「雙螺旋結構」，以體現宇宙人生「轉化」不息之生命力的。

很值得注意的是：相對於人文，近年科技界亦發現生命之「基

7 陳滿銘：〈論「多二一（0）」的螺旋結構──以《周易》與《老子》為考察重心〉，臺灣師大《師大學報・人文與社會類》48卷1期（2003年7月），頁1-20。

因」:「DNA」也呈現雙螺旋結構，約翰・格里賓（John Gribbin）著、方玉珍等譯《雙螺旋探密——量子物理學與生命》以為：

> 生命分子是雙螺旋這一發現為分子生物學揭開了新的一頁，而不是標誌著它的結束。但在我們以雙螺旋發現為基礎去進一步理解世界之前，如果能有實驗證明雙螺旋複製的本質，那麼關於雙螺旋的故事就會更加完美了。

並附 DNA 分子的雙螺旋結構圖[8]如下：

其一：

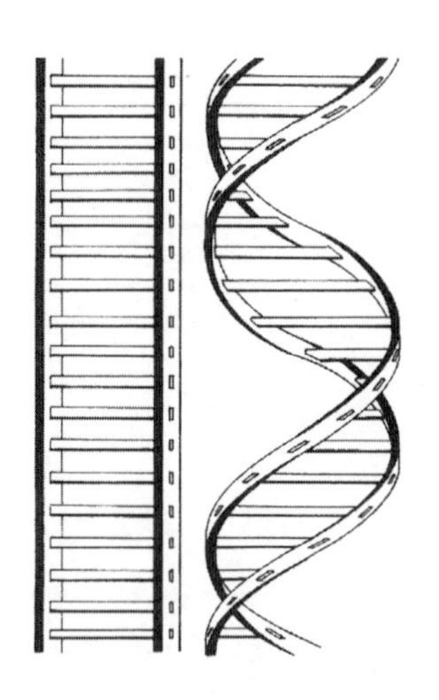

實際上，兩條 DNA 鏈相互盤繞，形成一個雙螺旋

8 約翰・格里賓著，方玉珍等譯：《雙螺旋探密——量子物理學與生命》（上海市：上海科技教育出版社，2001年7月版），頁221-225。

其二：

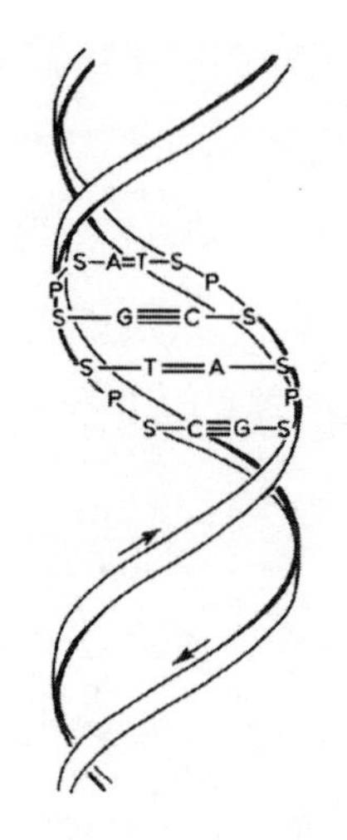

部分 DNA 雙螺旋近觀圖

試將鹼（硪）基雙雙配對，用梯形配合「（0）一二多」呈現，可形成下圖：

S－A＝T－S ------ （二：順移位）
↓　　　　↑
P　　　　p ------ （連結：包孕、對比與調和）
↓　　　　↑
S－G≡C－S ------ （二：順轉位）
↓　　　　↑
S－T＝A－S ------ （二：逆移位）
↓　　　　↑
P　　　　p ------ （連結：包孕、對比與調和）
↓　　　　↑
S－C≡G－S ------ （二：逆轉位）

其中「A（Adenine）⟷ T（Thymine）」、「G（Guanine）⟷ C（Cytosine）」為鹼基 4 密碼（雙雙形成陰陽互動）；「S」表示端點：「P」（磷酸根）表示連結（形成層次：可能涉及包孕、對比與調和）；「＝」表示兩組（疊）「氫鍵」，力度較弱（可能涉及「移位」）、「≡」表示三組（疊）「氫鍵」，力度較強（可能涉及「轉位」）。由此層層「包孕」，形成部分 DNA 的「0 一二多」雙螺旋結構，呈現如下簡表：

「A＝T」⟷「G≡C」
⇕　　　　⇕
「T＝A」⟷「C≡G」

「0 ⇔ 一」⟷「二⟷ 多」

對這種「雙螺旋結構」，歐陽周、顧建華、宋凡聖編著的《美學新編》也解釋說：

> 從微觀看，由於近代物理學與生物學、化學、數學、醫學等的相互交叉和滲透，對分子、原子和各種基本粒子的研究更加深入，並取得一系列的成果。……特別要指出的是，DNA 分子的雙螺旋結構模式，體現了自然美的規律：兩條互補的細長的核苷酸鏈，彼此以一定的空間距離，在同一軸上互相盤旋起來，很像一個扭曲起來的梯子。由於每條核苷酸鏈的內側是扁平的盤狀鹼基，當兩個相連的互補鹼基 A 連著 P（應是 T），G 連著 C 時，宛若一級一級的梯子橫檔，排列整齊而美觀，

十分奇妙。[9]

這樣，對應於「多二一（0）」螺旋結構來看，所謂「宛若一級一級的梯子橫檔」，該是「二」產生作用的整個歷程與結果，亦即「多」；所謂「當兩個相連的互補碱基 A 連著 P（應是 T），G 連著 C」，該是「二」；而 DNA 本身的質性與動力，則該為「一（0）」。至於所謂「兩條互補的細長的核苷酸鏈，彼此以一定的空間距離，在同一軸上互相盤旋起來」，該是一順一逆、一陰一陽的螺旋結構。如果這種解釋合理，那麼，從極「微觀」（小到最小）到極「宏觀」（大到最大），都可由一順一逆的「0 一二多」雙螺旋結構加以層層組織，以體現自然「轉化」之運動規律[10]。

對此，戴維揚詮釋說：

> 陳滿銘……「多、二、一（0）」及「（0）一、二、多」雙向的「邏輯結構」，筆者將其譯成英文的 DNA 的雙螺旋結構（in the form of a double helix）；一個超大超長變化萬千的大體系，其運作方式以兩兩（4 基底），結合一再衍生的 DNA 譜系。其……鹼基 DNA 的運作模式，A 長配 T；G 常配 C，兩兩、雙雙、對對構成天底下萬物的結構密碼；證之，星球的運轉也是如此遵照「普世法則」的大原理（Principles）以及彗星（如哈雷每 76 年穿梭其間的小插曲（Parameters）。[11]

---

9 歐陽周、顧建華、宋凡聖編著：《美學新編》（杭州市：浙江大學出版社，2001年5月九刷），頁303。

10 陳滿銘：《意象學廣論》（臺北市：萬卷樓圖書公司，2005年11月初版），頁2-6。

11 戴維揚：〈概論詞彙學（Lexicology）的體系架構〉，《國文天地》30卷5期（2014年10月），頁53。

可見人文與科技雖然各自「求異」，而有不同之內容，但所謂「萬變不離其宗」，在「求同」上，不無「殊途同歸」的可能。如此，則「0一二多」雙螺旋結構之「原始性」與「普遍性」，就值得大家共同重視了。而落於「篇章」來說，是可透過「章法結構（含核心結構與輔助結構）」（「多⟷二」）來凸顯篇章「主題（主旨）」（「一」）與「風格（審美風貌）」或「意境」（「0」）的。若再配合「秩序」與「變化」（順逆向「移位」與「轉位」）、「聯貫」（調和與對比：下徹上徹）與「統一」（包孕：下徹）的「章法四大規律」[12]，則可形成如下簡圖：

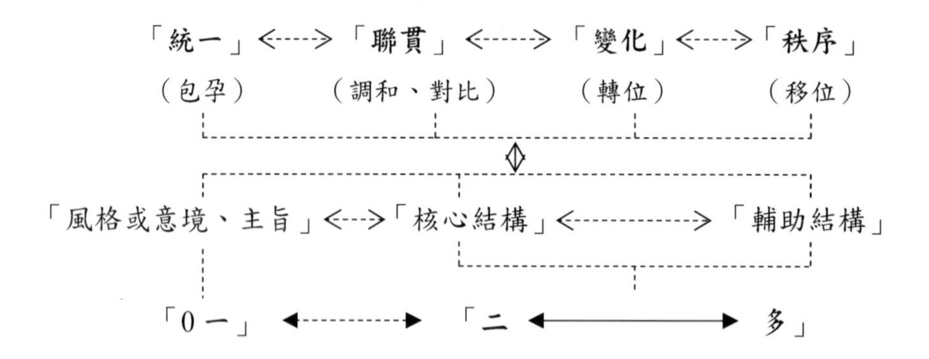

其中「秩序、變化與聯貫」是就局部來說的，為「多⟷二」；「統一」是就整體來說的，為「一　0」。由此很容易看出這種「螺旋結構」在篇章上之呈現情形。

如單就「0一二多」來看，其雙螺旋結構可用下圖呈現：

12 陳滿銘：〈辭章「多、二、一（0）」螺旋結構論〉，中山大學《文與哲》學報10期（2007年6月），頁483-514。

（一）單一結構圖：

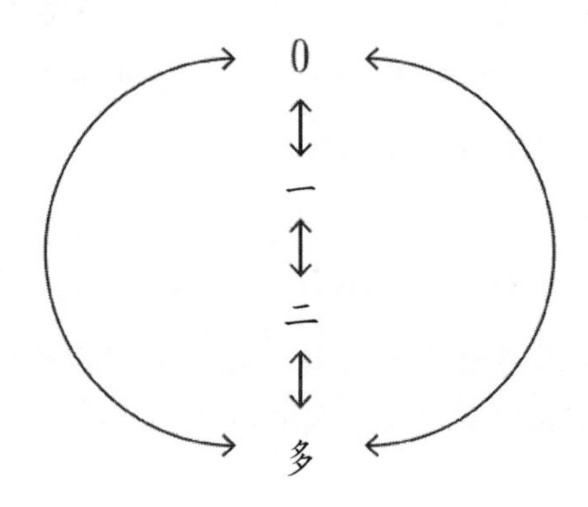

（二）層層結構系統圖：

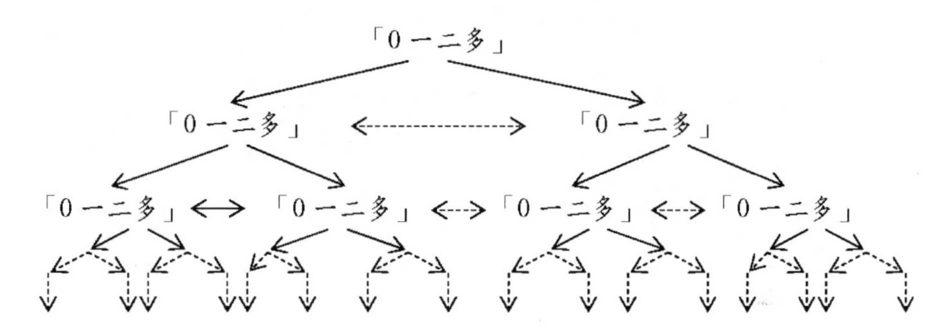

而此「層次邏輯」每一層的的內容或意象雖可以萬變、億變，但其雙螺旋結構卻不變，都以「陰陽二元」之互動為「二」，「秩序（移位）、變化（轉位），聯貫（對比與調和：下徹、上徹）為「多」，「統一」（包孕：下徹）為「一0」。

第二節　《中庸》「誠（陰）⟷明（陽）」思想的重心

《中庸》的誠明思想，可從其首章看出。作者在此開宗明義地說：

> 天命之謂性（誠明、天人合一：全），率性之謂道（自誠明——由天而人：偏），修道之謂教（自明誠——由人而天：偏）。道也者，不可須臾離也，可離非道也；是故君子戒慎乎其所不睹，恐懼乎其所不聞，莫見乎隱，莫顯乎微，故君子慎其獨也（自明誠——由人而天：偏）。喜怒哀樂之未發，謂之中；發而皆中節，謂之和（自誠明——由天而人：偏）。中也者，天下之大本也；和也者，天下之達道也。致中和，天地位焉，萬物育焉（誠明、天人合一：全）。

這篇文字以「偏全」、「天人」的層次邏輯亦即章法[13]為主所形成的雙螺旋結構系統，可呈現如下：

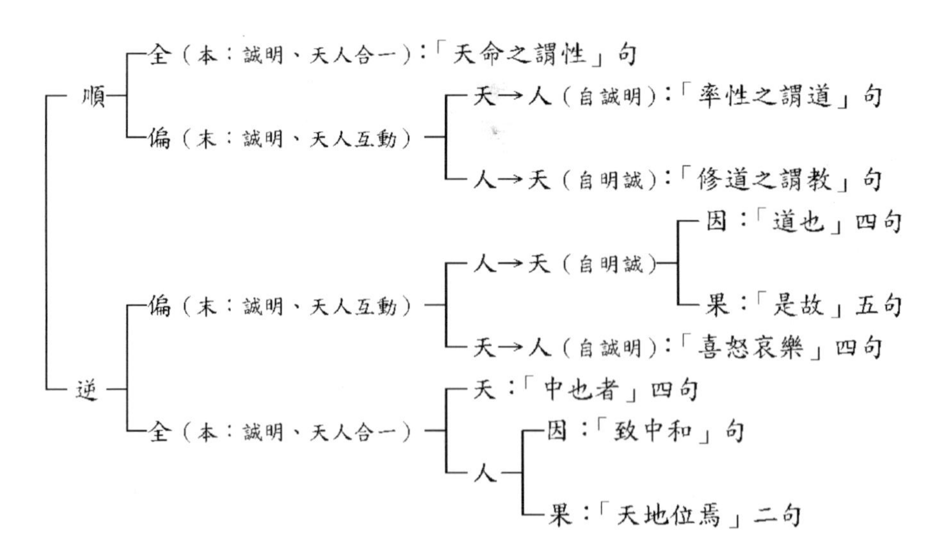

如凸顯「層次邏輯」（章法），並配合「0 一二多」雙螺旋結構系統，則可用如下簡圖來表示：

---

13 陳滿銘：〈論幾種特殊的章法〉，臺灣師大《國文學報》31期（2002年6月），頁175-204。

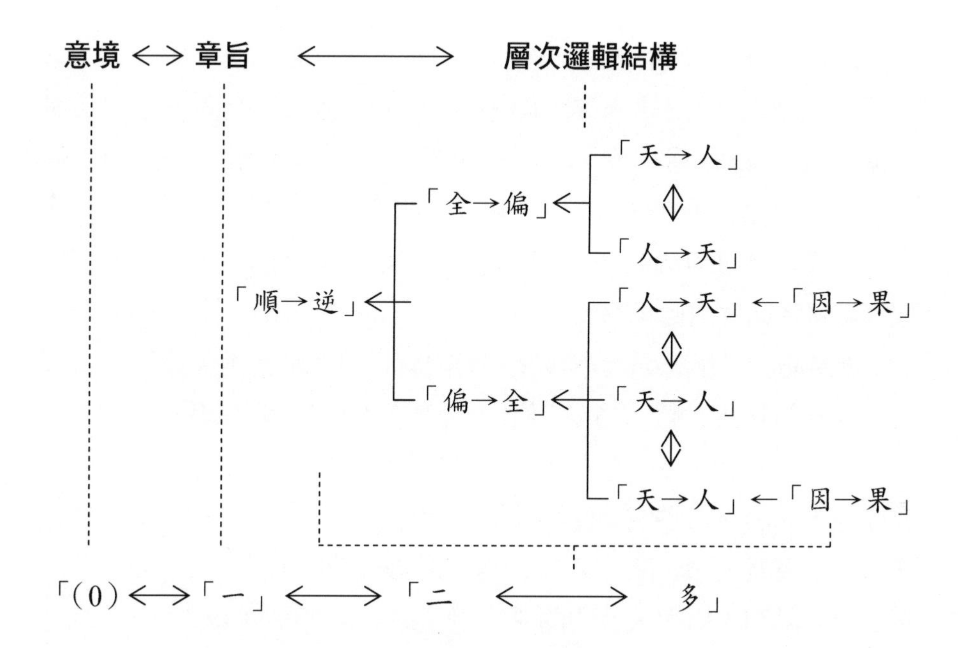

如凸顯其「陰陽」變化，則可用如下簡圖來表示：

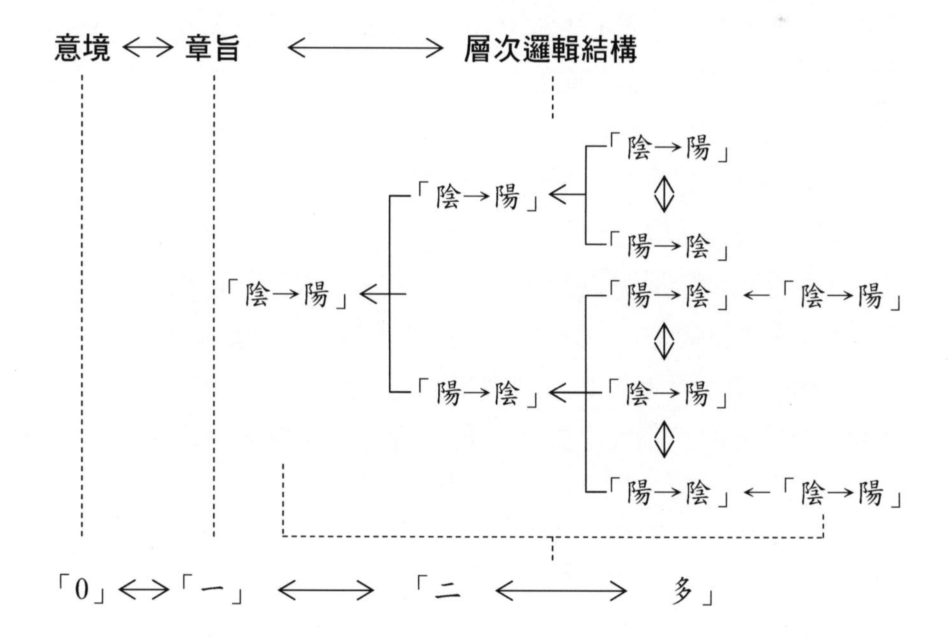

其中以「順→逆（陰→陽）」、「全→偏（陰→陽）」、「天→人（陰→陽）」（三疊）、「因→果（陰→陽）」（兩疊）的順向「移位」與「偏→全（陽→陰）」、「人→天（陽→陰）」（兩疊）的逆向「移位」，形成「秩序與變化」；以「包孕」組合四層結構，定「調和」為一，形成「聯貫與統一」。而由此徹上，本章文字的「0 一二多」雙螺旋結構系統就由此呈現。

配合這種結構來看，本段文字的內容，可大別為兩部分：

第一部分為「順」（全→偏），自篇首至「修道之謂教」止。「這三句話『一氣相承』，乃《中庸》一書之綱領所在。作者在此，很有次序地，先由首句點明人性與天道的關係，用『性』字把天道無息之『誠』下貫為人類天賦『至誠』（包括『誠』與『明』）將隔閡衝破；再由次句點明人道與人性的關係，用『道』字把人類（聖人）天賦之『誠』通往天賦之『明』（自誠明）的過道打通，而與人類人為之『誠』與『明』套成一環；然後由末句點明教化與人道的關係，用『教』字把人類（學者）人為之『明』邁向人為之『誠』（自明誠）的大門敲開，而與人類天賦之『誠』與『明』融為一體。這樣由上而下地逐層遞敘，既為人類天賦之『誠』、『明』尋得了源頭，也為人為之『誠』、『明』找到了歸宿。」[14]

第二部分為「逆」（偏→全），自「道也者不可須臾離也」至末。「《中庸》的作者在這兒，首先承上一部分的『修道之謂教』句，闡明修道之要領就在於『慎獨』，以扣緊『不可須臾離』之『道』，為『自明誠』（擇善固執）以『致中和』之「教」奠好鞏固的基礎。接著承上個部分的『率性之謂道』句，就喜怒哀樂未發之『性』，說

14 陳滿銘：〈學庸導讀〉，《國學導讀》二（臺北市：三民書局，1994年9月初版），頁509-510。

『中』，說『大本』；就喜怒哀樂『發而中節』之『情』，說『和』，說『達道』，以間接表明『慎獨』的目的（修道的內在目標），就在於保持性情的『中和』（盡性）而堅實地為『自誠明』之『性』架好了一座『復其初』的橋樑。然後承篇首之『天命之謂性』句，直接指出『致中和』之目的（修道的外在目標），就是使『天地位焉，萬物育焉』，以確切地肯定人類『盡性』以『贊天地化育』的天賦能力，為人類的『誠』、『明』開拓了無限向上的道路。顯然地，這樣自下而上地由『慎獨』而『盡性至命』（王陽明語，見《傳習錄・上》），則正如第三十二章所說『唯天下至誠，為能經綸天下之大經（和——情），立天下之大本（中——性），知天地之化育』，不但可以成己，而且也是足以成物的」[15]。

顯然這段文字立論，就「全」的觀點來說，無論是「順」（由本而末）或「逆」（由末而本），可說全是終極的境界；而就「偏」的觀點而言，則「率性」與「修道」，甚至「盡性至命」都存有「互動、循環、往復而提高」的雙螺旋關係。而促成此種關係的樞紐，就在於「性」。《中庸》的作者找到了這個樞紐，來打通「天」與「人」之隔閡，而最後融合為一，是極具智慧的。徐復觀說：

> 孔子所證知的天道與性的關係，乃是「性由天所命」的關係。天命於人的，即是人之所以為人之性。這一句話，是在子思以前，根本不曾出現過的驚天動地的一句話。「天生烝民」、「天生萬物」，這類的觀念，在中國本是出現得非常之早。但這只是泛泛地說法，多出於感恩的意思，並不一定會覺得由此而天即給人與物以與天平等的性。有如人種植許多生物，但這些生

15 陳滿銘：〈學庸導讀〉，《國學導讀》二，頁510-511。

> 物，並不與人有什麼內在的關聯。所以在世界各宗教中，都會認為人是由神所造。但很少能找出神造了人，而神即給人以與神自己相同之性的觀念，說得像《中庸》這樣的明確。

又說：

> 即為一超越而普遍性的存在；天進入於各人生命之中，以成就各個體之特殊性。而各個體之特殊性，既由天而來，所以在特殊性之中，同時即具有普遍性。此普遍性不在各個體的特殊性之外，所以此普遍性即表現而為每一人的「庸言」、「庸行」。各個體之特殊性，內涵有普遍性之天，或可上通於有普遍性之天，所以每一人的「庸言」、「庸行」，即是天命的呈現、流行。[16]

可見《中庸》的作者，已經由「性」徹下徹上，使「自誠明」與「自明誠」產生「陰⟷陽」的「雙螺旋」互動作用，將「誠明」與「天人」由「偏」而「全」地融成一體了。

第三節 《中庸》「誠（陰）⟷明（陽）」思想的融通

這種打通「天」（自誠明）與「人」（自明誠）的「性」，究竟有什麼內涵呢？《中庸》第二十五章說：

---

16 徐復觀：《中國人性論史》，頁117-119。

> 誠者，非自成己而已也，所以成物也。成己，仁也；成物，知也；性之德也，合外內之道也。

這幾句話可畫成如下結構系統表，以呈現其邏輯層次：

- 全（誠明、天人合一）：「誠者，非自成己而已也，所以成物也」
- 偏（誠明、天人互動）
  - 內（本）：「成己，仁也」
  - 外（末）：「成物，知也」
- 全（誠明、天人合一）：「性之德也，合外內之道也」

如凸顯「層次邏輯」（章法），並配合「0 一二多」結構，則可用如下簡圖來表示：

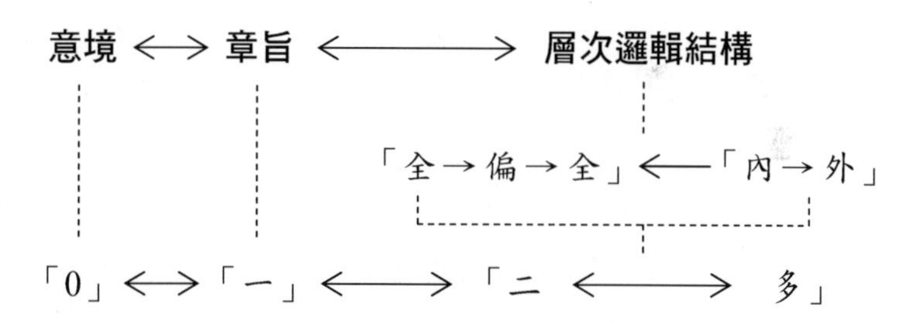

如凸顯其「陰陽」變化，則可用如下簡圖來表示：

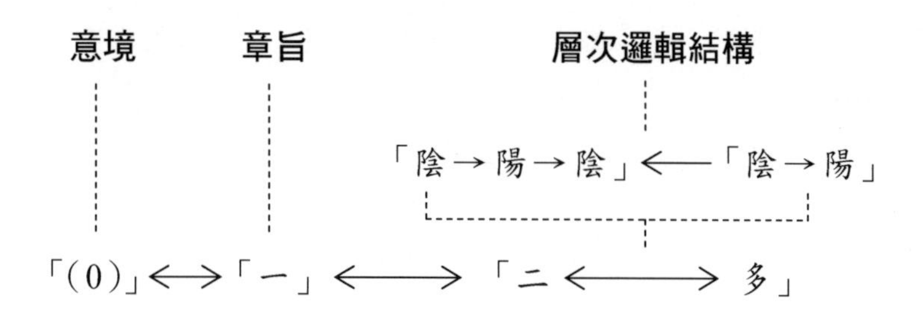

其中以「全→偏→全」（陰→陽→陰）的順向「轉位」與「內→外」（陰→陽）的順向「移位」形成「秩序與變化」；以「包孕」組合兩層結構，定「調和」為一，形成「聯貫與統一」。而由此上徹，本章文字的「0 一二多」雙螺旋結構系統就由此呈現。

對這一章，朱熹釋云：

> 誠雖所以成己，然既有以自成，則自然及物，而道亦行於彼矣。仁者，體之存；知者，用之發；是皆吾性之固有，而無內外之殊。[17]

在此，朱熹以為「仁」和「知」（智），雖有體用之分，卻皆屬「吾性之固有」，是沒有什麼內外之別的。關於這點，王夫之也作了如下的闡釋：

> 有其誠，則非但成己，而亦以成物矣；以此誠也者，足以成己，而無不足於成物，則誠之而底於成，其必成物審矣。成己者，仁之體也；成物者，知之用也；天命之性、固有之德也。而能成己焉，則仁之體立也；能成物焉，則知之用行也；仁知咸得，則是復其性之德也。統乎一誠而已，物胥成焉，則同此一道，而外內固合焉。[18]

可見「仁（陰）」和「知（陽）」（智），都是「性」的真實內容，徐復觀指出：

---

17 朱熹：《四書集注》，頁42。

18 王船山：《讀四書大全說》（臺北市：河洛圖書出版社，1974年5月臺景印初版），頁299-300。

> 誠是實有其仁；「誠則明矣」（二十一章），是仁必涵攝有知；因為明即是知。「明則誠矣」（同上），是知則必歸於仁。誠明的不可分，實係仁與知的不可分。仁知的不可分，因為仁知皆是性的真實內容，即是性的實體。誠是人性的全體顯露，即是仁與知的全體顯露。因仁與知，同具備於天所命的人性、物性之中；順著仁與知所發出的，即成為具有普遍妥當性的中庸之德之行；而此中庸之德之行，所以成己，同時即所以成物，合天人物我於尋常生活行為之中。[19]

可見「誠」則「是人性的全體顯露」，即是「仁與知（智）」（陰⟷陽）的全體顯露。

如此說來，在《中庸》作者的眼中，「性」顯然包含了兩種能「互動、循環、往復而提高」的精神潛能：一是屬「仁」的，即仁性，乃人類與生俱來的一種「成己」（成德）力量；一是屬「知」的，即知（智）性，為人類生生不已的一種「成物」（認知）動能。前者可說是「誠」的動力，後者可說是「明」的泉源；兩者非但為人人所共有，而且也是交相作用的，也就是說：如果顯現了部分的仁性（誠），就能連帶地顯現部分的知性（明）；同樣地，顯現了部分的知性（明），就能連帶地顯現部分的仁性（誠）。正由於這種相互的作用，有「先後偏全」之差異，故使人在盡性上也就有了兩條內外、天人銜接的路徑：一是由「誠（仁性）」而「明（知性）」（陰→陽），這是就先天潛能的提發來說的；一是由「明（知性）」而「誠（仁性）」（陽→陰），這是就後天修學的努力而言的[20]。所以《中庸》第二十一章說：

---

19 徐復觀：《中國人性論史》，頁156。

20 陳滿銘：《中庸思想研究》（臺北市：文津出版社，1980年3月初版），頁108-123。

自誠明，謂之性；自明誠，謂之教；誠則明矣，明則誠矣。

這幾句話可畫成如下結構系統表，以呈現其邏輯層次：

偏（誠明、天人互動）
- 天→人：「自誠明，謂之性」
- 人→天：「自明誠，謂之教」

全（誠明、天人合一）：「誠則明矣，明則誠矣」

如凸顯「層次邏輯」（章法），並配合「0 一二多」雙螺旋結構系統，則可用如下簡圖來表示：

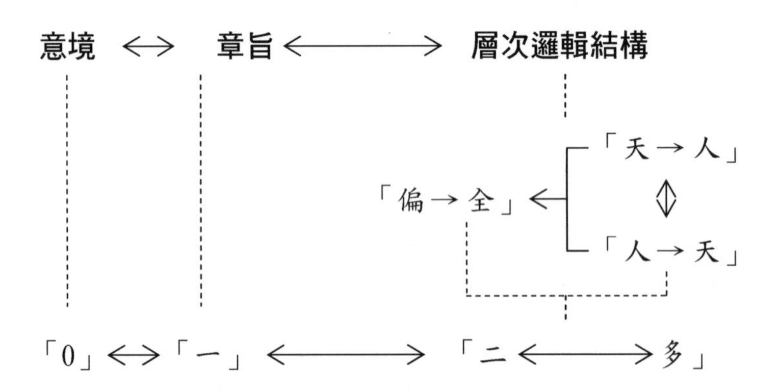

如凸顯其「陰陽」變化，則可用如下簡圖來表示：

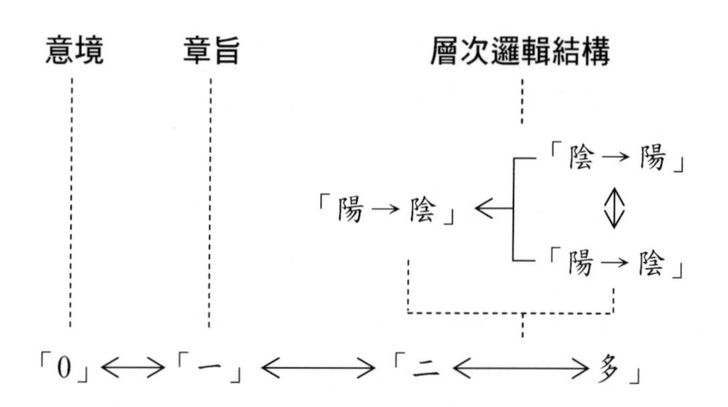

其中以「偏→全」（陽→陰）的順向與「天→人」（陽→陰）、「人→天（陽→陰）」的順、逆向「移位」形成「秩序與變化」；以「包孕」組合兩層結構，定「調和」為一，形成「聯貫與統一」。而由此上徹，本章文字的「0一二多」雙螺旋結構系統就由此呈現。

從這裡，我們可以曉得，人能由「誠」而「明」（陰→陽），乃出於人性天然的作用，而由「明」而「誠」（陽→陰），則是成自後天人為的教育，對此，唐君毅說：

> 《中庸》謂此性為天命之性。至於就此性之表現言，則有二形態：其一形態為直承其為絕對之善，而自然表現為一切善德善行。此即吾人於〈原心篇〉下所謂直道的順天德、性德之誠，以自然明善，其極為不思而中，不勉而得，至誠無息之聖境，是所謂自誠明、謂之性也。至誠無息者，其生心動念，無不為此能自誠之性之直接表現，而「明著於外者。」《中庸》於此乃更不言心不言意念，而只言明。明即心知之光明，人至誠而無息，則其心知即只是一充內形外之光明，以表現此自誠之性，此外即更無心可說。是謂由誠而明。另一形態為人之未達至誠，而其性之表現，乃只能通過間雜之不善者，而更超化之，

> 以去雜成純，以由思而中、勉而得。此即吾人於〈原心篇〉，所謂由擇乎正反兩端，以反反而成正之工夫。人在此工夫中，乃以心知之光明開其先，而歷曲折細密之修養歷程，以至於誠。即所謂「自明誠，謂之教」，「致曲」以「有誠」也。[21]

而這種「天然」(性)與「人為」(教)的兩種作用，如能「互動、循環、往復而提高」不已，使天人融合無間，則所謂「誠則明矣，明則誠矣」，產生「陰 ⟷ 陽」的雙螺旋互動作用，最後必臻於「亦誠亦明」的至誠境界。而這種「由偏而全」的作用，配合「三知」、「三行」可用下列兩圖來表示：

圖一：

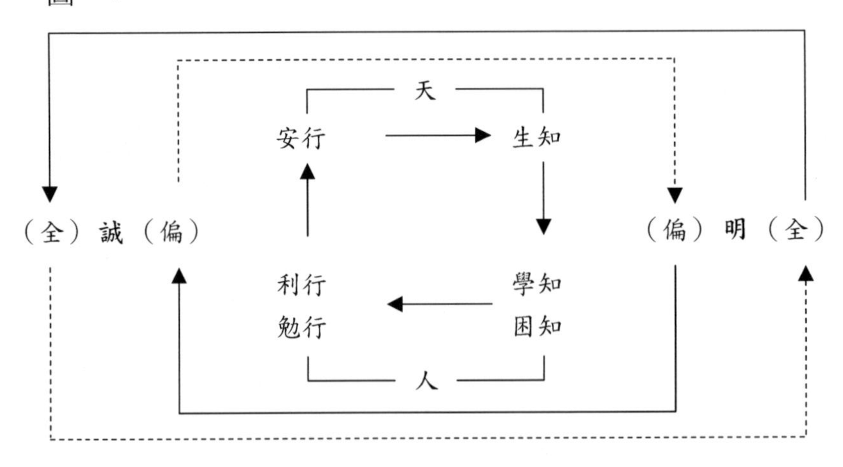

21 唐君毅：《中國哲學原論．原性篇》(香港：新亞書院研究所，1968年2月版)，頁63-64。

圖二：

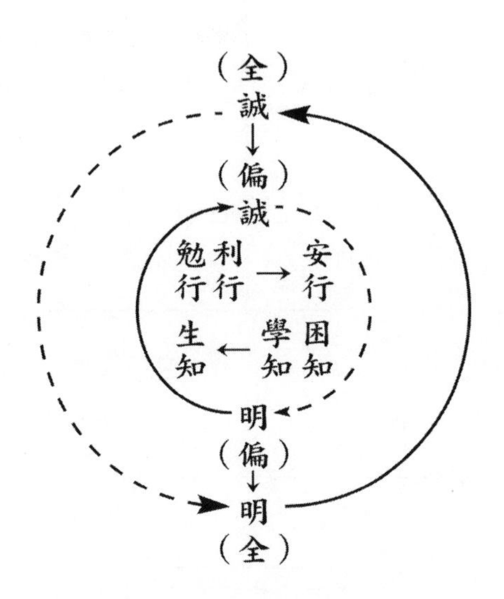

這兩圖可以互相對照來看，圖中的虛線代表天賦──「性」，實線代表人為──「教」。外圈指「全」，屬聖人；內圈指「偏」，屬學者。藉此可辨明「誠」與「明」（陰→陽）、「天」與「人」（陽→陰）的「陰⟷陽」雙螺旋互動的關係。人就這樣在交互作用之下，不斷地自「明」而「誠」、自「誠」而「明」，產生「互動、循環、往復而提高」的作用，而形成雙螺旋結構，使自己的知（智）性與仁性，便由「偏」而「全」地逐漸發揮其功能，最後臻於「至誠（仁且智）」（陰⟷陽）的最高境界。至此，「誠」（仁）和「明」（智）便融合為一，而統於「至誠」了。

而《中庸》一書的內容是可以用「誠明」（天人、偏全）思想來貫通，形成完整體系的，在此限於篇幅，無法一一說明，只列出下表供參考：

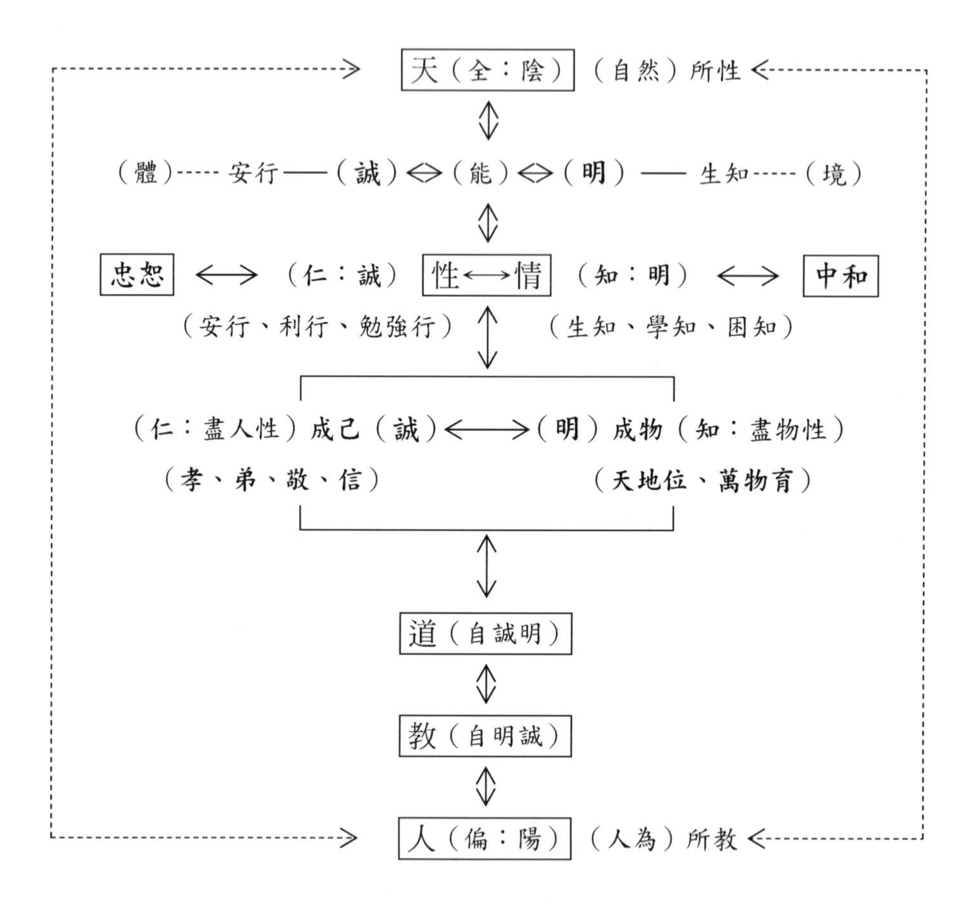

由此可見《中庸》思想是用「誠 ⟷ 明」（天人、偏全）邏輯「一以貫之」而形成其雙螺旋體系的。如單就其雙螺旋系統而言，則可用如下簡圖來表示：

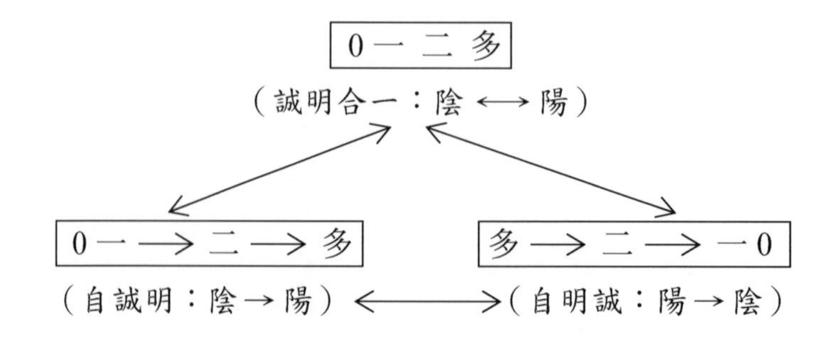

很顯然地，《中庸》將重心由「天」落到「人」之上，以確定「人為（自明誠）」（陽→陰）與「天然（自誠明）」（陰→陽）之雙螺旋互動（陰⟷陽）關係，為人類「成己」（純化人倫社會）、「成物」（改善物質環境）之永恆努力，通向「至誠」（誠明合一）的最高境界，鋪成了一條康莊大道；這是《中庸》「誠（陰）⟷明（陽）」思想的最大特色[22]。

第四節　《中庸》「誠（陰）⟷明（陽）」思想的實踐

這種「天」（性）與「人」（教），經由「互動、循環、往復而提高」的雙螺旋作用，由「偏」而「全」地臻於「至誠」（誠明、天人合一）的圓滿境界，可由孔子成聖的歷程加以證明。《論語・為政》載：

> 子曰：「吾十有五而志於學，三十而立，四十而不惑，五十而知天命，六十而耳順，七十而從心所欲、不踰距。」

這段話可畫成如下結構表，以呈現其邏輯層次：

---

22 陳滿銘：〈談《中庸》的思想體系〉，《學庸義理別裁》（臺北市：萬卷樓圖書公司，2002年1月初版），頁328-347。

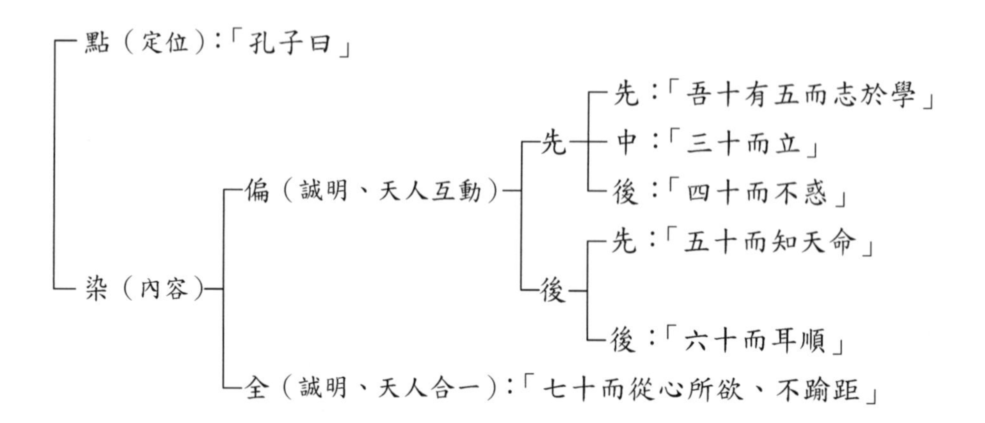

如凸顯「層次邏輯」（章法），並配合「0 一二多」雙螺旋結構系統，則可用如下簡圖來表示：

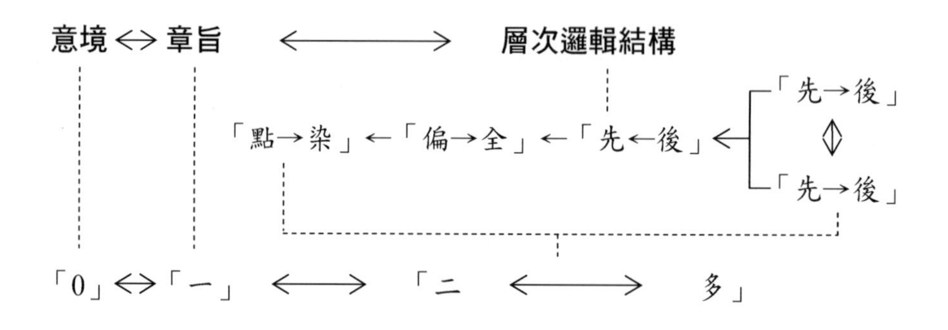

如凸顯其「陰陽」變化，則可用如下簡圖來表示：

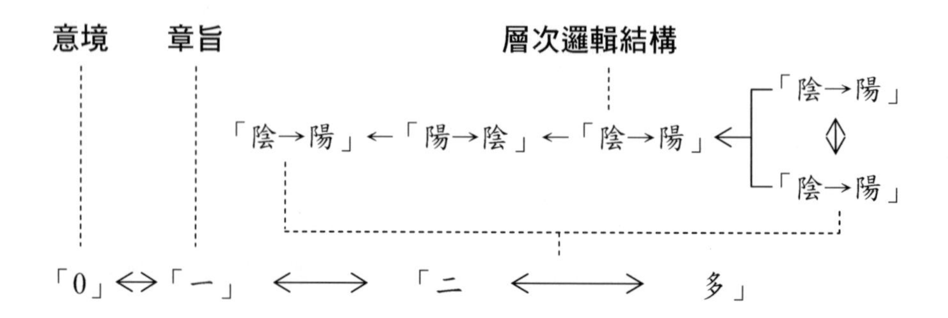

其中以「點→染」（陰→陽）、「先→後」（陰→陽）（兩層三疊）的順向「移位」與「偏→全」（陽→陰）的逆向「移位」，形成「秩序與變化」；以「包孕」組合四層結構，並「調和」為一，形成「聯貫與統一」。而由此上徹，本章文字的「0 一二多」雙螺旋結構系統就由此呈現。

從這裡，我們知道：孔子在十五歲時，便開始立志學聖，到了三十而邁上了「立」的階段。這所謂的「立」，據〈季氏〉篇載伯魚引述孔子的話說：

> 不學禮，無以立。

又於〈堯曰〉篇載孔子的話說：

> 不知禮，無以立也。

可知它是指學禮、知禮而言的。孔子就在這十五至三十的頭一個階段裡，正如《荀子．勸學》所言：

> 始乎誦經，終乎讀禮。[23]

用了十五年的時間，不斷地在「文」（《詩》、《書》）內「誦經」、「讀禮」，以熟悉往聖先賢的思想與經驗的結晶，而達於「知禮」的境地，即一面作為日常行事的準則，以「克己復禮」，又一面引為推求

---

23 楊家駱主編：《新編諸子集成》二《荀子集解》（臺北市：世界書局，1978年7月新三版），頁7。

未知的依據，一以知十。如此以已知（「文」內）推求未知（「文」外），過了十年，便人我內外，於「禮」無不「豁然貫通」[24]，而順利達於「不惑」的階段。到了這時，梗塞於心目之間的認知障礙，自然就完全消去，達到不迷不眩而能直探本原的地步，所以朱熹《四書集注》在「四十而不惑」下注說：

> 於事物之所當然，皆無所疑。[25]

這樣對個別事物之理，也就是「禮」[26]，皆無所疑，而逐次地將「知」累積、貫通、提升，經過十載，則所謂「知極其精」[27]，便對本原的天理人情能了然於胸，這就進入了「知天命」的階段了。這所謂的「知天命」，據邢昺是如此解釋的：

> 命，天之所稟受者也。孔子四十七學《易》，至五十窮理盡性，知天命之終始也。[28]

而朱熹則以為：

> 天命，即天道之流行，而賦於物者，乃事物所以當然之故也。[29]

---

24 朱熹：《四書集注》，頁8。

25 朱熹：《四書集注》，頁61。

26 《禮記・仲尼燕居》：「子曰：禮也者，理也；樂也者，節也；君子無禮不動。」見孔穎達：《十三經注疏・禮記》（臺北市：藝文印書館，1965年6月三版），頁854。

27 朱熹：《四書集注》，頁61。

28 邢昺：《十三經注疏・論語》，頁16。

29 朱熹：《四書集注》，頁61。

由邢、朱兩人的解釋看來，其最大不同，只是前者偏就「稟受者」（性）來說明，對此，徐復觀說：

> 以「天命」為即是人之所以為人的性，是由孔子在下學而上達中所證驗出來的。孔子的五十而知天命，實際是對於在人的生命之內，所蘊藏的道德性的全般呈露。此蘊藏之道德性，一經全盤呈露，即會對於人之生命，給予以最基本的規定，而成為人之所以為人之性。這即是天命與性的合一。孔子是在這種新地人生境界之內，而『言性與天道』。因為這完全是新地人生境界，所以子貢才嘆為「不可得而聞」。子貢之所以不可得而聞，亦正是顏子感到「仰之彌高，鑽之彌堅；瞻之在前，忽焉在後」(《論語‧子罕》) 的地方。但在學問上，孔子既已開拓出此一新的人生境界，子貢雖謂不可得而聞，而實則已提出了此一問題。學問上的問題，一經提出以後，其後學必會努力予以解答。「天命之謂性」，這是子思繼承曾子對此問題所提出的解答；其意思是認為孔子所證知的天道與性的關係，乃是『性由天所命』的關係。[30]

而後者則偏就「賦予者」（命）來闡述罷了。這樣著眼之處雖有不同，但說的無非是天理人情，而它們正是「禮」之所由出。《左傳‧昭公二十五年》說：

> 夫禮，天之經也，地之義也，民之行也。[31]

---

30 徐復觀：《中國人性論史》，頁116-117。

31 楊伯峻：《春秋左傳註》下（臺北市：源流出版社，1982年4月再版），頁145。

又《荀子・樂論》也說：

> 禮也者，理之不可易者也。[32]

而《禮記・坊記》則說：

> 禮者，因人之情而為之節文。[33]

又《遼史・禮志一》更進一步說：

> 理自天設，情由人生。[34]

可見「知天命」，講得淺一點，即知天理人情，是就「文」(《詩》、《書》) 外來指「知禮」的。如此知既極其精，又極其大，於是再過十年，對「禮」(理) 便到了「聲入心通」[35] 的「耳順」階段。此時就像陸隴其所言：

> 聞一善言，見一善行，若決江河，此聲之善者；詖、淫、邪、遁，知其蔽、陷、離、窮，此聲之不善者，皆一入便通。[36]

可以說已充分地發揮了內在的睿智，把知識的領域開拓到了極度，達

---

32 楊家駱主編：《新編諸子集成》二《荀子集解》，頁255。

33 孔穎達：《十三經注疏・禮記》，頁863。

34 楊家駱新編：《遼史》(臺北市：鼎文書局，1975年10月初版)，頁833。

35 朱熹：《四書集注》，頁61。

36 徐英：《論語會箋》引 (臺北市：正中書局，1965年3月臺三版)，頁18。

於「至明」的境地。修學至此，所謂「誠（仁）則明（智）矣，明則誠矣」(《中庸》第二十一章)，經過了人為（自明誠）與天賦（自誠明）的最高一層融合，那麼到了七十，自然就可以「從心所欲，不踰矩」，而臻於「不勉而中（誠──仁），不思而得（明──智）」[37] 的「至誠（誠明合一）」(陰 ⟷ 陽）境界了。

就在這段歷程裡，凡所「學」、所「立」、所「不惑」、所「知」、所「耳順」、所「不踰矩」者，無非是「禮」。而在「耳順」之前，雖無可例外地，都偏向於「智」(明）來說，但在每層階段裡，皆是「知」(博文）中有「行」(約禮)、「明」(智）裡帶「誠」(仁）的。因為每個階段，都包含有修學過程中的許多層面，而這修學的每個層面，是一點也少不了「由知（智）而仁」的「學之序」的。打從「志於學」開始，可以說即靠著這種「學之序」，才能在知行、天人的交互作用（自誠明 ⟷ 自明誠）下，一環進一環、一層進一層地，由「偏」而日趨於「全」，逐步遞升，邁過「耳順」，直至「從心所欲，不踰矩」的至聖領域。否則，至聖之境既無由造，而「知」(智）與「仁」也不能「由偏而全」(誠明、天人互動）地在最後統之於「至誠」(誠明、天人合一）而冶為一爐了[38]。

孔子之聖德是如此，故《中庸》的作者在第三十章就「至誠」（誠明、天人合一）的最高境界讚美他說：

> 仲尼祖述堯舜，憲章文武（成己──仁〔誠〕)；上律天時，下襲水土（成物──智〔明〕)；辟如天地之無不持載，無不覆幬，辟如四時之錯行，如日月之代明；萬物並育而不相害，道

37 朱熹：《四書集注》，頁38。

38 陳滿銘：《中庸思想研究》，頁146-164。

> 並行而不相悖，小德川流（成己——仁〔誠〕），大德敦化（成物——智〔明〕），此天地之所以為大也（配天、配地：誠明合一〔至誠〕）。

這段話可畫成如下結構表，以呈現其邏輯層次：

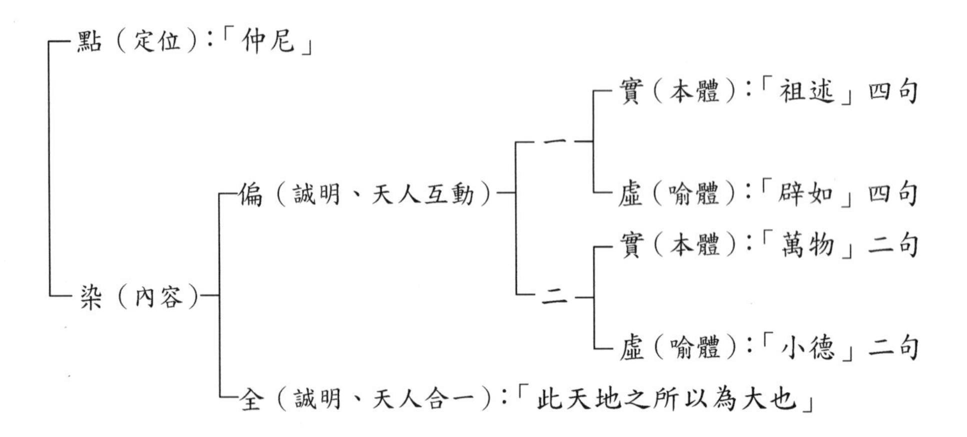

如凸顯「層次邏輯」（章法），並配合「0 一二多」的雙螺旋結構系統，則可用如下簡圖來表示：

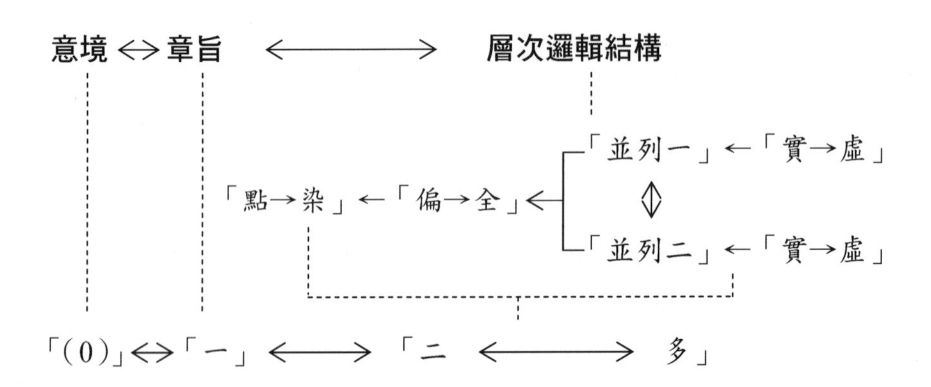

如凸顯其「陰陽」變化，則可用如下簡圖來表示：

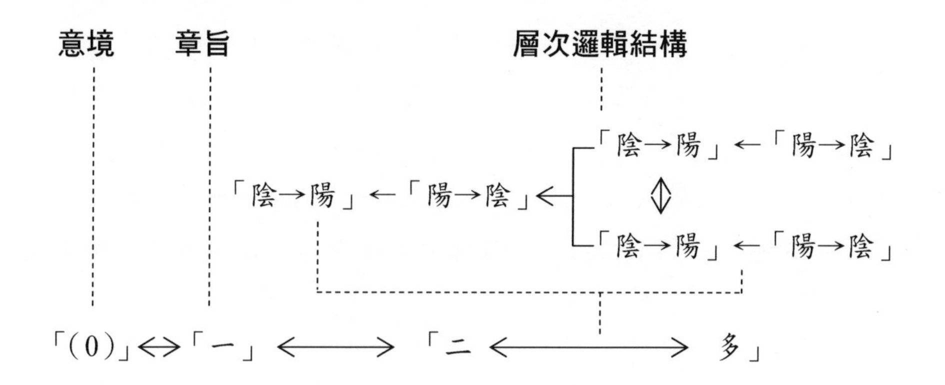

其中以「點 → 染」（陰 → 陽）、「並列（一、二）」（陰 → 陽）、「實 → 虛（陽 → 陰）」（兩疊）的順向「移位」與「偏 → 全（陽 → 陰）」的逆向「移位」，形成「秩序與變化」；以「包孕」組合四層結構，並「調和」為一，形成「聯貫與統一」。而由此上徹，本章文字的「0 一二多」雙螺旋結構系統就由此呈現。

對此，王夫之總括起來解釋說：

> 小德、大德，合知仁勇於一誠，而以一誠行乎三達德者也。[39]

而唐君毅也說：

> 所謂「萬物並育而不相害，道並行而不相悖。小德川流，大德敦化，此天地之所以為大也。」一切宗教的上帝，只創造自然之萬物。而中國聖人之道，則以贊天地化育之心，兼持載人文

---

39 王船山：《讀四書大全說》，頁311。

> 世界，人格世界之一切人生。故曰「大哉聖人之道，洋洋乎發育萬物，峻極於天。悠悠大哉，禮儀三百，威儀三千，待其人而後行。」因中國聖人之精神，不僅是超越的涵蓋宇宙、人生、人格與文化，而且是以贊天地化育之心，對此一切加以持載。故不僅有高明一面，且有博厚一面。「高明配天，博厚配地」、「崇效天，卑法地」，高明配天，崇效天者，仁智之無所不覆也。博厚配地，卑法地者，禮義自守而尊人，無所不載也。[40]

可見孔子的偉大，就在於「好學」不已，使「仁（誠）」與「智（明）」，產生「天」與「人」、「偏」與「全」的的雙螺螺旋互動之作用，終於合「仁（誠）」與「智（明）」於「一誠」（即「至誠」：誠明合一），而達於配天配地（與天地參）的境界，這是令後人十分「心嚮往之」的[41]。

結語

綜上所述，可知《中庸》的「誠（陰）⟷明（陽）」思想，與「天」與「人」、「偏」與「全」的關係，極其密切，是不斷地經由它們使「誠明」（自誠明⟷自明誠）產生「互動、循環、往復而提高」的雙螺旋互動（陰⟷陽）作用，而最後臻於「至誠」（誠明合一）境界的。

而這種由「層次邏輯」（章法）所形成的層層「雙螺旋結構系統」，由於可在《易經》與《老子》尋出其源頭，反映了宇宙人生「轉

---

40 唐君毅：《人文精神之重建》（香港：新亞研究所，1955年3月初版），頁228。

41 陳滿銘：〈《中庸》「多」、「二」、「一（0）」螺旋結構論〉。

化」繁衍不息的基本運動規律，而成為「方法論」原則、系統[42]，因此是有其普遍性的。對此，「三一語言學」的創始人王希杰在論「章法的客觀性」時就說：「凡存在的事物，都有是『章』有『法』的。德國哲學家黑格爾說：凡存在的，都是合理的。這個『理』，其實就是『章』和『法』。」[43] 而修辭學家孟建安在論「章法的『多、二、一（0）』邏輯結構」時，則說「陳先生……，透過《周易》與《老子》的相關篇章……將順（由天而人：「0 一、二、多」）、逆（由人而天：「多、二、一（0）」）向結構前後連接在一起，更形成循環不已的螺旋結構，以反映宇宙人生繁衍不息的基本規律。」[44] 此外，辭章學大家鄭頤壽在論「『和合』（和諧）的思想」時，總括地說：「中華民族從幾千年以來，就十分重視、推崇『和合』（又稱「和諧」，或單稱「和」或「合」）這一思想深入到哲學、政治、倫理、美學（含音樂、繪畫、書法藝術等）、醫學、生理衛生直至各個學科及其科研道路。可以說有宇宙、有人類的存在，就有『和合』的存在。陳教授在《篇章（辭章學）》中用相當大的篇幅論析『和合』（和諧）的思想，並用它統帥篇法和章法，使篇章辭章學（辭章章法學）更具哲理性。」[45]

既然「章法」亦即「層次邏輯」反映的是「客觀存在」之規律，「具哲理性」，直接關涉「方法論」而形成「雙螺旋體系」，其重要性

---

42 陳滿銘：〈論章法結構之方法論系統——歸本於《周易》與《老子》作考察〉，臺灣師大《國文學報》46期（2009年12月），頁61-94。又，陳滿銘：〈論章法四大律之方法論原則——以多二一（0）螺旋結構作系統探討〉，臺灣師大《中國學術年刊》33期春季號（2011年3月），頁87-118。

43 王希杰：〈陳滿銘教授和章法學〉，《畢節學院學報》總96期（2008年2月），頁2。

44 孟建安：〈陳滿銘與辭章章法學研究〉，《陳滿銘與辭章章法學》（臺北市：文津出版社，2007年12月一版一刷），頁109-110。

45 鄭頤壽：〈研究篇章藝術的國學——讀陳滿銘的《篇章辭章學》、《辭章學十論》〉，《國文天地》22卷4期（2006年9月），頁89。

可知。因此，如要挖掘種種蘊藏於「萬事萬物」之「層次邏輯」，將它們彰顯出來，則非靠此「方法論」不可。而這些「方法論」，對應於「章法三觀」，是由「二元」的「移位」、「轉位」與「包孕」，產生「互動、循環、往復而提升」之雙螺旋作用，以構成其「微觀」（方法論：如「章法類型」）、「中觀」（方法論原則：如「章法規律」）而「宏觀」（方法論系統：如「0 一二多雙螺旋結構」）之體系的[46]。所以多年以來，這種體系就陸續被跨界運用到「儒學」、「佛學」、「意象學」、「詞學」、「新詩學」、「心理學」、「美學」、「風格學」、「語文教學」、「建築學」、「評量學」……的論文或著作上[47]。到了今天「卻顧所來徑」，驚嘆之餘，驀然覺得該是由「層次邏輯」（章法）的研究來帶動「方法論」之開展、提升，以正式大力推出「雙螺旋層次邏輯學」的時候了。真希望「章法學」的研究團隊忘記辛苦，繼續努力，能越來越壯大，呈現更多成果。

46 陳滿銘：〈論辭章章法學三觀體系之建構〉，中山大學《文與哲》學報23期（2013年12月），頁333-388。

47 陳滿銘：〈章法學「三觀」體系的建構過程〉，《章法論叢》（臺北市：萬卷樓圖書公司，2013年11月初版），頁1-24。

國家圖書館出版品預行編目(CIP)資料

跨界章法學研究叢書
陰陽雙螺旋互動論：以「0一二多」層次邏輯系統作通貫觀察 ； 陳滿銘著.
許錟輝總策畫 ； 中華章法學會主編
-- 初版. -- 臺北市 : 萬卷樓, 2016.11
6 冊 ; 17（寬）x23（高）公分
ISBN 978-986-478-033-4（全套:精裝）
ISBN 978-986-478-019-8（第 5 冊:精裝）

1.漢語 2.篇章學 3.文集

820.7607　　105018940

跨界章法學研究叢書

陰陽雙螺旋互動論：以「0一二多」層次邏輯系統作通貫觀察

ISBN 978-986-478-019-8

作　者　陳滿銘
總策畫　許錟輝
主　編　中華章法學會
出　版　萬卷樓圖書股份有限公司
總編輯　陳滿銘
發　行　萬卷樓圖書股份有限公司
發行人　陳滿銘
聯　絡　電話 02-23216565　傳真 02-23944113
　　　　網址 www.wanjuan.com.tw
　　　　郵箱 service@wanjuan.com.tw
地　址　106 臺北市羅斯福路二段 41 號 6 樓之三
印　刷　百通科技股份有限公司
初　版　2016 年 11 月
定　價　新臺幣 12000 元　全套六冊精裝　不分售

　新聞局出版事業登記證號局版臺業字第 5655 號